A VINGANÇA VESTE PRADA

LAUREN WEISBERGER

A VINGANÇA VESTE PRADA

Tradução de
FABIANA COLASANTI

EDITORA RECORD
RIO DE JANEIRO • SÃO PAULO
2013

CIP-BRASIL. CATALOGAÇÃO NA FONTE
SINDICATO NACIONAL DOS EDITORES DE LIVROS, RJ

Weisberger, Lauren, 1977-

W452v   A vingança veste Prada / Lauren Weisberger; tradução de
Fabiana Colasanti. – 1. ed. – Rio de Janeiro: Record, 2013.

Tradução de: *Revenge Wears Prada*
Sequência de: *O diabo veste Prada*
ISBN 978-85-01-40304-9

1. Ficção americana. I. Colasanti, Fabiana. II. Título.

13-00553   CDD: 813
                                                   CDU: 821.111(73)-3

Título original em inglês:
Revenge Wears Prada

Copyright © 2013 by Lauren Weisberger

Texto revisado segundo o novo Acordo Ortográfico da Língua Portuguesa.

Editoração eletrônica: Abreu's System

Direitos exclusivos de publicação em língua portuguesa somente para o Brasil
adquiridos pela
EDITORA RECORD LTDA.
Rua Argentina, 171 – Rio de Janeiro, RJ – 20921-380 – Tel.: 2585-2000,
que se reserva a propriedade literária desta tradução.

Impresso no Brasil

ISBN 978-85-01-40304-9

Seja um leitor preferencial Record.
Cadastre-se e receba informações sobre nossos lançamentos
e nossas promoções.
Atendimento e venda direta ao leitor:
mdireto@record.com.br ou (21) 2585-2002.

Para R e S,
com amor

Enquanto ela vivesse

1

Os lençóis de chuva caíam de lado, frios e implacáveis, o vento lançando-os em todas as direções. Guarda-chuva, capa e galochas eram praticamente inúteis — e Andy nem tinha nada disso no momento. Seu guarda-chuva Burberry de 200 dólares tinha se recusado a abrir e finalmente quebrara sob a força que ela havia feito; o casaco curto de pele de coelho, com maxigola e sem capuz, se ajustava maravilhosamente em volta da cintura, mas não ajudava em nada a deter o frio de congelar os ossos; e os sapatos novinhos meia-pata Prada a alegravam com sua cor fúcsia-papoula, mas deixavam a maior parte do pé exposto. Até a calça legging fazia suas pernas parecerem nuas, o couro tão inútil diante do forte vento quanto um par de meias de seda. Os 40 centímetros de neve que haviam se depositado sobre Nova York como um cobertor já estavam começando a derreter e se transformar em uma sujeira cinza lamacenta, e Andy desejou pela milésima vez morar em qualquer lugar menos ali.

Como se para pontuar seus pensamentos, um táxi ultrapassou o sinal amarelo, buzinando para Andy em reprimenda ao grave crime de tentar atravessar a rua. Ela se segurou para não lhe mostrar o dedo médio — todo mundo andava armado hoje em dia. Em vez disso, cerrou os dentes e vomitou xingamentos mentais na direção dele. Levando-se em conta o tamanho dos seus saltos, ela fez um ótimo progresso durante os dois ou três quarteirões seguintes. Rua 52, 53, 54... Não faltava muito agora, e pelo menos ela teria um tempinho para se aquecer antes de correr de volta para o escritório. Estava se consolando com a promessa de um café quente e talvez, só talvez, um cookie com gotas de chocolate quando de repente, em algum lugar, ouviu *aquele* toque.

De onde estava vindo? Andy olhou em volta, mas os outros pedestres pareciam não perceber o som, que ficava mais alto a cada segundo. *Br-rrring! Br-rrring!* Aquele toque de celular. Ela o reconheceria em qualquer lugar enquanto vivesse, embora estivesse surpresa por ainda existirem nos aparelhos novos. Ela simplesmente não o escutava havia muito tempo, e ainda assim... tudo voltou voando. Sabia o que iria encontrar antes mesmo de puxar o celular da bolsa, mas não deixou de ficar chocada ao ver aqueles dois nomes na telinha: MIRANDA PRIESTLY.

Ela não ia atender. Não podia. Respirou fundo, apertou "ignorar" e jogou o celular de volta na bolsa. O toque recomeçou quase que imediatamente. Andy sentiu que seu coração começava a bater mais rápido e que ficava cada vez mais difícil encher os pulmões. *Inspire, expire*, instruiu a si mesma, abaixando o queixo para proteger o rosto da chuva, que agora, além de conter também neve, caía pesadamente, e *apenas continue andando*. Estava a menos de dois quarteirões do restaurante — já o via mais à frente, todo iluminado, como uma cálida promessa cintilante — quando uma rajada de vento especialmente violenta a empurrou para a frente, fazendo-a perder o equilíbrio e enfiar o pé naquilo que era uma das piores partes do inverno de Manhattan: uma daquelas poças pretas e lamacentas repletas de sujeira e água e sal e lixo e só Deus sabe o que mais, tão imundas e congelantes e chocantemente fundas que não se podia fazer nada além de se render a ela.

Foi exatamente o que Andy fez, bem ali na pocinha do inferno que havia se acumulado entre a rua e o meio-fio. Ficou ali, como um flamingo, empoleirada graciosamente em um pé submerso, conseguindo manter o outro impressionantemente acima da sujeira líquida por uns bons trinta ou quarenta segundos, avaliando suas opções. À sua volta, as pessoas abriam espaço para ela e o laguinho lamacento, somente aqueles com galochas até os joelhos ousavam pisar direto no meio. Mas ninguém lhe ofereceu a mão, e, percebendo que a poça tinha um perímetro grande o suficiente para que não pudesse pular para fugir em qualquer direção, ela se preparou para mais um choque de frio e colocou o pé esquerdo ao lado do direito. A água gelada subiu por suas pernas e parou em sua panturrilha, engolindo os dois sapatos fúcsia e uns bons 12 centímetros de calça de couro. Por pouco ela não caiu no choro.

Os sapatos e a legging estavam arruinados; seus pés pareciam prestes a cair por enregelamento; a única opção para sair daquela sujeira era continuar caminhando no meio do lamaçal; e só o que Andy conseguia pensar era *É isso o que você ganha por mexer com Miranda Priestly.*

Mas não havia tempo para chafurdar na infelicidade, porque assim que ela conseguiu chegar ao meio-fio e parou para avaliar o estrago, seu telefone tocou de novo. Fora corajoso — ora essa, completamente imprudente, isso sim — ignorar a primeira ligação. Ela simplesmente não podia fazê-lo de novo. Pingando, tremendo e quase aos prantos, tocou na tela e disse alô.

— Ahn-dre-ah? É você? Já faz uma eternidade que você saiu. Só vou lhe perguntar mais uma vez. Cadê. O. Meu. Almoço? Não vou ficar esperando para sempre.

É claro que sou eu, pensou Andy. *Você ligou para o meu número. Quem mais iria atender?*

— Sinto muito, Miranda. A rua está terrível e eu estou fazendo o máximo para...

— Quero você aqui *imediatamente.* É só o que eu tenho a dizer.

E, antes que Andy pudesse dizer mais uma palavra, a ligação foi encerrada.

Apesar de a água gelada que se acumulou em seus sapatos esguichar por entre seus dedos da maneira mais nojenta que se possa imaginar e de que já era bem difícil andar naqueles saltos mesmo quando secos e das calçadas que ficavam mais escorregadias a cada segundo conforme a chuva começava a congelar, apesar de tudo isso, Andy começou a correr. Disparou como pôde por um quarteirão, e só faltava mais um quando ouviu alguém gritando seu nome.

Andy! Andy, pare! Sou eu! Pare de correr!

Ela reconheceria aquela voz em qualquer lugar. Mas o que Max estava fazendo ali? Ele tinha viajado, ficaria fora todo o fim de semana; em algum lugar do interior, com algum propósito que não lhe ocorria agora. Ou não viajara? Ela parou e se virou, procurando por ele.

Aqui, Andy!

E então ela o viu. Seu noivo, com o cabelo escuro e grosso, os olhos verdes penetrantes e a beleza rústica, montado em um enorme cavalo branco. Andy não gostava muito de cavalos desde o tombo que levara ao montar em um no segundo ano, quando quebrara o pulso direito, mas aquele cavalo parecia até bem amigável. Pouco importava que Max estivesse em cima de um cavalo branco no centro de Manhattan em plena nevasca — Andy estava tão feliz em vê-lo que nem pensou em questionar.

Ao vê-lo desmontar com a facilidade de um cavaleiro experiente, Andy tentou lembrar se algum dia ele havia mencionado jogar polo. Em três passos largos estava ao lado dela, envolvendo-a em um abraço quente e delicioso, e ela sentiu seu corpo inteiro relaxar enquanto se rendia a ele.

— Minha pobre gatinha — murmurou ele, sem dar a menor atenção ao cavalo ou aos pedestres curiosos. — Você deve estar congelando aqui fora.

O som de um telefone — aquele telefone — tocou entre os dois. Andy se apressou em atendê-lo.

— Ahn-dre-ah! Não sei que parte de "imediatamente" você não entendeu, mas...

O corpo inteiro de Andy tremia enquanto a voz estridente de Miranda perfurava seu ouvido, mas, antes que ela pudesse mexer um único músculo, Max pegou o telefone de sua mão, apertou "desligar" e o jogou com uma mira perfeita direto na poça que anteriormente havia sequestrado os pés de Andy.

— Já chega dela, Andy — disse ele, passando um grande edredom em volta de seus ombros.

— Ahmeudeus, Max, como você pôde fazer isso? Estou tão atrasada! Ainda nem cheguei ao restaurante, e ela vai me matar se eu não estiver lá com o almoço dela em...

— Shhh — falou ele, levando dois dedos aos lábios de Andy.

— Você está a salvo agora. Está comigo.

— Mas já é uma e dez, e se ela não...

Max enfiou as mãos sob os braços de Andy e a ergueu sem esforço no ar antes de colocá-la suavemente de lado na sela instalada no dorso do cavalo branco — cujo nome, de acordo com Max, era Bandit.

Ela ficou sentada em silêncio, atônita, enquanto Max tirava seus sapatos encharcados e os jogava na sarjeta, para então sacar da própria mochila — a que ele carregava para todo lado — a pantufa de lã de Andy (sua preferida) e calçá-la em seus pés vermelhos e feridos. Para completar, ajeitou o edredom sobre seu colo, amarrou a própria echarpe de caxemira na cabeça e no pescoço dela e lhe entregou uma garrafa térmica de aço cheia de, segundo ele, um leite quente especial, com chocolate amargo. Seu favorito. Por fim, em um movimento impressionantemente fluido, ele montou novamente no cavalo e pegou as rédeas. Antes que ela pudesse dizer mais uma palavra, eles começaram a trotar pela Sétima Avenida, a escolta policial à frente livrando o caminho de tráfego e pedestres.

Era um alívio enorme estar aquecida e ser amada, mas Andy não conseguia se livrar do pânico que sentia por não ter atendido um pedido de Miranda. Ela seria demitida, isso era certo, mas e se as consequências acabassem sendo piores? E se Miranda estivesse tão furiosa por Andy tê-la desafiado que resolvesse usar sua influência ilimitada para garantir que ela jamais conseguisse outro emprego? E se decidisse ensinar uma lição à sua assistente e lhe mostrar exatamente o que acontecia quando alguém simplesmente deixava Miranda Priestly na mão — e não só uma, mas *duas* vezes?

— Eu tenho que voltar! — gritou Andy ao vento, conforme o cavalo passava de trote a corrida. — Max, dê a volta e me leve para o escritório! Não posso...

— Andy! Está me ouvindo, meu amor? Andy!

Os olhos dela se abriram imediatamente. A única coisa que ela sentia era o próprio coração martelando no peito.

— Você está bem, meu amor. Está tudo bem. Foi só um sonho. E, pelo visto, um sonho horrível — sussurrou Max, erguendo o rosto dela com a mão fria.

Andy se aprumou e viu a primeira luz da manhã entrando pela janela do quarto. Não havia neve nem chuva, nem cavalo algum. Seus pés estavam descalços mas quentes debaixo dos lençóis deliciosamente macios e ela sentia o corpo de Max forte e seguro contra o seu. Respirou fundo, e nisso o cheiro dele — seu hálito, sua pele, seu cabelo — encheu suas narinas.

Tinha sido só um sonho.

Ela olhou em volta. Ainda se sentia semiadormecida, atordoada por ter sido acordada na hora errada. Onde eles estavam? O que estava acontecendo? Foi só quando olhou para a porta, na qual estava pendurado um vestido Monique Lhuillier recém-passado e simplesmente deslumbrante, que ela lembrou que aquele quarto estranho era na verdade uma suíte nupcial — a *sua* suíte nupcial — e que ela própria era a noiva. Noiva! Uma onda de adrenalina fez com que se sentasse ereta na cama tão rápido que Max levou até um susto.

— Com o que você estava sonhando, gata? Espero que não tenha tido nada a ver com o evento de hoje.

— De jeito nenhum. Só antigos fantasmas. — Ela se inclinou para a frente para beijá-lo enquanto Stanley, o maltês deles, se enfiava entre os dois. — Que horas são? Espere... o que você está fazendo aqui?

Com aquele sorriso endiabrado que ela adorava, Max saiu da cama. Como sempre, Andy não pôde deixar de admirar seus ombros largos e seu abdome definido. Ele tinha um corpo de 25 anos, só que melhor — não duro e musculoso demais, mas perfeitamente definido e em forma.

— São 6 horas. Entrei escondido já faz um tempo — disse ele enquanto vestia uma calça de pijama de flanela. — Estava me sentindo sozinho.

— Bem, é melhor você ir embora daqui antes que alguém o veja. Sua mãe estava neurótica com a ideia de que não podíamos nos ver antes do casamento.

Max a puxou para fora da cama e a envolveu em seus braços.

— Então não conte a ela. Mas eu não ia passar o dia inteiro sem ver você.

Andy fingiu irritação, mas no fundo ficou feliz por ele ter entrado escondido para um aconchego rápido, ainda mais depois daquele pesadelo.

— Está bem. — Ela suspirou dramaticamente. — Mas volte para o seu quarto sem ser visto! Vou levar Stanley para dar uma volta antes que todo mundo desça.

Max apertou sua pélvis contra a dela.

— Ainda é cedo. Aposto que se formos rápido podemos...

Andy riu.

— Vá logo!

Ele a beijou de novo, ternamente dessa vez, e saiu da suíte.

Andy pegou Stanley nos braços e beijou-o bem em seu focinho úmido.

— Chegou a hora, Stan!

Ele latiu entusiasmadamente e tentou fugir, e ela teve que soltá-lo antes que destruísse seus braços de tanto arranhá-los. Por alguns deliciosos segundos ela conseguiu esquecer o sonho, que, no entanto, logo reapareceu em toda a sua realidade detalhada. Respirando fundo, deixou que seu pragmatismo entrasse em cena: nervosismo pré-casamento. Um típico pesadelo de ansiedade. Nada mais. Nada menos.

Ela pediu café da manhã pelo serviço de quarto e alimentou Stanley com pedacinhos de ovo mexido e torrada enquanto recebia telefonemas animados de sua mãe, irmã, de Lily e Emily — todas impacientes para que ela começasse as preparações —, depois botou a coleira no cão para um passeio rápido no ar revigorante de outubro antes de realmente começar todo o frenesi. Era um tantinho constrangedor vestir a calça de moletom com um NOIVA estampado em rosa-shocking bem na bunda — um dos presentes que ela ganhara no chá de panela —, mas também dava uma pontinha de orgulho. Ela enfiou o cabelo dentro de um boné, amarrou o cadarço do tênis, fechou o zíper do casaco de lã comprado na Patagônia e milagrosamente conseguiu chegar à vasta área do hotel Astor Courts Estate sem deparar com vivalma. Stanley pulava o mais alegremente que suas perninhas permitiam, puxando-a na direção dos limites da propriedade, onde uma fileira de árvores já exibia em suas folhas as ardentes cores do outono. Eles andaram por quase meia hora, com certeza tempo suficiente para que todo mundo ficasse imaginando aonde ela fora, e, apesar de o ar estar fresco e de os campos ondulados da fazenda serem lindos e Andy sentir a vertigem de entusiasmo do dia de seu casamento, ela não conseguia tirar a imagem de Miranda da cabeça.

Como aquela mulher ainda conseguia assombrá-la? Fazia quase *dez anos* desde que ela voltara correndo de Paris, fugida de seu período destruidor de almas como assistente de Miranda na *Runway*. Ela crescera muito desde aquele ano pavoroso, não crescera? Tudo havia mudado, e para melhor: os primeiros anos pós-*Runway* fazendo trabalhos como freelancer, que ela orgulhosamente transformara em uma atividade estável escrevendo como colaboradora para um blog sobre casamentos, *Felizes Para Sempre*. Alguns anos e dezenas de milhares de palavras depois, ela conseguiu lançar a própria revista, *The Plunge*, uma linda publicação em papel cuchê acetinado de alta qualidade que já tinha 3 anos de vida e que, apesar de todas as previsões em contrário, até dava lucro. *The Plunge* estava sendo indicada para prêmios e os anunciantes faziam fila para comprar espaços publicitários. E agora, no meio de todo esse sucesso profissional, ela ia se casar! Com Max Harrison, filho do falecido Robert Harrison e neto do lendário Arthur Harrison, que fundara a Harrison Publishing Holdings nos anos que se seguiram à Grande Depressão e a transformara na Harrison Media Holdings, uma das mais prestigiosas e lucrativas empresas dos Estados Unidos. Max Harrison, que por muito tempo havia figurado no circuito de "melhores partidos", um cara que havia namorado as Tinsley Mortimers e Amanda Hearsts de Nova York, e provavelmente também uma quantidade razoável de irmãs, primas e amigas suas, era seu noivo. Prefeitos e magnatas estavam entre os convidados que compareceriam aquela tarde para saudar o jovem herdeiro e sua noiva. Mas a melhor parte de todas? Ela amava Max. Ele era seu melhor amigo. Ele a adorava e a fazia rir e gostava do trabalho dela. Não era sempre verdade que os homens em Nova York não estavam prontos até estarem prontos? Max começara a falar em casamento meses após se conhecerem. Três anos depois, ali estavam eles, no fatídico dia. Repreendendo-se por desperdiçar mais um segundo pensando em um sonho tão ridículo, Andy guiou Stanley de volta para sua suíte, onde um pequeno exército de mulheres tinha se reunido em um pânico nervoso e melodioso, aparentemente imaginando se ela havia fugido da cena do crime. Houve um audível suspiro coletivo de alívio quando ela entrou; Nina, a cerimonialista, imediatamente começou a dar ordens.

As horas seguintes se passaram com um banho, uma escova, bobes aquecidos, rímel, base suficiente para alisar a pele de uma adolescente em plena explosão hormonal. Alguém cuidava de seus dedos dos pés enquanto outra pessoa pegava sua roupa íntima e uma terceira discutia qual seria a cor de seu batom. Antes mesmo que ela pudesse perceber o que acontecia, sua irmã, Jill, estava abrindo o vestido marfim e o segurando para que ela o vestisse e, um segundo depois, sua mãe apertava o tecido delicado nas costas e fechava o zíper com Andy dentro dele. Sua avó soltava exclamações encantadoras. Lily chorava. Emily fumava um cigarro escondido no banheiro da suíte nupcial, pensando que ninguém fosse perceber. Andy tentava absorver tudo. E então se viu sozinha. Por apenas alguns minutos antes do horário em que ela deveria estar no salão de baile, todos a deixaram para irem se arrumar. Empoleirada desajeitadamente em uma cadeira acolchoada bem antiga, ela tentava não amassar ou estragar qualquer centímetro de si mesma. Em menos de uma hora ela seria uma mulher casada, comprometida pelo resto da vida com Max, e ele com ela. Era quase demais para assimilar.

O telefone da suíte tocou. Era a mãe de Max do outro lado da linha.

— Bom dia, Barbara — falou Andy, o mais calorosamente possível.

Barbara Anne Williams Harrison. Filha da Revolução Americana, descendente não de um, mas de dois signatários da Constituição, presença permanente em todos os conselhos beneficentes que importavam socialmente em Manhattan. De seu penteado Oscar Blandi a suas sapatilhas Chanel, Barbara era sempre perfeitamente educada com Andy. Perfeitamente educada com *todo mundo*. Mas efusiva ela não era. Andy tentava não levar para o lado pessoal, e Max lhe garantia que era tudo coisa da sua cabeça. Talvez no começo Barbara tivesse pensado que Andy fosse mais uma das fases passageiras do filho. Aí Andy se convenceu de que a amizade de Barbara com

Miranda havia envenenado qualquer esperança que ela tivesse de criar laços com sua sogra. Mas acabou percebendo que era só o jeito dela — friamente educada com todo mundo, até mesmo com sua única filha. Ela não conseguia jamais se imaginar chamando a mulher de "mamãe". Não que tivesse sido convidada a fazer isso, claro...

— Olá, Andrea. Acabei de perceber que nunca cheguei a lhe dar o colar. Eu estava correndo tão freneticamente hoje de manhã tentando organizar tudo que acabei me atrasando para fazer o cabelo e a maquiagem! Estou ligando para avisar que o colar está em uma caixa de veludo no quarto de Max, enfiado no bolso lateral daquela mochila pavorosa que ele carrega para todo lugar. Eu não queria que os funcionários a vissem largada por aí. Talvez você tenha mais sucesso em convencê-lo a carregar algo mais digno. Deus sabe que eu tentei milhares de vezes, mas ele simplesmente não...

— Obrigada, Barbara. Vou pegá-lo imediatamente.

— Não vai fazer nada disso! — trinou a mulher agudamente. — Vocês não podem de forma alguma se ver antes da cerimônia; dá azar. Mande sua mãe ou Nina. Qualquer outra pessoa. Está bem?

— É claro.

Ela desligou o telefone e dirigiu-se para o corredor. Havia aprendido logo no começo que era mais fácil concordar com Barbara e fazer o que a mulher quisesse; discutir não levava a nada. Era exatamente por isso que iria usar uma relíquia da família Harrison em vez de algo dos próprios familiares; Barbara havia insistido. Seis gerações de Harrison tinham incluído aquele colar em seus casamentos, e Andy e Max também o fariam.

A porta da suíte de Max estava ligeiramente aberta, e ela ouviu o chuveiro ligado quando entrou. *Típico*, pensou ela. *Eu estou me arrumando há cinco horas e só agora ele está entrando no banho.*

— Max? Sou eu. Não saia!

— Andy? O que está fazendo aqui? — gritou ele através da porta do banheiro.

— Só vim pegar o colar da sua mãe. Não saia, está bem? Não quero que você veja o meu vestido.

Andy vasculhou o bolso da frente da mochila. Não sentiu nenhuma caixa de veludo, mas suas mãos se fecharam em volta de um papel dobrado.

Era uma pesada folha de papel de carta cor de creme, gravada com as iniciais de Barbara, BHW, em um monograma cursivo azul-marinho. Andy sabia que Barbara ajudava a sustentar a Dempsey & Carroll, tamanha a quantidade de papéis de carta que comprava; fazia quatro décadas que ela usava o mesmo design para qualquer propósito, fossem felicitações de aniversário, bilhetes de agradecimento, convites para jantar ou envio de pêsames. Antiquada e formal, preferiria morrer a mandar um e-mail ou — o horror! — uma mensagem de texto. Fazia todo sentido que mandasse para seu filho uma carta tradicional, manuscrita, no dia de seu casamento. Andy estava prestes a redobrá-la e colocá-la de volta no lugar quando seu próprio nome lhe chamou atenção. Antes que pudesse sequer pensar no que estava fazendo, começou a ler.

Querido Maxwell,

Embora você saiba que faço o possível para respeitar sua privacidade, não posso mais deixar de me manifestar sobre assuntos de tamanha importância. Já mencionei minha preocupação para você antes e você sempre prometeu levá-la em consideração. Agora, entretanto, com a iminência de seu casamento, sinto que não posso mais esperar para dar minha opinião clara e francamente.

Eu lhe imploro, Maxwell. Por favor, não se case com Andrea.

Não me entenda mal. Andrea é simpática e sem dúvida será uma esposa adequada para alguém algum dia. Mas você, meu querido, merece muito mais! Você deve unir-se a uma moça da família certa, não de uma família desfeita, rica apenas em mágoa e divórcio. Uma moça que entenda nossas tradições, nosso modo de vida. Alguém que vá ajudar a levar o nome Harrison à próxima geração. Mais importante: uma parceira que esteja disposta a colocar você e seus filhos à frente de suas egoístas aspirações profissionais. Pense cuidadosamente sobre isso: você quer sua esposa editando revistas e fazendo viagens de negócios ou deseja alguém que priorize os outros e abrace os interesses filantrópicos da linhagem dos Harrison? Você não deseja uma parceira que se importe mais em apoiar sua família do que em promover as próprias ambições?

Eu lhe disse que achei que seu encontro inesperado com Katherine nas Bermudas era um sinal. Ah, como você pareceu encantado em vê-la novamente! Por favor, não descarte esses sentimentos. Nada está decidido ainda — não é tarde demais. Está claro que você sempre adorou Katherine e está ainda mais claro que ela seria uma companheira maravilhosa.

Você sempre me deixou tão orgulhosa, e sei que seu pai está olhando lá de cima para nós e torcendo para que faça a coisa certa.

Com todo o meu amor,
Mamãe

Ela ouviu a água ser fechada e, sobressaltada, deixou o bilhete cair no chão. Quando se apressou para pegá-lo, percebeu que suas mãos estavam tremendo.

— Andy? Ainda está aí? — gritou ele de trás da porta.

— É, eu... espere, já estou indo — ela conseguiu dizer.

— Encontrou o colar?

Ela fez uma pausa, sem saber bem a resposta certa. Parecia que todo o oxigênio havia sido sugado do aposento.

— Encontrei.

Houve mais barulhos, e então a torneira da pia foi aberta e fechada.

— Você já foi? Preciso sair para me vestir.

Por favor, não se case com Andrea. O sangue martelava nos ouvidos de Andy. *Ah, como você pareceu encantado em vê-la novamente!* Ela deveria voar para dentro do banheiro ou correr porta afora? Da próxima vez que o visse, eles estariam trocando alianças na frente de trezentas pessoas, incluindo a mãe dele.

Alguém bateu na porta da suíte antes de abri-la.

— Andy? O que está fazendo aqui? — perguntou Nina, a cerimonialista. — Deus do céu, você vai estragar esse vestido! E achei que vocês tivessem concordado que não se veriam antes da cerimônia. Se não, por que não tiramos as fotos antes? — Sua fala constante, implacável, deixava Andy louca. — Max, fique neste banheiro! Sua noiva está plantada aqui como um bichinho assustado. Espere aí, espere só um segundo! — Ela se aproximou rapidamente enquanto Andy tentava se levantar e ajeitar o vestido ao mesmo tempo, e esticou a mão. — Pronto — falou, puxando-a para que ficasse de pé e alisando a cauda sereia do vestido. — Agora venha comigo. Não quero mais saber de travessuras da noiva desaparecida, está ouvindo? O que é isto? — E arrancou o bilhete da mão suada de Andy, erguendo o papel no alto.

Andy chegava a ouvir o martelar em seu peito; por um momento se perguntou se estava tendo um ataque cardíaco. Abriu a boca para dizer algo, mas, em vez disso, uma onda de náusea a dominou.

— Ah, acho que vou...

Magicamente, ou talvez só por ter muita prática, Nina apareceu com uma lata de lixo exatamente no momento certo, segurando-a tão perto do rosto de Andy que ela podia sentir o aro forrado de plástico contra a parte debaixo do queixo.

— Pronto, pronto — disse Nina com sua voz nasalada mas, por incrível que pareça, reconfortante mesmo assim. — Você não é minha primeira noiva a ficar nervosa e não será a última. Por sorte não caiu nenhum respingo no vestido.

Ela então limpou a boca de Andy com uma das camisetas de Max, mas o cheiro dele, uma mistura inebriante de sabonete com o xampu de hortelã que ele usava — um aroma que ela normalmente adorava —, só lhe causou mais ânsias de vômito.

Outra batida na porta. O famoso fotógrafo St. Germain e seu lindo e jovem assistente entraram.

— Viemos fotografar a preparação de Max — anunciou ele, com um sotaque afetado mas indeterminado.

Felizmente, nem ele nem o assistente olharam para Andy.

— O que está acontecendo aí fora? — gritou Max, ainda recluso ao banheiro.

— Max, fique aí! — berrou Nina, sua voz cheia de autoridade. Ela então se virou para Andy, que não sabia se conseguiria andar as poucas dezenas de metros de volta para a suíte nupcial. — Temos que retocar o seu rosto e... Céus, o seu cabelo...

— Preciso do colar — sussurrou Andy.

— Do quê?

— Do colar de diamantes de Barbara. Espere.

Pense, pense, pense. O que aquilo significava? O que ela devia fazer? Andy se forçou a mexer de novo naquela mochila horrenda, mas felizmente Nina adiantou-se e puxou a mochila para cima da cama. Depois de vasculhar rapidamente o conteúdo, ela tirou de lá uma caixa de veludo preto com *Cartier* gravado na lateral.

— Era isto que você estava procurando? Agora vamos.

Andy deixou-se ser puxada para o corredor. Antes de saírem, Nina instruiu os fotógrafos para liberarem Max do banheiro, e, já no corredor, fechou a porta com firmeza.

Andy não podia acreditar que Barbara a odiasse tanto que não quisesse que seu filho se casasse com ela. E não só isso; havia também escolhido a esposa para ele. Katherine: mais *adequada*, menos *egoísta*. Aquela que, pelo menos de acordo com Barbara, ele tinha perdido. Andy sabia tudo sobre Katherine.

Era a herdeira da fortuna Von Herzog e, pelo que ela conseguia se lembrar de suas primeiras investidas incessantes no Google, uma espécie de princesa austríaca de menor importância, cujos pais enviaram como interna para a mesma escola preparatória de elite em que Max estudara, em Connecticut. Katherine se formara em história da Europa em Amherst, onde fora admitida graças à doação de seu avô — um nobre austríaco fiel aos nazistas durante a Segunda Guerra Mundial —, um valor suficiente para batizar um prédio do alojamento estudantil em homenagem à sua falecida esposa. Max alegava que Katherine era afetada demais, respeitável demais e sempre educada demais. Chata, segundo ele. Muito convencional e bastante preocupada com as aparências. Por que ele passara cinco anos terminando e voltando com ela, Max não sabia explicar muito bem, mas Andy sempre suspeitara haver mais coisa nessa história. E, obviamente, ela não se enganara.

Da última vez que Max mencionara Katherine, ele estava planejando ligar para ela e lhe contar de seu noivado com Andy; algumas semanas depois, chegou uma linda tigela de cristal lapidado da Bergdorf's acompanhada de um bilhete lhes desejando felicidades. Emily, que conhecia Katherine por intermédio de seu marido, Miles, jurou que Andy não tinha com o que se preocupar, que ela era chata e travada e que, apesar de a outra ter, era preciso admitir, "belos peitos", Andy era superior em todos os outros aspectos. Andy esquecera o assunto desde então. Todo mundo tinha um passado. Ela se orgulhava de Christian Collinsworth? Sentia necessidade de contar para Max cada detalhe de seu relacionamento com Alex? É claro que não. Mas era completamente diferente ler uma carta da futura sogra, no dia do seu casamento, implorando para que seu noivo se casasse com a ex-namorada e não com você. Uma ex-namorada que ele supostamente havia ficado *encantado* em encontrar nas Bermudas por ocasião de sua despedida de solteiro — encontro este que ele convenientemente esquecera de mencionar.

Ela esfregou a testa e se forçou a pensar. Quando Barbara havia escrito aquele bilhete venenoso? Por que Max o guardara? E o que significava ele ter visto Katherine apenas seis semanas antes e não ter dito uma palavra sobre o assunto a Andy, apesar de ter lhe contado cada detalhe dos jogos de golfe com os amigos, dos filés que comera nos jantares e das praias ensolaradas? Tinha que haver uma explicação, simplesmente tinha que haver. Mas qual seria?

7

Aprendendo a amar
os Hamptons: 2009

2 Por muito tempo Andy havia nutrido o orgulho de raramente ir aos Hamptons. O trânsito, as multidões, a pressão para se arrumar e ficar linda e estar no lugar certo... nada disso parecia muito relaxante. Sem dúvida lá não era bem um refúgio da cidade. Melhor ficar na cidade mesmo, sozinha, perambulando pelas feiras de rua de verão e deitada em Sheep Meadow, e andando de bicicleta às margens do Hudson. Ela podia entrar em qualquer restaurante sem ter uma reserva e explorar bairros novos sem aglomerações de gente. Adorava passar os fins de semana de verão lendo e tomando cafés gelados na cidade, e nunca se sentira nem um pouco excluída — coisa que Emily simplesmente se recusava a aceitar. A cada estação, Emily pegava um fim de semana e arrastava Andy para a casa dos pais de seu marido e insistia para que ela experimentasse as maravilhosas festas do branco e as partidas de polo, e admirasse tantas mulheres usando Tory Burch (o dinheiro gasto no figurino delas daria para vestir metade de Long Island). Todo ano Andy jurava a si mesma que nunca voltaria, e todo verão fazia as malas e encarava o Jitney, tentando agir como se estivesse se divertindo muito socializando com as mesmas pessoas que via em eventos profissionais na cidade. Mas aquele fim de semana era diferente. Aquele fim

de semana específico poderia vir a determinar seu futuro profissional.

Houve uma rápida batida na porta antes que Emily entrasse abruptamente. A julgar por sua expressão, ficou contrariada por encontrar Andy jogada sobre o edredom luxuoso, uma toalha enrolada em volta do cabelo e outra debaixo dos braços, olhando impotentemente para uma mala explodindo de roupas.

— Por que ainda não está vestida? As pessoas vão chegar a qualquer minuto!

— Não tenho nada para vestir! — queixou-se Andy. — Eu não entendo os Hamptons. Não sou como *eles*. Tudo o que eu trouxe está errado.

— Andy...

O quadril de Emily se projetava por sob seu vestido de seda magenta, logo abaixo do ponto em que o tecido ondulado era bem apertado por um cinto de corrente dourada em três voltas que ficaria apertado mesmo nas coxas da maioria das mulheres. Suas pernas definidas eram bronzeadas e complementadas com sandálias gladiadoras douradas, as unhas dos pés pintadas com exatamente o mesmo tom de cor-de-rosa do vestido.

Andy observou o cabelo perfeitamente escovado da amiga, suas maçãs do rosto vivas e seu gloss de um tom claro de cor-de-rosa.

— Espero que isso seja alguma espécie de pó iluminador, e não apenas sua exuberância natural — falou ela impiedosamente, apontando para o rosto de Emily. — Ninguém merece ser tão bonita.

— Andy, você sabe como esta noite é importante! Miles teve que se valer de um trilhão de favores para fazer com que todos viessem, e eu passei o último mês inteirinho lidando com floristas e bufês e a maldita da minha sogra. Tem ideia do quanto foi difícil convencê-los a nos deixar dar este jantar aqui? Pelo jeito que a mulher repassou todas as regras comigo, parecia que ela estava tratando com garotos de 17 anos organizando uma chopada. A *sua* parte nisso tudo era só vir, se arrumar decentemente e ser encantadora, e olhe só para você!

— Eu estou aqui, não estou? E vou fazer o melhor possível para ser encantadora. Não cumpri pelo menos dois terços da minha parte?

Emily suspirou, e Andy não pôde deixar de sorrir.

— Poxa, me ajude! Ajude sua pobre amiga sem a menor noção de moda a montar algo minimamente adequado para usar, para que talvez assim ela fique bonita para implorar por dinheiro a um bando de estranhos!

Andy disse isso para acalmar Emily, mas sabia que havia feito alguns progressos no quesito estilo durante os últimos sete anos. Será que algum dia poderia ter esperanças de parecer tão bem quanto a amiga? É claro que não. Mas ela também não era um desastre total.

Emily pegou uma pilha de roupas do meio da cama e franziu o nariz para todas.

— O que exatamente você estava planejando usar?

Andy enfiou a mão no meio da bagunça e extraiu um chemisier azul-marinho de linho com um cinto de corda e espadrilhas de plataforma da mesma cor. Era simples, elegante, atemporal. Talvez um pouco amassado. Mas certamente adequado.

Emily empalideceu.

— Você está brincando.

— Olhe que botões lindos. Este vestido não foi barato.

— Não estou nem aí para os botões! — guinchou Emily, lançando-o pelos ares até o outro lado do quarto.

— É Michael Kors! Isso não vale de nada?

— É Michael Kors *moda praia*, Andy. É o que as modelos jogam por cima do maiô. O que foi, você comprou na Nordstrom pela internet?

Como Andy não disse nada, Emily jogou as mãos para o alto em frustração. Andy suspirou.

— Pode me ajudar, por favor? Estou pensando seriamente em voltar para debaixo destas cobertas agora mesmo...

Com isso, Emily entrou em ação, resmungando que Andy era uma incompetente apesar dos esforços constantes de Emily para ensiná-la sobre corte, modelagem, tecido e estilo... sem falar em sapatos. Os sapatos eram *tudo*. Andy ficou olhando enquanto a amiga investigava o emaranhado de roupas e erguia algumas peças, desdenhando imediatamente de cada uma e descartando-a sem cerimônia. Após cinco frustrantes minutos, ela desapareceu no corredor, reaparecendo alguns instantes depois segurando um lindo longo de jérsei azul-claro e os mais extraordinários brincos grandes de prata e turquesa.

— Aqui. Você tem sandálias prateadas, não tem? Porque as minhas nunca vão servir nos seus pés.

— Isso nunca vai dar em mim — disse Andy, olhando com suspeita para o lindo vestido.

— Claro que vai. Eu comprei um tamanho acima do que uso normalmente, para quando estou inchada, e ainda tem todo este drapeado em volta da cintura. Acho que você consegue entrar nele.

Andy riu. Ela e Emily já eram amigas fazia tantos anos que ela mal chegava a perceber esse tipo de comentário.

— O que foi? — perguntou Emily, parecendo confusa.

— Nada. É perfeito. Obrigada.

— Muito bem, então *vista-se*. — Como se para sublinhar a ordem, as duas ouviram uma campainha tocar lá embaixo. — Primeiro convidado! Vou descer correndo. Seja encantadora e pergunte tudo sobre o trabalho dos homens e as obras de caridade das mulheres. Só fale explicitamente sobre a revista se alguém perguntar, já que este não é realmente um jantar de trabalho.

— Não é realmente um jantar de trabalho? Não vamos pedir dinheiro para todo mundo?

Emily suspirou, exasperada.

— Vamos, porém só mais tarde. Antes disso vamos fingir que só estamos todos socializando e nos divertindo. É importantíssimo, nesse momento, que eles vejam que somos mulheres inteligentes e responsáveis com uma ótima ideia na cabeça. A maioria dos convidados é amigo de Miles desde Princeton. Um monte de caras de fundos de investimentos que adoram investir em projetos de mídia. Estou te dizendo, Andy, sorria muito, mostre interesse neles, seja aquela pessoa adorável que você sabe ser, use este vestido e vamos nos dar bem.

— Sorrir, mostrar interesse, ser adorável. Entendi.

Andy tirou a toalha da cabeça e começou a pentear o cabelo.

— Lembre-se, coloquei você sentada no jantar entre Farooq Hamid, cujo fundo foi classificado recentemente entre os cinquenta investimentos mais lucrativos do ano, e Max Harrison, da Harrison Media Holdings, que agora está atuando como CEO.

— O pai dele não acabou de morrer? Tipo, faz poucos meses? — Andy lembrava-se do funeral transmitido pela TV e dos dois dias de ininterruptas matérias e elogios fúnebres e tributos nos jornais, tudo dedicado ao homem que havia construído um dos maiores impérios de mídia da história antes de tomar uma série de terríveis decisões logo antes da recessão de 2008 (Madoff, campos de petróleo em países politicamente instáveis) e jogar a empresa em uma espiral financeira descendente. Ninguém sabia a extensão do estrago.

— Sim. Max está no comando e, pelo que dizem, até agora está fazendo um belo trabalho. E a única coisa que interessa a ele mais do que investir em projetos novos de mídia é investir em projetos novos de mídia comandados por belas mulheres.

— Puxa, Em, está dizendo que sou bela? Sério, assim eu fico vermelha.

Emily fungou em desdém.

— Na verdade, eu estava falando sobre mim... Olhe, você pode estar lá embaixo em dez minutos? Eu preciso de você! — falou Emily, já saindo pela porta.

— Também amo você! — gritou Andy para ela, já desencavando seu sutiã sem alça.

O jantar foi surpreendentemente tranquilo, muito mais do que a histeria de Emily prometia. A tenda armada no jardim dos Everett dava para o oceano, suas laterais abertas deixando entrar a brisa salgada do mar, e um trilhão de lamparinas votivas em miniatura davam à noite uma sensação de discreta elegância. O cardápio, basicamente frutos do mar, estava espetacular: lagostas de um quilo e meio já abertas, mariscos com manteiga de limão, mexilhões no vapor de vinho branco, batatas divinas ao alho e alecrim, milho na espiga com queijo *cotija* salpicado, cestas de pães quentes e amanteigados e um suprimento aparentemente interminável de cervejas estupidamente geladas com limão, taças de Pinot Grigio geladíssimas e as margaritas mais salgadas e deliciosas que Andy já havia provado.

Com todo mundo já satisfeito com a torta caseira de maçã acompanhada de sorvete, eles foram em direção à fogueira que um dos empregados havia acendido na extremidade do gramado, onde esperavam por eles aqueles tradicionais biscoitos recheados de marshmallow e chocolate derretido, os *s'mores*, além de canecas de chocolate quente e cobertores leves feitos com um híbrido deliciosamente macio de bambu e caxemira. As bebidas e as risadas continuaram, e logo alguns baseados começaram a circular pelo grupo. Andy percebeu que só ela e Max Harrison recusavam, ambos repassando-os quando chegavam até eles. Quando ele pediu licença e se dirigiu para a casa, Andy não pôde se conter e o seguiu.

— Hã... ei! — disse ela, sentindo-se subitamente tímida ao abordá-lo no vasto deque que se estendia como uma prolongação externa da sala de estar. — Eu só estava, hum, procurando o banheiro feminino — mentiu ela.

— Andrea, certo? — perguntou ele, apesar de os dois terem passado as três horas anteriores sentados lado a lado durante o jantar.

Max se ocupara em conversar com a mulher à sua esquerda, a modelo russa casada com alguém importante e que, embora parecesse não entender nada de inglês, dera risadinhas afetadas e mexera no cabelo o suficiente para entreter Max. Andy, portanto, conversara apenas com — ou melhor, ouvira — Farooq, que só sabia se gabar de tudo, desde o iate que havia encomendado na Grécia no começo do ano até seu perfil mais recente publicado no *Wall Street Journal*.

— Por favor, me chame de Andy.

— Tudo bem, Andy.

Max enfiou a mão no bolso, puxou um maço de Marlboro Light e o ofereceu. Apesar de não fumar havia anos, ela pegou um cigarro sem pensar duas vezes.

Ele acendeu os dois sem dar uma palavra, primeiro o dela e, em seguida, um para ele, e, depois que os dois soltaram grandes nuvens de fumaça, comentou:

— Bela festa. Vocês duas fizeram um trabalho sensacional.

Andy não pôde deixar de sorrir.

— Obrigada — disse ela. — Mas foi Emily a responsável por quase tudo.

— Como é que você não fuma? Do bom, quero dizer.

Andy o olhou sem entender.

— Percebi que você e eu éramos os únicos que não estavam... partilhando.

Tudo bem, eles estavam falando apenas sobre baseado, mas Andy estava lisonjeada por ele ter notado alguma coisa sobre ela. Sabia da existência de Max — como um dos melhores amigos de Miles do internato e como um nome nas colunas sociais e nos blogs sobre mídia. Mas, só para garantir, Emily informara a Andy sobre o passado de playboy de Max, sua queda por garotas bonitas e burras às dúzias e sua incapacidade de se comprometer com alguém "de verdade", apesar de ser um cara bacana e brilhante, totalmente dedicado a seus amigos e sua família. Emily e Miles previram que ele ficaria solteiro até os 40 anos, quando sua mãe dominadora começaria a fazer pressão para ter um neto e ele se casaria com uma garota deslumbrante de 23 anos que olharia para ele com veneração e jamais questionaria nada que ele dissesse ou fizesse. Andy sabia de tudo isso — ela escutara atentamente e fizera sua própria pesquisa, que pareceu confirmar tudo o que Emily dissera —, mas por algum motivo que não conseguia determinar, a avaliação parecia errada.

— Não tem nenhuma história por trás, na verdade. Eu fumava na faculdade com todo mundo, mas jamais gostei muito. Quase todas as vezes eu fugia para o meu quarto e ficava me olhando no espelho, fazendo um extenso inventário de todas as decisões ruins que eu já tinha tomado na vida e de todas as minhas deficiências como pessoa.

Max sorriu.

— Que divertido, hein.

— Sei lá, eu só pensei que a vida já era bem difícil, sabe? Não preciso que o meu suposto uso recreativo de drogas me deixe infeliz.

— Muito justo. — Ele deu um trago no cigarro.

— E você?

Max pareceu pensar sobre isso por um minuto, quase como se estivesse decidindo qual versão da história contar a ela. Andy observou seu maxilar forte, típico dos Harrison, cerrar, suas sobrancelhas escuras franzirem. Ele era muito parecido com o pai nas fotos que saíam nos jornais. Quando os olhos dos dois se encontraram, ele sorriu de novo, só que desta vez havia um toque de tristeza.

— Meu pai morreu recentemente. Oficialmente, de câncer no fígado, mas na verdade foi cirrose. Ele foi alcoólatra a vida inteira. A maior parte do tempo, por incrível que pareça, ele conseguiu ser bem funcional, se é que a gente pode chamar de funcional uma pessoa que fica bêbada todas as noites da sua vida, mas já nos últimos anos, com a crise e alguns prejuízos financeiros sérios, nem tanto. Eu bebia muito desde a faculdade. Depois de cinco anos estava perdendo o controle. Aí resolvi parar com tudo. Nada de bebida, nada de drogas, só esses palitinhos cancerígenos que chamam de cigarro, que eu simplesmente não consigo largar...

Agora que ele havia mencionado, Andy percebeu que Max só havia bebido água com gás durante o jantar. Não dera muita importância a esse detalhe, mas agora que conhecia a história, parte dela queria chegar perto dele e abraçá-lo.

Ela deve ter se perdido nos próprios pensamentos, porque Max disse:

— Como pode imaginar, eu tenho sido uma ótima companhia para festas ultimamente.

Andy riu.

— Eu sou famosa por desaparecer sem me despedir de ninguém para poder ir para casa e ficar vendo filmes de pijama. Bebendo ou não, você deve ser mais divertido que eu.

Eles conversaram tranquilamente por mais alguns minutos enquanto terminavam seus cigarros, e, depois que voltaram a se unir ao grupo, ela se viu tentando chamar a atenção dele ao mesmo tempo em que tentava se convencer de que ele não passava de um galinha. Max era extraordinariamente bonito, isso Andy não podia negar. Normalmente ela era alérgica a bad boys, mas desta vez pensava ter visto algo de vulnerável e sincero naquele ali. Ele não precisava ter lhe contado sobre o pai ou admitido o problema com a bebida. Fora surpreendentemente franco e muito pé no chão, duas qualidades que a atraíam para além da conta. *Mas até Emily acha que esse cara é problema*, Andy lembrou a si mesma, e, considerando que sua amiga era casada com um dos maiores baladeiros de Manhattan, isso não era de se ignorar. Quando Max se despediu, pouco depois da meia-noite, com um clássico beijo na bochecha e um "Prazer em conhecê-la" superficial, Andy disse a si mesma que era melhor assim. Havia muitos caras ótimos por aí, por que se prender a um idiota? Embora ele fosse uma graça e parecesse totalmente gentil e genuíno.

Emily apareceu no quarto de Andy na manhã seguinte às nove horas, já linda com um short curto branco, uma bata com estampa de batik e sandálias de plataforma altíssimas.

— Pode me fazer um favor? — perguntou ela.

Andy jogou um braço sobre o rosto.

— Envolve sair da cama? Porque aquelas margaritas acabaram comigo ontem à noite.

— Você se lembra de ter conversado com Max Harrison?

Andy abriu um olho.

— Claro.

— Ele acabou de ligar. Quer você, eu e Miles na casa dos pais dele para um almoço, para conversar sobre cifras para a *Plunge*. Acho que ele está falando sério sobre investir.

— Isso é fantástico! — disse Andy, sem saber bem se dizia isso mais pelo convite ou pela notícia sobre o investimento.

— Só que Miles e eu vamos para o brunch com os pais dele no clube. Eles acabaram de voltar hoje de manhã e estão com a corda toda. Precisamos sair em 15 minutos e não temos como nos livrar disso: acredite, eu tentei. Você pode lidar com o Max sozinha?

Andy fingiu pensar a respeito.

— É, acho que sim. Se você quiser...

— Ótimo, então está decidido. Ele vai passar aqui em uma hora. Falou para levar roupa de banho.

— Roupa de banho? Tenho certeza de que também vou precisar...

Emily lhe entregou uma enorme bolsa de palha Diane von Fürstenberg.

— De biquíni; cintura alta para você, é claro. E de uma bela saída de praia Milly, um chapéu e filtro solar fator 30, sem óleo. Para depois, leve aquele short branco com cinto que você usou ontem e complete com essa túnica de linho e essas alpargatas brancas que são uma graça. Alguma pergunta?

Andy riu e acenou um tchauzinho para Emily, para depois despejar tudo que havia dentro da bolsa em cima da cama. Pegou o chapéu e o filtro solar e os jogou de volta dentro da bolsa, acrescentando o próprio biquíni, um short jeans e camiseta. Só estava disposta a ir até certo ponto com a estilização ditatorial de Emily, e, além disso, se Max não gostasse de seu visual, problema dele.

A tarde foi perfeita. Juntos, Andy e Max foram dar uma volta na pequena lancha dele, dando mergulho para se refrescar e se banqueteando com um almoço-piquenique de frango frito frio, melancia, cookies de manteiga de amendoim e limonada para o almoço. Caminharam pela praia por quase duas horas, mal notando o sol a pino, e adormeceram nas espreguiçadeiras acolchoadas ao lado da piscina cintilante e deserta dos Harrison. Quando ela finalmente abriu os olhos, o que pareceu ser horas depois, Max estava olhando para ela.

— Você gosta de ostras? — indagou ele, com um sorrisinho engraçado no rosto.

— Quem não gosta?

Cada um jogou um dos casacos de moletom de Max por cima da roupa de banho e os dois pularam no jipe Wrangler dele, onde o vento chicoteu o cabelo de Andy até fazê-lo virar uma maravilhosa bagunça salgada. Ela não se sentia tão livre assim há séculos. Quando eles finalmente estacionaram em frente a um quiosque de praia em Amagansett, Andy havia sido convertida: os Hamptons eram o melhor lugar do mundo, desde que ela estivesse com Max e sempre houvesse ao seu lado um balde de ostras no vapor com copinhos de manteiga derretida. Quem se importava com os fins de semana na cidade? Aquilo ali era o paraíso.

— Muito bons, não é? — perguntou Max enquanto sugava uma ostra e jogava a concha no balde plástico para os restos.

— São tão frescas que algumas ainda têm areia — falou Andy, de boca cheia.

Ela mastigou seu milho na espiga sem se importar em como devia estar parecendo com aquele fio de manteiga escorrendo pelo queixo.

— Eu quero investir na sua nova revista, Andy — disse Max, olhando-a bem nos olhos.

— Sério? Isso é ótimo. Quero dizer, é melhor do que ótimo, é fantástico. Emily falou que você talvez estivesse interessado, mas eu não queria...

— Estou muito impressionado.

Andy se sentiu corar.

— Bem, para ser sincera, Emily fez quase tudo. É incrível como aquela garota é organizada. E conectada. Quero dizer, eu nem sei como montar um plano de negócios, que dirá uma...

— É, ela é ótima, mas eu quis dizer que admiro o que *você* fez. Quando Emily entrou em contato comigo, algumas semanas atrás, eu fui pesquisar e li quase tudo que você já escreveu.

Andy só conseguiu olhar fixamente para ele.

— Aquele blog sobre casamentos, o *Felizes Para Sempre*, devo admitir que não leio muito sobre esse tema, mas acho as suas entrevistas excelentes. Aquela matéria sua com a Chelsea Clinton, bem na época em que ela se casou? Muito bem-feita.

— Obrigada. — A voz dela era um sussurro.

— Eu li aquela matéria investigativa que você fez para a *New York Magazine*, sobre o sistema de notas para os restaurantes. Muito interessante. E aquela matéria de viagem sobre o retiro de ioga? Onde era aquilo? No Brasil?

Andy assentiu.

— Deu vontade de ir. E olha que ioga não é a minha praia.

— Valeu. Isso, hum... — Andy tossiu, se esforçando muito para conter um sorriso. — Significa muito ouvir isso de você.

— Não estou falando isso para fazer você se sentir bem, Andy. Estou dizendo porque é tudo verdade. E Emily me mostrou o esboço inicial das suas ideias para a *Plunge*, que eu também achei sensacionais.

Dessa vez Andy se permitiu um largo sorriso.

— Sabe, devo admitir que fiquei cética quando Emily me abordou com a ideia para a *Plunge*. Não me parecia que o mundo precisasse de mais uma revista sobre casamentos. Eu simplesmente não via lugar no mercado para isso. Mas conforme eu e ela fomos conversando melhor a respeito, percebemos que havia uma séria falta de outras revistas sobre o tema no estilo da *Runway*: altíssima qualidade, chique, com fotografias deslumbrantes e nem um pingo de cafonice. Algo que mostrasse celebridades e socialites e casamentos que, mesmo estando financeiramente fora do alcance da maioria dos leitores, ainda combinassem com seus sonhos e planos. Uma encadernação que oferecesse à mulher sofisticada, entendida, com consciência de estilo, páginas e páginas de inspiração para que ela pudesse moldar a própria festa. O que temos no momento é só um monte de florzinhas meigas e vestidos de princesa e tiaras, mas nada que dê opções a uma noiva mais sofisticada. Acho que a *Plunge* vai preencher este nicho de verdade.

Max ficou olhando para ela, uma garrafa de refrigerante em sua mão direita.

— Ah, me desculpe, eu não pretendia fazer esse discurso todo. É só que me empolgo falando sobre isso.

Andy tomou um gole de Corona e ficou imaginando se era falta de consideração sua beber na frente de Max.

— Eu estava pronto para investir porque a ideia é sólida, Emily é muito convincente e você é linda. Não percebi que você podia ser tão convincente quanto Emily.

— Eu exagerei, não foi? — Andy enterrou a cabeça nas mãos. — Foi mal. — Mas, mesmo enquanto dizia isso, ela só conseguia pensar em Max chamando-a de linda.

— Você não só escreve bem, Andy. Podemos nos reunir todos na cidade e discutir os detalhes na semana que vem, mas posso lhe dizer agora mesmo que a Harrison Media Holdings gostaria de ser um dos investidores principais da *Plunge*.

— Sei que falo por Emily e por mim quando digo que adoraríamos isso — disse Andy, arrependendo-se imediatamente do tom de formalidade.

— Vamos fazer muito dinheiro juntos — afirmou Max, erguendo sua garrafa.

Andy brindou.

— Saúde. À nossa parceria nos negócios.

Max olhou estranho para ela, mas brindou com sua garrafa novamente e tomou um gole.

Andy sentiu-se momentaneamente sem jeito, mas garantiu a si mesma que havia dito a coisa certa. Afinal de contas, Max era um galinha. Ligado a modelos e magricelas da sociedade. Aquilo tudo resumia-se a negócios, e *parceria nos negócios* parecia uma expressão adequada.

O clima havia mudado, isso estava claro, então Andy não ficou surpresa quando Max a deixou de volta na casa dos sogros de Emily logo após a expedição vespertina em busca de ostras no vapor. Ele lhe deu um beijo no rosto e lhe agradeceu pelo ótimo dia, mas não fez nenhuma menção a se encontrarem novamente, a não ser por uma reunião na sala de conferências de sua empresa, com Emily e toda a equipe de advogados e contadores.

E por que faria?, Andy ficou pensando. Só porque flertara um pouco e dissera que ela era linda? Porque juntos eles haviam passado um dia perfeito? Nada disso significava mais que mero empenho da parte de Max: ele estava investigando o alvo de seu investimento, sendo o charmoso e adorável Max de sempre e dando uma paqueradinha de leve para se divertir. O que, de acordo com Emily e com tudo que ela conseguira encontrar on-line, era exatamente o que Max fazia, e o fazia bem e frequentemente. Obviamente, nada daquilo significava que ele estivesse interessado *nela*.

Emily ficou em êxtase ao ouvir como o encontro fora bem-sucedido, e a reunião na cidade, na quinta-feira seguinte, foi ainda melhor. Em nome da Harrison Media Holdings, Max comprometeu-se a investir uma surpreendente cifra de seis dígitos para lançar *The Plunge*, mais do que as duas haviam sonhado, e o (quase) melhor era que Emily não pôde participar do almoço em comemoração que Max espontaneamente propôs ali mesmo.

— Se vocês soubessem como foi difícil marcar essa consulta, nunca iriam sugerir que eu faltasse — disse Emily, saindo correndo para alguma dermatologista que tratava de celebridades e com a qual ela marcara uma hora quase cinco meses antes. — Ela é mais requisitada que o Dalai Lama, e as rugas na minha testa estão ficando mais fundas a cada segundo.

Então mais uma vez Max e Andy se viram sozinhos, e mais uma vez duas horas viraram cinco, até que finalmente o maître do *steakhouse* do centro da cidade pediu educadamente que fossem embora para que pudessem arrumar a mesa para o jantar. Max a acompanhou até sua casa, um desvio de trinta quarteirões de seu caminho, segurando a mão dela o tempo todo, e Andy adorou a sensação de andar ao seu lado. Ela sabia que formavam um casal fofo, que a atração que sentiam um pelo outro provocava sorrisos de estranhos. Quando chegaram ao prédio dela, Max lhe deu o beijo mais incrível. Só durou alguns segundos, mas foi suave e perfeito e ela ficou alternadamente satisfeita e em pânico por ele não ter insistido por mais. Ele não mencionou nada sobre se verem novamente, e, apesar de Max certamente andar por aí beijando garotas onde e quando sentisse vontade, algo intangível disse a Andy que ela teria notícias dele em breve.

O que de fato aconteceu na manhã seguinte. Eles se viram de novo à noite. Por cinco dias, Andy e Max só se separavam — e mesmo assim de má vontade — para ir trabalhar, um dormindo no apartamento do outro e se divertindo juntos. Max a levou a seu restaurante italiano preferido, um estabelecimento familiar com ar de máfia no meio do Queens, onde todo mundo sabia seu nome. Diante disso, ela ergueu as sobrancelhas em surpresa e ele lhe garantiu que era apenas porque sua família ia lá pelo menos duas vezes por mês quando ele era garoto. Andy o levou ao seu clube de comédia favorito no West Village, onde eles riram tanto no show da meia-noite que cuspiram suas bebidas na mesa; depois, perambularam por metade do centro de Manhattan, aproveitando a noite de verão, e só foram tomar o caminho de volta para o apartamento de Andy quando já estava quase amanhecendo. Eles alugaram bicicletas e pegaram o bonde para Roosevelt Island; encontraram não menos que meia dúzia de caminhões de comida gourmet, provaram tudo, de sorvete artesanal a tacos refinados e pães de lagosta fresca. Faziam um sexo maravilhoso. Com frequência. Quando o domingo finalmente chegou, estavam exaustos e saciados e, pelo menos na cabeça de Andy, completamente apaixonados. Dormiram até as onze e então pediram um banquete enorme de bagels e fizeram um piquenique no tapete da sala de Max, alternando entre um programa de reforma de propriedades na HGTV e o U.S. Open.

— Acho que está na hora de contar a Emily — falou Max, entregando-lhe um café com leite que ele fizera em sua máquina de espresso de porte industrial. — Só me prometa que não vai acreditar em uma palavra do que ela disser.

— O quê, que você é um tremendo galinha que não consegue se comprometer e tem tendência a procurar garotas cada vez mais jovens? Por que eu acreditaria nisso?

Max deu um tapinha no cabelo dela.

— Tudo exagero.

— Aham. Imagino. — Andy manteve o tom leve, mas a reputação dele realmente a incomodava.

O que eles estavam vivendo parecia diferente, tudo bem — que playboy fica por aí vendo HGTV? —, mas será que todas as garotas não achavam isso?

— Você é quatro anos mais nova. Isso não conta?

Andy riu.

— Acho que sim. Ajuda saber que eu mal tenho 30 anos, ou seja, um bebê, para todos os efeitos, e que você é bem mais velho que isso. É, dessa parte eu gosto.

— Quer que eu comente com Miles? Pode ser uma boa.

— Não, definitivamente não. Em vai lá em casa hoje à noite para assistirmos reprises de *House* comendo sushi. Eu aproveito e conto a ela.

Andy ficou tão concentrada em imaginar como Emily iria reagir — traída por ela não ter lhe contado antes? Irritada pela sócia ter se envolvido com o investidor? Desconfortável por Max e Miles serem tão amigos? —, que ignorou inteiramente a probabilidade de que ela já suspeitasse de alguma coisa o tempo todo.

— Sério? Você sabia? — perguntou ela, esticando um pé calçado com meia sobre o sofá de segunda mão.

Emily mergulhou um sashimi de salmão no molho shoyu e o jogou na boca.

— Você acha que eu sou idiota? Ou melhor, idiota e cega? Claro que eu sabia.

— Quando você... Como?

— Ah, sei lá. Talvez quando você apareceu na casa dos pais do Max depois de passarem o dia juntos: estava com uma cara de quem teve a melhor transa da vida. Ou talvez tenha sido depois da nossa reunião no escritório dele, quando vocês dois não conseguiam parar de se olhar; por que você acha que eu não fui almoçar? Ou talvez eu tenha percebido pelo fato de você ter sumido completamente na última semana e não ter retornado nenhuma ligação nem mensagem de texto e ter feito mais mistério que uma adolescente tentando despistar os pais ultimamente? Tipo, fala sério, Andy.

— Só quero deixar claro que não dormimos juntos naquele dia nos Hamptons. Nós nem...

Emily levantou a mão.

— Poupe-me dos detalhes, por favor. Além do mais, você não me deve nenhuma explicação. Estou feliz por vocês dois. Max é um cara bem legal.

Andy olhou desconfiada para ela.

— Você me disse centenas de vezes que ele é um galinha.

— E é mesmo. Mas talvez isso tenha ficado no passado. As pessoas mudam, sabe. O que não é o caso do meu marido, disso eu sei. Não contei que encontrei mensagens no celular dele de uma tal Rae? Nada importante, mas definitivamente precisa de uma investigação mais profunda. Mas olha, só porque Miles gosta de um rabo de saia não significa que Max não possa ter sossegado. Vai que era justamente alguém como você que ele estava procurando?

— Ou talvez eu seja só a diversão da semana.

— Só o tempo vai dizer. E falo isso por experiência própria.

— Tem razão — concordou Andy, mais porque não sabia o que dizer.

Miles tinha exatamente a mesma reputação de Max, mas sem a mesma suavidade. Era razoavelmente afável, sem dúvida sociável, e parecia ter muito em comum com Emily, como o amor por festas, férias de luxo e roupas caras. Porém, apesar de os dois estarem juntos havia anos, Andy ainda sentia que não conhecia de verdade o marido da melhor amiga. Emily fazia comentários frequentes e casuais sobre o gosto de Miles por "rabos de saia", como ela chamava, mas se calava sempre que Andy tentava se aprofundar mais no assunto. Até onde ela sabia, nunca houvera alguma prova concreta de infidelidade — pelo menos nada público, com certeza —, mas isso não significava muita coisa. Miles era hábil e discreto, e seu trabalho como produtor de televisão o tirava de Nova York com frequência suficiente para que qualquer coisa fosse possível. Era provável que ele a traísse. Era provável que Emily soubesse que ele a traía. Mas será que ela se importava? Será que a deixava louca de preocupação e ciúmes ou ela era uma dessas mulheres que olhava para o outro lado desde que nunca fosse publicamente constrangida? Andy sempre ficava imaginando, mas era o único assunto que haviam concordado tacitamente em nunca discutir.

Emily balançou a cabeça.

— Ainda não consigo acreditar. Você e Max Harrison. Nem em um milhão de anos eu teria pensado em armar para vocês dois, e agora olha só... Que loucura.

— Também não é nenhum casamento, Em. Só estamos juntos — disse Andy, apesar de já ter fantasiado como seria se casar com Max.

Era uma ideia maluca, com certeza — eles só se conheciam havia menos de duas semanas —, mas as coisas já pareciam diferentes do que tinha sido com todos os seus ex-namorados, com a possível exceção de Alex, tantos anos antes. Fazia tempos que ela não se sentia entusiasmada por alguém. Ele era sexy, inteligente, charmoso e, tudo bem, tinha pedigree. Andy jamais se imaginara casando com alguém como Max, mas a ideia não tinha nada de horrível.

— Olha, eu entendo. Curta. Divirta-se. E me mantenha informada, está bem? Se vocês se casarem, eu quero todo o crédito.

Emily foi o primeiro telefonema de Andy quando, uma semana depois, Max a convidou para acompanhá-lo ao lançamento de um livro que a empresa dele estava promovendo em homenagem a uma de suas editoras de revista, Gloria. A obra retratava as memórias dela sobre como foi crescer sendo filha de dois músicos famosos.

— O que eu visto? — perguntou Andy, em pânico.

— Bem, você é oficialmente a coanfitriã, então tem que ser algo sensacional. Isso elimina praticamente o seu guarda-roupa inteiro, que é todo na base do "clássico". Quer que eu te empreste algumas coisas ou prefere fazer compras?

— Coanfitriã? — Andy quase sussurrou a palavra.

— Bem, se Max é o anfitrião e você vai acompanhá-lo...

— Ah, meu Deus. Isso é demais para mim. Ele disse que vai haver um monte de gente lá porque é a Fashion Week. Não estou preparada para isso.

— Você só precisa incorporar os velhos tempos da *Runway*. Aposto que *ela* também vai estar lá. Miranda e Gloria com certeza se conhecem.

— Não vou conseguir...

Na noite da festa, Andy chegou ao hotel Carlyle uma hora mais cedo, para ajudar Max a supervisionar a arrumação. Só a expressão dele ao vê-la entrar na sala usando um dos vestidos Céline de Emily, grandes joias douradas e lindos sapatos de salto alto fez tudo valer a pena. Ela sabia que estava ótima e sentia orgulho de si mesma.

Max a tomou nos braços e sussurrou em seu ouvido que ela estava linda. Naquela noite, enquanto ele a apresentava para todo mundo — seus colegas de trabalho e funcionários, vários editores, escritores, fotógrafos, publicitários e executivos de RP — como sua namorada, Andy inflou de felicidade. Ela conversou sem dificuldades com todos, fazendo o possível para encantá-los, e, tinha que admitir, se divertiu muito. Só quando a mãe de Max apareceu e se aproximou de Andy como um tubarão circundando sua presa foi que ela ficou nervosa.

— Eu simplesmente tinha que conhecer a moça que tem sido o único assunto de Max nos últimos tempos — disse a Sra. Harrison, com um sotaque meio duro: não exatamente britânico, provavelmente só o resultado de inúmeros anos na Park Avenue. — Você deve ser Andrea.

Andy olhou rapidamente em volta à procura de Max, que nem avisara da possível presença da mãe no evento, mas logo voltou toda a sua atenção para a mulher altíssima à sua frente em um tailleur Chanel de tweed.

— Sra. Harrison? É um prazer conhecê-la — falou, implorando mentalmente à própria voz que ficasse calma.

Não houve nenhum "Por favor, me chame de Barbara" ou "Você está linda, querida" ou mesmo um "O prazer é todo meu". A mãe de Max a avaliou descaradamente e declarou:

— Você é mais magra do que eu tinha imaginado.

Como é? De acordo com a descrição de Max? Ou com sua própria avaliação?, Andy ficou pensando.

Ela tossiu. Queria sair correndo dali e se esconder, mas Barbara continuou matraqueando:

— Ora, ora, eu me lembro de ter a sua idade, quando o peso simplesmente sumia. Queria que fosse assim para minha Elizabeth... Já conheceu a irmã de Max? Ela deve chegar logo. Mas minha menina tem o tipo físico do pai. Grande. Atlética. Não gorda, creio que não, mas talvez não muito feminina.

Era realmente assim que aquela mulher falava da própria filha? Andy instantaneamente sentiu pena da irmã de Max, onde quer que ela estivesse. Olhou Barbara Harrison nos olhos.

— Ainda não a conheci, mas vi uma foto de Elizabeth e ela é simplesmente linda!

— Hum — murmurou Barbara, não muito convencida. Sua mão seca, com uma textura meio que de couro, fechou-se em volta do pulso nu de Andy, apertando-o um pouco mais do que deveria, e a puxou, com força. — Venha, vamos nos sentar e nos conhecer um pouco.

Andy fez o melhor que pôde para impressionar a mulher, para convencê-la de que era digna de seu filho. Tudo bem, a Sra. Harrison franziu o nariz quando Andy descreveu seu trabalho na *Plunge* e fez algum comentário vagamente depreciativo sobre a cidade natal de Andy — não chegava nem perto de Litchfield County, onde os Harrison tinham um velho haras —, mas Andy não terminou a conversa com a impressão de que tinha sido um desastre. Ela fez perguntas interessadas e adequadas sobre Barbara, contou uma história engraçada sobre Max e explicou como eles haviam se conhecido nos Hamptons, um detalhe do qual Barbara pareceu gostar. Finalmente, por desespero, mencionou seu período na *Runway*, quando havia trabalhado para Miranda Priestly. A Sra. Harrison sentou-se um pouco mais ereta e se inclinou para a frente para um interrogatório mais profundo. Andy havia gostado de seu tempo na *Runway*? Trabalhar para a Srta. Priestly era simplesmente a melhor experiência de aprendizado que ela poderia ter imaginado? Barbara fez questão de mencionar que todas as garotas com as quais Max fora criado sonhavam em trabalhar lá, que elas todas idolatravam Miranda e sonhavam em aparecer em suas páginas algum dia. Se o "projetinho" de Andy não desse certo, seus planos para o futuro incluíam um retorno à *Runway*? Barbara ficou sinceramente animada, e Andy fez o melhor que pôde para só sorrir e assentir com o máximo de entusiasmo.

— Tenho certeza de que ela adorou você, Andy — disse Max depois, estando ambos em uma lanchonete 24 horas do Upper East Side, ainda agitados da festa.

— Não sei não. Eu não diria que foi amor à primeira vista — falou Andy, tomando seu milk-shake de chocolate.

— *Todo mundo* amou você, Andy. Meu diretor financeiro fez questão de comentar comigo que você foi muito divertida. Foi alguma história que você lhe contou sobre Hanover, New Hampshire, não foi?

— É minha piada clássica para pessoas de Dartmouth.

— E as meninas do escritório estavam cochichando pelos cantos, comentando como você era linda e que tinha sido muito simpática. Não é todo mundo que perde tempo falando com elas em festas como essa. Obrigado por fazer isso.

Max ofereceu uma batata frita com ketchup para Andy, mas, como ela recusou, ele a jogou na própria boca.

— Elas foram muito simpáticas, de verdade. Adorei conversar com elas — disse Andy.

Ela estava pensando que realmente gostara de conhecer todo mundo, com exceção da gélida mãe de Max. Além do mais, para seu alívio, Miranda não havia aparecido. Era uma benção, mas tendo em vista seu novo romance e o círculo social da família Harrison, Andy sabia que aquele momento chegaria.

Esticou o braço para o outro lado da mesa e pegou a mão de Max.

— Eu me diverti muito esta noite. Obrigada por me levar.

— Obrigado a *você*, Srta. Sachs — respondeu Max, beijando sua mão e lhe dirigindo um olhar revelador. — Vamos voltar para a minha casa? Acho que a noite está apenas começando.

Você vai entrar, amiga

3 — Não se preocupe, querida, todo mundo fica nervoso no dia do casamento. Mas aposto que você já sabe disso. A essa altura, já deve ter visto tudo isso, não é mesmo? Você e eu, garota, nós podíamos escrever um livro!

Nina guiou Andy para dentro da suíte nupcial com a mão firmemente plantada no decote em suas costas. Os vermelhos, laranjas e amarelos das folhas que mudavam de cor se estendiam por quilômetros pela grande janela panorâmica que tomava o comprimento da suíte. As folhagens de outono em Rhinebeck tinham que ser as melhores do mundo. Apenas alguns minutos antes a vista a enchera com lembranças felizes de quando crescia em Connecticut: dias frios de outono que anunciavam jogos de futebol americano e de colher maçãs das árvores e, mais tarde, retornar ao campus para começar um novo semestre. Ela agarrou a escrivaninha antiga para não cair.

— Posso beber um pouco d'água? — perguntou, o gosto ácido em sua boca ameaçando fazê-la vomitar de novo.

— Claro, querida. Só tome cuidado.

Nina abriu a tampa da garrafa e a entregou a ela. A água tinha um gosto metálico.

— Lydia e a equipe dela estão quase terminando a maquiagem nas damas de honra e na sua mãe e já vão voltar para retocar você.

Andy assentiu.

— Ah, querida, vai dar tudo certo! Um pouquinho de nervosismo é totalmente normal. Mas aquelas portas vão se abrir e você vai ver seu lindo noivo esperando no altar... Você não vai conseguir pensar em nada no mundo, só em andar para os braços dele.

Andy estremeceu. A mãe de seu futuro marido a odiava. Ou pelo menos não aprovava o casamento. Ela sabia que a maioria das noivas e suas sogras tinha problemas, mas aquilo era muito pior. Era um mau augúrio na melhor das hipóteses, um pesadelo em potencial na pior. Claro que ela podia trabalhar sua relação com Barbara. Fazia questão disso. Mas nunca seria Katherine. E quanto à história de que Max encontrara Katherine nas Bermudas? Por que Max *não mencionara isso*? Se não havia nada para esconder, por que ele estava escondendo? Independentemente do que tivesse acontecido, ela precisava de uma explicação.

— Aliás... já lhe contei sobre a minha noiva que estava se casando com um tsar do petróleo do Catar? Uma garota muito briguenta com a língua bem afiada? Eram quase mil convidados, eles alugaram a Ilha de Necker, nas Ilhas Virgens Britânicas, e levaram todo mundo para lá de avião. Sabe, eles passaram a semana inteira brigando, discutindo sobre tudo, desde quem ia sentar onde até qual das duas mães teria a primeira dança. Coisas de sempre. Mas aí, no dia do casamento, a noiva fez um comentário com a prima dela sobre sua carreira como âncora de tevê, algo do tipo "Fulano disse que acha que eu só tenho que aguentar mais seis meses, talvez um ano, fazendo jornais locais até que uma rede nacional me faça uma oferta", e o catariano pirou. Perguntou a ela, bem baixinho e com uma voz bem zangada, o que ela estava falando; eles não tinham concordado que ela ia parar de trabalhar depois do casamento? E eu fiquei, tipo, opa! Isso é um problema bem sério para não ter sido resolvido previamente.

Andy não conseguia se concentrar em nada além da tensão em sua mente. Uma dor surda. Ela queria desesperadamente que Nina parasse de falar.

— Nina, eu realmente...

— Espere, ainda não cheguei à melhor parte. Deixei os dois sozinhos para resolverem as questões deles e quando voltei, meia hora depois, eles pareciam bem. Problema resolvido, certo? Então, pá, pá, pá, o noivo entrou, as damas entraram, as daminhas fofas entraram e aí éramos só a noiva, o pai dela e eu. Tudo indo de acordo com o planejado. A música dela começou, o salão inteiro se virou para a entrada e, com aquele sorrisão lindo no rosto, ela se inclinou para perto de mim e sussurrou no meu ouvido. Sabe o que ela disse?

Andy balançou a cabeça em negativa.

— Ela disse: "Obrigada por tornar tudo tão perfeito, Nina. Está tudo exatamente como eu queria. Definitivamente vou contratar você para o meu próximo casamento." E aí ela tomou o braço de seu pai, ergueu a cabeça e entrou! Dá para acreditar? *Ela entrou!*

Apesar de se sentir desconfortavelmente quente, quase febril, Andy ficou arrepiada.

— Você teve notícias dela depois disso? — perguntou Andy.

— Claro. Em dois meses ela já tinha se divorciado e um ano depois estava noiva de outro. O segundo casamento foi um pouco menor, mas tão bonito quanto o primeiro. Mas eu entendo. Uma coisa é terminar um noivado ou cancelar um casamento depois que os convites já foram enviados: é difícil, mas acontece. Mas no dia? Você vai entrar, amiga. Ande até o altar, e o que tiver que fazer, faça depois, sabe como?

Nina riu e tomou um imenso gole d'água da própria garrafa. Seu rabo de cavalo se balançava alegremente. Andy assentiu humildemente. Ela e Emily conversavam sobre isso o tempo inteiro. Nos quase três anos desde que haviam lançado *The Plunge*, elas tinham visto um punhado de casamentos cancelados nas semanas anteriores ao grande dia. Mas no dia mesmo? Nenhum.

— Venha, vamos botá-la na cadeira com o avental para você ficar pronta para Lydia. Ela sabe como aliviar a maquiagem depois da sessão de fotos. Ah, estou tão animada para ver isso na sua revista! Vai vender como água.

Nina teve tato suficiente para não dizer o que ambas estavam pensando: aquele casamento ia fazer a revista vender como água não porque Andy era cofundadora da publicação ou porque Monique Lhuillier havia desenhado de próprio punho um vestido exclusivo para ela ou porque Barbara Harrison havia escolhido a melhor cerimonialista, os melhores floristas e o melhor bufê que o dinheiro podia comprar, mas porque Max era a terceira geração de presidente e CEO de uma das empresas de mídia mais bem-sucedidas dos Estados Unidos. Não importava que a crise econômica, combinada a decisões ruins de investimento, significasse que Max tivera que vender os imóveis da família um por um. O grande público não estava nem aí para o fato de que ele vivia preocupado com a viabilidade financeira da empresa: o nome dos Harrison, combinado à boa aparência, aos modos impecáveis e à educação impressionante, ajudava a manter a ilusão de que Max, sua irmã e sua mãe valiam muito mais do que a realidade atestava. Fazia anos desde que eles haviam sido indicados para a lista dos americanos mais ricos da *Forbes*, mas a percepção da riqueza continuava.

— Vai mesmo. — Andy ouviu uma voz cantar atrás de si.
— Este casamento vai fazer nossa revista esgotar nas bancas — disse Emily, com uma pirueta e uma reverência. — Já reparou que este talvez seja o primeiro vestido de dama de honra não pavoroso da história dos coadjuvantes de casamentos? Se você insiste em ter damas de honra, o que por si só eu já acho brega, pelo menos esses vestidos não são horríveis.

Andy girou na cadeira para ver melhor. Com o cabelo em um penteado no alto da cabeça e o esguio e gracioso pescoço à mostra, Emily parecia uma linda e delicada boneca de porcelana. O tom ameixa da seda salientava o rosado de suas faces e acentuava seus olhos azuis; o tecido era drapeado languidamente na altura do peito e do quadril e descia fluidamente até os tornozelos. Só Emily para superá-la no dia de seu próprio casamento — e ainda por cima com um vestido de dama de honra.

— Você está incrível, Em. Fico feliz que tenha gostado do vestido — falou Andy, aliviada com a distração momentânea.

— Não vamos exagerar. "Gostar" é um pouco forte, mas também não achei ruim. Espera, dá uma volta, quero olhar para você... uau! — Ela se inclinou para perto, aproximando-se tanto de Andy que exalou sobre a amiga um bafo de cigarro misturado com bala de hortelã. Outra onda de náusea tomou conta de Andy instantaneamente, mas passou rápido. — Você está deslumbrante. Como conseguiu fazer os seus peitos ficarem assim? Vocês botou silicone e não me contou? Está brincando comigo, sonegando informações desse tipo?

— É impressionante o que uma boa costureira pode fazer com um par de enchimentos — disse Andy.

Nina estava gritando "Não toque nela!" do outro lado do aposento, mas Emily foi rápida demais.

— Hum, muito bom. Gostei especialmente deste volume bem aqui — falou, apertando o decote de Andy. — E essa pedra absurda que você está usando em contraste com esses peitos sensacionais? Delícia. Max vai gostar.

— Cadê a noiva? — Andy ouviu a mãe gritar da sala da suíte. — Andy? Querida? Jill e eu estamos aqui com a vovó, queremos ver você!

Nina trouxe para dentro sua mãe, irmã e avó e fez várias advertências para que todo mundo desse espaço suficiente para Andy, dizendo que ela estava se sentindo um pouco tonta. Antes de sair para supervisionar algum detalhe de última hora, Nina ainda recomendou que ficassem só mais um pouquinho.

— O que ela acha que é isso, horário de visita no hospital? — falou a avó de Andy. — O que foi, querida, está se sentindo um pouco nervosa com a sua noite de núpcias? É natural.

Lembre-se, ninguém disse que você tem que gostar, mas você tem que...

— Mamãe, pode fazê-la parar? — resmungou Andy, os dedos nas têmporas.

A Sra. Sachs virou-se para a própria mãe.

— Mamãe, por favor.

— O que foi? Todos os jovens de hoje em dia se acham especialistas no assunto só porque vão para a cama com qualquer um que olhe na sua direção?

Emily bateu palmas em deleite. Andy olhou suplicantemente para a irmã.

— Vovó, Andy não está linda? — tentou Jill. — E veja como é especial ela estar usando brincos parecidos com os que você usou no seu casamento. Este formato de gota nunca sai de moda.

— Dezenove anos, uma virgem inocente quando seu avô se casou comigo, e eu engravidei durante a lua de mel, igual a todo mundo. Nada dessa bobagem de congelar os óvulos. Vocês jovens têm cada mania... Você já fez isso, Andrea? Eu li em algum lugar que todas as garotas da sua idade deviam congelar seus óvulos, com ou sem homem.

Andy suspirou.

— Eu tenho 33 anos, vovó. E Max tem 37. Tomara que a gente tenha filhos em algum momento, mas posso lhe dizer que não estamos planejando começar hoje à noite.

— Andy? Onde está todo mundo?

— Lily? Estamos aqui nos fundos! Entre — gritou Andy.

Sua amiga mais antiga entrou no quarto, linda com o vestido frente única da mesma seda de tom ameixa do vestido das outras damas de honra. Ao lado dela, em mais um estilo diferente com o mesmo tecido, estava a irmã caçula de Max, Elizabeth, que tinha 20 e muitos anos. Ela e Max tinham a mesma estrutura física, pernas fortes e ombros largos, talvez um pouquinho largos demais para uma mulher. Mas as rugas em volta dos seus olhos quando ela ria e seu salpicado perfeito de sardas suavizavam sua aparência e a feminilizavam. E a juba naturalmente loura que cascateava por suas costas abaixo em ondas grossas e brilhantes era espetacular. Elizabeth acabara de começar um namoro com Holden "Tipper" White, um ex-colega de turma da Universidade Colgate. Eles haviam se conhecido em um torneio de tênis beneficente anual em homenagem ao pai dele, que batera seu avião em uma montanha no Chile quando Tipper tinha 12 anos. Andy teve um pensamento alarmante: será que Elizabeth também achava que ela não era boa o bastante para Max? Será que ela e a mãe conversavam a respeito disso, ficavam sentadas torcendo por Katherine, admirando seu handicap impressionante no golfe e seu sotaque cadenciado e aristocrático?

Seus pensamentos foram interrompidos por Nina:

— Senhoras? Podem me dar sua atenção, por favor? — Parada à porta, Nina parecia ansiosa. — Está na hora de começarmos a nos reunir na entrada do salão. A cerimônia vai começar em aproximadamente dez minutos. O meu pessoal está com os buquês e vai encontrá-las lá embaixo para lhes mostrar seus lugares. Jill, seus filhos estão prontos?

Andy forçou um sorriso. Sua mãe, sua avó e suas amigas se despediram, desejaram-lhe boa sorte, apertaram sua mão. Era tarde demais agora para pedir conselhos a Jill ou Lily, deixar que lhe dissessem que ela estava exagerando.

O sol estava quase se pondo, os dias de outubro cada vez mais curtos, e os 12 altos candelabros de prata acrescentavam exatamente a dramaticidade que Nina havia prometido. Andy sabia que as cadeiras estavam começando a ser ocupadas e imaginou que todos estivessem gostando das taças de champanhe que eram oferecidas e da música suave de cravo, tudo pensado para aqueles momentos pré-cerimônia por um dos inúmeros membros da equipe do cerimonial.

— Andy, querida, tenho uma coisinha para você — disse Nina, aproximando-se de Andy. Ela estendeu uma folha de papel dobrado.

Andy a pegou e a olhou com ar de dúvida.

— Resgatei-a naquela hora que você passou mal, lembra? Devo tê-la enfiado no bolso.

Andy deve ter assumido uma expressão arrasada, porque Nina foi logo tentar tranquilizá-la:

— Não se preocupe, eu não li. Dá um azar tremendo se alguém que não a noiva e o noivo lê uma carta de amor no dia do casamento, sabia disso?

Andy sentiu um mal-estar no estômago.

— Pode me dar um instante, por favor?

— É claro, querida. Mas só um instante! Vou voltar para descermos juntas em... — Mas Andy fechou a porta antes do resto da frase.

Andy abriu a carta e passou os olhos mais uma vez pelas palavras, apesar de já estarem gravadas para sempre em sua memória. Sem pensar, foi até o banheiro o mais rápido que conseguiu com aquele vestido, fez picadinho do papel e jogou tudo na privada.

— Andy? Querida, você está aí? Precisa de ajuda? Por favor, não tente usar o banheiro sozinha, não neste estágio — gritou Nina do outro lado da porta.

Andy saiu do banheiro.

— Nina, eu...

— Sinto muito, meu bem, é só que chegou a hora, sabe? Tudo aquilo que passamos os últimos dez meses planejando, tudo perfeitamente executado para este exato momento. Falei que vi o seu noivo? Minha Nossa, ele está um espetáculo de smoking. Já está no altar, Andy! Esperando por você.

Já está no altar.

Andy sentiu como se não pudesse controlar as pernas enquanto Nina a guiava pelo corredor. Ao lado das portas duplas estava seu pai, todo sorridente.

Ele foi na direção dela e, pegando sua mão, beijou-a no rosto e lhe disse que estava linda.

— Max é um cara de muita sorte — falou, oferecendo-lhe o braço esquerdo para que ela pudesse enlaçar o seu no dele.

As palavras, por mais simples que fossem, quase provocaram um tsunami interno nela, mas Andy conseguiu engolir o nó que se formara em sua garganta. Será que Max era "um cara de sorte"? Ou será que ele estava, como sua mãe havia sugerido, cometendo um erro enorme? Bastaria uma palavra e seu pai faria aquela produção toda evaporar. Ela queria desesperadamente chegar mais perto dele e sussurrar: "Papai, ainda não estou pronta", do jeito que fizera aos 5 anos quando ele a encorajara a mergulhar do trampolim na parte funda da piscina do clube. Mas conforme a música enchia o espaço à sua volta, ela percebeu, quase de maneira extracorpórea, que os assistentes haviam aberto as portas duplas e que todos ali presentes tinham se levantado para recebê-la. Trezentos rostos se viraram para observá-la, sorrir para ela, incentivá-la.

— Podemos ir? — sussurrou seu pai em seu ouvido, a voz dele trazendo-a de volta à realidade.

Ela respirou fundo. *Max me ama*, pensou. *E eu o amo*. Haviam esperado três anos para se casar, e essa demora fora por insistência *dela*. Então sua sogra não aprovava a união; então a ex de seu noivo lançava uma sombra sobre os dois — essas coisas não definiam o relacionamento deles, certo?

Andy olhou para seus amigos e sua família, seus colegas de trabalho e conhecidos e, suprimindo todas as dúvidas, concentrando-se nos olhos sorridentes de Max, que a esperava orgulhosamente no altar, disse a si mesma que estava tudo bem. Respirou fundo pelo nariz, jogou os ombros para trás e mais uma vez disse a si mesma que estava fazendo a coisa certa. Então deu o primeiro passo para entrar.

E é oficial!

4 O som do telefone tocando a acordou de manhã. Ela se sentou com um sobressalto, mais uma vez sentindo-se desorientada por um momento, até tudo lhe voltar em uma confusa torrente. Os rostos sorrindo na sua direção enquanto ela botava um pé na frente do outro, percorrendo lentamente o corredor. O olhar de ternura e devoção que Max lhe dirigiu enquanto esticava o braço para pegar sua mão. O sentimento conflitante de amor e medo quando os lábios dele tocaram os dela, selando sua união na frente de todo mundo que conheciam. A sessão de fotos no terraço enquanto os convidados aproveitavam o coquetel. A banda anunciando-os como Sr. e Sra. Maxwell Harrison. A primeira dança dos dois, ao som de Van Morrison. O brinde choroso e sincero da mãe dela. Os amigos de faculdade de Max cantando uma versão indecente mas charmosa de sua velha canção de guerra. O momento de cortar o bolo juntos. A dança lenta com seu pai. Seus sobrinhos dançando break ao som de "Thriller" enquanto todo mundo aplaudia.

A noite fora aparentemente perfeita, disso Andy tinha certeza. Ninguém, muito menos seu novo marido, parecia ter ideia do que ela estava passando: os pensamentos de tristeza e raiva, a confusão quando Barbara cerrou os dentes para declamar o brinde mais frio de vamos-dar-os-parabéns-aofeliz-casal que ela já ouvira da mãe de um noivo, o questionamento constante quanto a Miles e os outros amigos de Max (será que sabiam de algo sobre Katherine e as Bermudas que ela não sabia?). *E agora?*, pensou ela. *Toco no assunto?* Jill, seus pais, Emily, Lily, todos os seus amigos e parentes, todos os amigos e parentes de Max a haviam felicitado calorosamente no decorrer da noite, abraçado-a, admirado seu vestido, elogiando-a por ser uma noiva linda. Cintilante. Sortuda. Perfeita. Até Max, a pessoa que deveria entendê-la melhor do que qualquer um no mundo, parecia ignorar todo aquele turbilhão, cobrindo-a de olhares cúmplices a noite inteira, olhares que diziam *Eu sei, também acho, isso é tudo meio engraçado e talvez até um pouco bobo, mas vamos curtir porque só vai acontecer uma vez.*

Finalmente, à uma da manhã, a banda parou de tocar e o último convidado pegou sua elegante sacolinha de brindes recheada de vinho local, mel e nectarinas. Andy e Max seguiram juntos para a suíte nupcial. Ele deve tê-la ouvido vomitando no banheiro porque estava todo carinhoso e solícito quando ela saiu de lá.

— Pobrezinha — arrulhou ele, acariciando seu rosto afogueado, agindo de forma maravilhosa, como sempre fazia quando ela não se sentia bem. — Teve alguém que bebeu champanhe demais na festa de casamento...

Ela não o corrigiu. Em vez disso, sentindo-se febril e enjoada, permitiu que ele a ajudasse a despir o vestido e a deitar na gigantesca cama de dossel, onde ela gratamente afundou a cabeça na montanha de travesseiros frios. Ele voltou com uma toalhinha molhada e a passou na testa dela, o tempo inteiro tagarelando sobre a seleção de músicas da banda, o brinde inteligente de Miles, o vestido escandaloso de Agatha, o bar ficando sem seu uísque predileto à meia-noite. Ela ouviu a pia no banheiro, a descarga da privada, a porta do quarto se fechar. Ele deitou ao lado dela na cama e pressionou seu peito nu contra o dela.

— Max, eu não posso — disse Andy, a irritação evidente em sua voz.

— É claro que não — concordou ele, baixinho. — Sei que está se sentindo péssima.

Andy fechou os olhos.

— Você é minha esposa, Andy. Minha *esposa*. Vamos formar uma dupla tão maravilhosa, minha linda... — Ele acariciou seu cabelo, e ela teve vontade de chorar diante do carinho contido naquele gesto. — Vamos construir a vida mais maravilhosa juntos e prometo que vou cuidar de você, sempre. Não importa o que aconteça. — E, com um beijo na bochecha, ele desligou a luminária da mesinha de cabeceira. — Agora durma e melhore. Boa noite, meu amor.

Andy murmurou um boa-noite e tentou, pela milésima vez naquele dia, esquecer o bilhete. Ela não saberia dizer como, mas o sono veio em instantes.

As faixas de luz do sol entravam através das ripas das portas de madeira corrediças da varanda, indicando que já amanhecera. O telefone do hotel parara brevemente de tocar, mas agora recomeçara. Ao lado dela, Max soltou um breve gemido e virou para o outro lado. Devia ser Nina ligando para anunciar que, como o tempo estava bom, o brunch seria servido do lado de fora; era a última decisão que faltava tomar para o fim de semana. Ela saiu voando da cama, só de lingerie, e correu para a sala de estar, ansiosa para atender o telefone antes que o barulho acordasse Max. Ela simplesmente ainda não podia se imaginar encarando-o.

— Nina? — atendeu, sem fôlego.

— Andy? Ops, acho que interrompi alguma coisa... Eu ligo depois, vá se divertir. — O sorriso de Emily era aparente em sua voz.

— Emily? Que horas são? — perguntou Andy, olhando em volta à procura de um relógio.

— Sinto muito, meu amor. São sete e meia. Eu só queria ser a primeira a lhe dar parabéns. A matéria que saiu no *Times* é fantástica! Você está na primeira página da coluna social e a foto é incrível! É aquela do noivado. Adorei aquele seu vestido. Por que nunca o vi antes?

A matéria do *Times*. Eles haviam fornecido todas as informações meses antes, e mesmo depois que lhe ligaram do jornal para verificar tudo, ela havia se convencido de que não tinha garantia de publicação. Ridículo, é claro. Com o background dos Harrison, a única dúvida era saber se seriam o destaque da coluna ou só uma notinha, mas de alguma forma ela afastara isso da cabeça. Enviara as informações a pedido de Barbara, apesar de poder ver agora que era uma ordem, não um pedido: os casamentos da família Harrison eram anunciados no *Times*, e ponto. Andy dissera a si mesma que seria algo divertido para mostrar a seus filhos um dia.

— Eles deixaram um exemplar na sua porta. Vá lá pegar e depois me ligue de volta — disse Emily, e desligou.

Andy deu de ombros dentro do roupão do hotel, ligou a máquina de café do quarto e pegou a sacola de veludo roxo pendurada na porta do quarto. Despejou o enorme *Times* de domingo em cima da mesa. A primeira página da "Estilos de Domingo" trazia uma matéria sobre uma dupla de jovens donos de boate e, abaixo disso, uma resenha sobre o ressurgimento das leguminosas nos pratos de restaurantes da moda. Aí, exatamente como Emily dissera, sua pequena seção de glória: o primeiro casamento da lista.

Andrea Jane Sachs e Maxwell William Harrison casaram-se no sábado pelas mãos da Excelentíssima Vivienne Whitney, juíza do Superior Tribunal Federal de apelações, no Astor Courts Estate, em Rhinebeck, Nova York.

Andrea, 33, vai continuar usando seu nome de solteira profissionalmente. Ela é cofundadora e editora-chefe da revista de noivas The Plunge. *É formada com mérito pela Brown University.*

Seus pais são Roberta Sachs e o Dr. Richard Sachs, ambos de Avon, Connecticut. A mãe da noiva é corretora

de imóveis no condado de Hartford. O pai é psiquiatra e
mantém um consultório particular em Avon.
Max Harrison, 37, é presidente e CEO da Harrison
Media Holdings, a gigante da comunicação americana, de
propriedade de sua família. Formado pela Duke Universi-
ty, ele fez também um MBA em Harvard.
É filho de Barbara e do falecido Robert Harrison,
de Nova York. A mãe do noivo é curadora no Whitney
Museum e faz parte do conselho de diretores da fundação
filantrópica Susan G. Komen for the Cure. Robert Harris-
son foi, até sua morte, presidente e CEO da Harrison Me-
dia Holdings. Sua autobiografia, intitulada Um homem
da imprensa, *foi um best-seller nacional e internacional.*

Andy tomou um gole de café e imaginou a cópia autogra-
fada de *Um homem da imprensa* que Max mantinha em sua
mesinha de cabeceira desde o dia em que haviam se conhecido. Ele mostrara o livro a ela depois de seis, talvez oito meses
de namoro, e, apesar de ele nunca ter dito isso, ela sabia que
era seu bem mais precioso. Na capa interna o Sr. Harrison havia escrito somente "Querido Max, veja o anexo. Com amor,
papai", e preso com um clipe na quarta capa havia uma carta:
quatro páginas em papel pautado amarelo, fechada no estilo
clássico de três dobras. A carta na verdade era um capítulo do
livro que o pai de Max decidira não incluir na publicação por
medo de que fosse muito pessoal, de que pudesse constranger
Max um dia ou revelar demais de suas vidas. Começava na
noite em que Max nascera (durante uma onda de calor no verão de 1975) e detalhava como, durante os trinta anos seguintes, o menino se transformara no melhor rapaz que seu pai podia esperar. Apesar de Max não ter chorado quando a mostrou
a ela, Andy percebeu seu maxilar cerrado e sua voz falhando.
E agora a fortuna da família quase fora arruinada devido a
várias decisões ruins nos negócios que o Sr. Harrison tomara
nos últimos anos de sua vida. E Max se sentia pessoalmente

responsável por recuperar o bom nome do pai e garantir que a mãe e a irmã sempre tivessem tudo do melhor. Era uma das coisas de que ela mais gostava nele, sua dedicação à família. E Andy acreditava firmemente que a morte do pai de Max fora um momento decisivo na vida dele. Acontecera pouco antes de eles se conhecerem, e ela sempre se sentira sortuda por ter sido a garota que ele havia namorado em seguida. "A última garota que eu vou namorar", ele gostava de dizer.

Ela pegou o jornal novamente e continuou a ler.

> *O casal se conheceu em 2009, por intermédio de dois amigos em comum, que os apresentaram casualmente. "Era para ser só um jantar de negócios", contou o Sr. Harrison. "Quando chegamos à sobremesa, eu só conseguia pensar em quando a veria de novo."*
>
> *"Lembro que eu e Max demos uma escapulida do restante do grupo para conversarmos a sós. Ou na verdade talvez eu é que tenha ido atrás dele. Pode-se dizer que eu o persegui", disse Andrea, com uma risada.*
>
> *Começaram a namorar imediatamente, além de desenvolverem uma relação profissional: o Sr. Harrison é o maior financiador da revista de Andrea Sachs. Quando ficaram noivos e foram morar juntos, em 2012, ambos juraram apoiar os empreendimentos profissionais um do outro.*
>
> *O casal pretende dividir seu tempo entre Manhattan e a propriedade da família do noivo em Washington, Connecticut.*

Dividir seu tempo?, ela se perguntou. *Não exatamente.* Quando a terrível situação financeira da família viera à tona, após a morte do pai de Max, ele tomara uma série de decisões difíceis em nome da mãe, que estava arrasada demais para qualquer coisa e, em suas próprias palavras, não tinha "cabeça para negócios como os homens têm". Andy não presenciara a maioria dessas conversas, pois tinham ocorrido bem no começo do namoro, mas ela se lembrava da angústia dele quando a casa dos Hamptons foi vendida apenas sessenta dias após o dia perfeito que eles haviam passado lá no verão, e lembrava-se também de algumas noites insones quando Max percebera que precisaria vender a casa de sua infância, um grande sobrado na Madison Avenue. Barbara morava fazia dois anos em um apartamento de dois quartos perfeitamente adorável em um edifício antigo e respeitável na rua 84 com a West End, ainda cercada por vários tapetes e quadros lindos e as melhores toalhas de linho, mas nunca havia se recuperado do golpe de perder suas duas melhores casas e ainda não se cansara de falar sobre o que ela chamava de "rebaixamento" para o West Side. A cobertura de frente para o mar na Flórida fora vendida para a família DuPont, amigos dos Harrison, que concordaram com a farsa de que Barbara não tinha mais "tempo nem energia" para Palm Beach; um milionário da internet de 23 anos havia arrebanhado o chalé de esqui de Jackson Hole por uma ninharia. A única propriedade que havia sobrado era a casa de campo em Connecticut. Ocupava 6 hectares de uma esplêndida e vasta fazenda e contava com um estábulo para quatro cavalos e um lago grande o bastante para barcos a remo, mas a casa em si não era reformada desde os anos 1970, e os animais haviam sumido fazia tempo, visto que era caro mantê-los. A família teria que investir dinheiro demais para renovar a propriedade, então, em vez disso, eles a alugavam sempre que podiam, por semana ou por mês ou às vezes até mesmo pelo fim de semana, sempre por intermédio de um corretor confiável, para que ninguém soubesse que era a lendária família quem estava se rendendo à necessidade do aluguel.

Andy terminou seu café e olhou de novo para a matéria. Havia quantos anos ela lia aquelas páginas, devorando as fotos das noivas felizes e dos belos noivos, avaliando a formação e os cargos de cada um, suas perspectivas futuras e seus passados? Quantas vezes ficara imaginando se figuraria naquele espaço algum dia, que informações pessoais seriam citadas, se incluiriam ou não uma fotografia? Dezenas de vezes? Mais? E agora como era estranho imaginar outras moças, enroscadas nos sofás em seus conjugados, com seus rabos de cavalo despenteados e seus moletons rasgados, lendo sobre o casamento dela e pensando consigo mesmas: *Que casal perfeito! Os dois estudaram em boas universidades, têm bons empregos e estão sorrindo na foto como se estivessem loucamente apaixonados. Por que eu não posso conhecer um cara assim?*

Mas havia outra coisa. Ah, sim, o bilhete. Ela não conseguia parar de pensar no bilhete. E uma outra lembrança — a de escrever o próprio artigo para o *New York Times*, só que com Alex como noivo — que fez seu estômago se revirar. Ela devia ter escrito umas dez versões diferentes quando estavam namorando. Andrea Sachs e Alexander Fineman, ambos formados em blá-blá-blá. Havia praticado tantas vezes que era quase estranho ver seu nome ao lado do de Max.

Por que ela não conseguia esquecer o passado ultimamente? Primeiro o pesadelo com Miranda, e agora as lembranças de Alex.

Ainda vestindo o luxuoso roupão do hotel e com uma aliança de casamento de brilhantes no anular esquerdo, Andy lembrou a si mesma que não deveria tentar reescrever a história. Sim, Alex fora um namorado incrível. Mais que isso, havia sido seu confidente, seu parceiro, seu melhor amigo. Mas também podia ser surpreendentemente teimoso e muito crítico. Ele julgara seu trabalho na *Runway* como indigno quase assim que ela o aceitara, e nunca apoiara sua carreira como ela esperava. Apesar de ele nunca ter dito, Andy sentia que ele estava decepcionado por ela não ter escolhido uma carreira mais altruísta — magistério ou medicina ou algo sem fins lucrativos.

Max, por outro lado, abraçava a carreira dela. Havia investido na *Plunge* desde o primeiro dia e alegava ter sido uma das melhores e mais ousadas decisões de negócios que já tomara. Adorava o ímpeto e a curiosidade dela; dizia-lhe constantemente que era revigorante namorar uma mulher interessada em mais do que o próximo evento beneficente ou quem ia para St. Barths no Natal. Ele nunca estava ocupado demais para ouvir ideias para matérias, apresentá-la a contatos profissionais valiosos, dar conselhos sobre como atrair mais anunciantes. Tudo bem que ele não entendesse nada de vestidos de noiva ou bolos de três andares: estava impressionado com o que ela e Emily produziam e expressava constantemente seu orgulho. Entendia cronogramas apertados e horários loucos: nenhuma vez brigara com ela por ficar até tarde no trabalho, ou atender telefonemas fora do horário, ou ir ao escritório em um sábado só para ter certeza de que um layout estava perfeito antes de ser enviado. Muito provavelmente ele também estaria no trabalho, tentando alavancar novos negócios, verificando o leque cada vez menor de veículos de imprensa que a Harrison Media ainda controlava, pegando um avião para algum lugar para apagar incêndios ou acalmar egos inflamados. Ajustavam-se às rotinas de trabalho um do outro, torciam um pelo outro e ofereciam conselho e apoio mútuos. Os dois entendiam as regras e as aceitavam: trabalhar muito, se divertir muito. E o trabalho vinha primeiro.

A campainha da suíte tocou, catapultando Andy de volta à realidade. Não estando ainda pronta para lidar com sua mãe ou Nina ou até mesmo sua irmã, Andy ficou sentada, imóvel. *Vá embora*, dizia seu silêncio. *Preciso pensar*.

Mas a pessoa insistia, e a campainha soou mais três vezes. Reunindo suas últimas forças, ela forçou um sorriso enorme e abriu a porta.

— Bom dia, Sra. Harrison! — cantarolou o gerente do hotel, um homem corpulento e mais velho de cujo nome ela não conseguia se lembrar. Estava acompanhado por uma mulher de uniforme empurrando um carrinho de serviço de quarto.

— Por favor, aceite este café da manhã comemorativo, com os nossos cumprimentos. Achamos que a senhora e o Sr. Harrison poderiam gostar de algo para mordiscar antes do brunch.

— Ah, sim, obrigada. É maravilhoso.

Andy apertou o roupão ainda mais em volta do corpo e chegou para trás para permitir que o carrinho passasse. Viu o aviso de NÃO PERTURBE que havia pendurado na noite anterior caído no chão do corredor. Com um suspiro, pegou-o e o colocou de volta na maçaneta.

A camareira empurrou o carrinho coberto com toalha de mesa até a sala de estar e o colocou bem na frente da janela panorâmica. Eles conversaram sobre a cerimônia e a recepção enquanto a moça servia o suco de laranja fresco, destampava os potinhos de manteiga e de geleia e finalmente, graças ao bom Deus, fazia uma minirreverência desajeitada e saía.

Aliviada por toda a dieta para o casamento haver oficialmente acabado, Andy pegou a cesta de pães e inalou o aroma delicioso que exalava através do guardanapo. Puxou da pilha um croissant quente e amanteigado e deu uma mordida. De repente estava faminta.

— Olhe só quem está se sentindo melhor — disse Max, emergindo do quarto com o cabelo despenteado e usando apenas uma calça de pijama de jérsei macio. — Venha cá, minha noivinha bêbada. Como vai essa ressaca?

Ela ainda estava mastigando quando ele a puxou para um abraço. A sensação dos lábios dele em seu pescoço a fez sorrir.

— Eu não estava bêbada — resmungou ela, com a boca cheia de croissant.

— O que é isto? — Ele esticou a mão para um bolinho de mirtilo e o enfiou na boca. Serviu uma xícara de café para cada um, preparando a de Andy do jeito que ela gostava, só com um pouco de leite e algumas gotas de adoçante, e tomou um longo gole. — Hum, isto é *bom*.

Andy ficou observando Max tomar seu café; ele estava sem camisa, apetitoso. Queria rastejar de volta para debaixo das cobertas com ele e não sair de lá nunca mais. Será que ela havia imaginado tudo aquilo? Teria sido um pesadelo? De pé diante dela, segurando sua cadeira e chamando-a, brincalhão, de Sra. Harrison enquanto colocava o guardanapo em seu colo com um floreio, estava o homem que até 13 horas antes ela havia amado e confiado acima de todo o resto. Que se danasse a maldita carta. Quem se importava com o que a mãe dele pensava? E daí que ele havia encontrado uma ex? Ele não estava escondendo nada. Ele amava a *ela*, Andy Sachs.

— Tome, veja a matéria — disse Andy, entregando-lhe a seção "Estilos de Domingo". Sorriu enquanto ele pegava o suplemento de suas mãos. — Ficou bom, não?

Os olhos dele percorreram rapidamente o texto.

— Bom? — disse ele depois de um minuto. — É perfeito.

Ele deu a volta na mesa para se aproximar dela e se ajoelhou, igual a como fizera um ano antes para pedir sua mão.

— Andy? — perguntou ele, olhando diretamente nos olhos dela daquele jeito que ela adorava, de enternecer o coração. — Sei que está acontecendo alguma coisa com você. Não sei o que a está deixando nervosa ou o que a está preocupando, mas quero que saiba que eu a amo mais do que tudo no mundo e que sempre estarei aqui, todo ouvidos, quando estiver pronta para falar sobre isso. Está bem?

Viu? Ele me entende!, ela queria gritar para que todo mundo ouvisse. *Ele sente que tem algo errado. Só isso já significa que não tem problema nenhum, certo?* Ainda assim, as palavras estavam bem ali — *Eu li a carta da sua mãe. Sei que você encontrou Katherine nas Bermudas. Aconteceu alguma coisa? E por que você não me contou?* —, mas Andy não conseguia se forçar a dizê-las. Em vez disso, apertou a mão dele e tentou afastar o medo da cabeça. Aquele era seu único fim de semana de recém-casada e ela não estava disposta a estragá-lo com insegurança e uma briga.

Andy se odiou ligeiramente por se acovardar. Mas ia ficar tudo bem. Tinha que ficar.

Eu não chamaria de namoro

5 Ela abriu a porta do loft onde funcionavam os escritórios da *Plunge* em West Chelsea e prendeu a respiração. Estava a salvo. Andy nunca encontrara vivalma no trabalho antes das nove — seguindo o típico horário nova-iorquino considerado favorável à criatividade, a maior parte dos funcionários só começava a chegar a partir das dez horas, não raramente às dez e meia —, e, para sua imensa felicidade, hoje não fora diferente. Aquelas duas ou três horas antes que todo mundo chegasse eram de longe o período mais produtivo de seu dia, embora ela às vezes se sentisse ligeiramente como Miranda, mandando e-mails e deixando mensagens de voz para pessoas antes mesmo que acordassem.

Ninguém, nem mesmo Max, havia discordado quando Andy sugerira que eles encurtassem sua lua de mel nas montanhas Adirondacks. Após dois dias com Andy vomitando — e, infelizmente para Max, sem consumação do matrimônio —, ele não discutiu quando ela falou que ambos ficariam mais felizes em casa. Além do mais, em dezembro eles teriam uma verdadeira lua de mel, de duas semanas em Fiji, durante o período de festas. Era um presente dos melhores amigos dos pais de Max, e, apesar de Andy não conhecer todos os detalhes, ela ouvira as palavras *helicóptero*, *ilha particular* e *chef* pronunciadas o suficiente para ficar muito, muito animada. Desistir de sua escapada de três dias no interior do estado de Nova York quando já estava ficando frio demais para sair do hotel não parecia lá muito grave.

Andy e Max haviam estabelecido uma rotina quando foram morar juntos, no ano anterior, logo depois que ele lhe pedira em casamento. Nos dias de semana eles acordavam às seis. Ele fazia café para os dois enquanto ela preparava mingau de aveia ou vitaminas de frutas. Iam juntos para a academia Equinox, na rua 17 com a 10, onde passavam exatamente 45 minutos; Max se dividia entre os pesos livres e o transport, enquanto Andy passava seu tempo chacoalhando na esteira, a velocidade cravada em 9,5 quilômetros por hora, os olhos grudados em qualquer comédia romântica que tivesse baixado para seu iPad, desejando ardentemente que o tempo passasse mais rápido, mais rápido. Em casa, eles tomavam banho e se aprontavam juntos, depois Max a deixava no escritório da *Plunge*, na rua 24 com a 11, para então partir voando pela West Side Highway, no carro da empresa, para o próprio escritório, no lado oeste do centro da cidade. Ambos estavam instalados em suas respectivas mesas às oito horas todas as manhãs. A não ser que algum dos dois se sentisse mal ou que o clima estivesse ruim ao extremo, o cronograma era inalterável. Aquela manhã, porém, Andy programara seu telefone para vibrar vinte minutos mais cedo que o normal, saindo de sob as cobertas no instante em que seu travesseiro começara a tremer. Renunciando ao banho e ao café, ela vestiu sua mais confortável calça cor de chumbo, sua camisa social branca que combinava com qualquer coisa e seu casaco preto mais tedioso e saiu assim que ouviu o alarme de Max começando a tocar. Enviou uma rápida mensagem de texto para ele dizendo que tinha que chegar cedo ao trabalho e que o veria mais tarde aquela noite para a Festa do Iate, apesar de seu estômago ainda estar ruim e seus músculos doloridos e exaustos. Sua temperatura na noite anterior ficara um pouco acima de 37,5.

Ela não havia nem tirado o casaco quando o celular tocou.

— Emily? O que está fazendo acordada? — Andy olhou seu delicado relógio de ouro, um presente de noivado que ganhara do pai. — Você não deveria esperar mais, sei lá, duas horas?

— Por que você está atendendo? — perguntou Emily, parecendo confusa.

— Porque você telefonou.

— Só liguei para deixar uma mensagem de voz. Achei que você nem fosse atender.

Andy riu.

— Puxa, obrigada. Quer que eu desligue? Podemos tentar de novo.

— Você não deveria estar descansando para um cansativo dia de degustação de vinhos ou algo do gênero?

— Uma passeio para fotografar os bosques no outono seguido de massagem, na verdade.

— Sério, *por que* você está acordada? Ainda não chegou na cidadezinha?

Andy apertou o botão do viva voz e aproveitou a oportunidade para tirar o casaco e desabar em sua cadeira. Ela sentia como se não dormisse fazia semanas.

— Acabamos voltando porque estou me sentindo um lixo. Dor de cabeça, vômito, febre. Não sei se é infecção alimentar ou uma gripe ou só uma virose qualquer. E também porque Max não queria perder a Festa do Iate hoje à noite; vou ter que dar uma passada lá, aliás. Então cá estamos nós. — Andy olhou para a roupa horrorosa que estava vestindo e lembrou a si mesma que precisava sair a tempo de passar em casa e se trocar.

— A Festa do Iate é hoje à noite? Por que eu não fui convidada?

— Não foi convidada porque eu não ia. E mesmo agora que voltamos minha ideia é ficar lá por exatamente uma hora e depois voltar para casa, me besuntar de Vick VapoRub e assistir a uma maratona de *Pequenas misses*.

— De quem é o barco este ano?

— Não me lembro do nome dele. Algum bilionário de fundos de investimento, como sempre. Daqueles que arrotam imóveis. E esposas também, provavelmente. Parece que ele era amigo do pai do Max, mas Barbara achava o cara tão má influência que proibiu o marido de se relacionar com ele. Acho que também tem cassinos.

— O tipo de cara que sabe dar uma festa, pelo visto...

— Ele nem vai estar lá. Só está fazendo o favor de emprestar o iate a Max. Não se preocupe, você não vai perder nada.

— Sei. Foi isso que você falou no ano passado, e aí todo mundo do *Saturday Night Life* apareceu.

A revista *Yacht Life* não ganhara um único centavo de lucro em seus dez anos de existência, mas isso não impedia Max de declará-la como uma das holdings de mais valor de toda a Harrison Media. Dava-lhes prestígio e brio; todo mundo que era alguém queria que seu barco aparecesse na revista. Todo mês de outubro a *Yacht Life* promovia a Festa do Iate, para entregar seu prêmio Iate do Ano, e todos os anos o evento atraía um impressionante rebanho de celebridades dispostas a perambular pelo deque de algum iate absurdamente imenso enquanto navegavam em volta de Manhattan bebendo Cristal, petiscando alguma iguaria trufada e ignorando o fato de que estavam no poluído Hudson no final do outono em vez de nas águas quentes de Antibes.

— Aquilo até que foi divertido, né? — comentou Andy.

Emily ficou em silêncio por um momento.

— É só isso? Uma virose e a Festa do Iate? Ou tem mais alguma coisa acontecendo?

Emily tinha muitos defeitos — ela podia ser impertinente, agressiva, muitas vezes extremamente grossa —, mas tinha uma percepção que Andy jamais vira igual.

— Mais alguma coisa? Tipo o quê? — disse Andy, sua voz mais aguda e estridente, o habitual de quando ela mentia ou sentia-se desconfortável.

— Sei lá. É por isso que eu estou ligando. Você fez um ótimo teatrinho durante o fim de semana inteiro, mas acho que está cismada com alguma coisa. É só um remorso normal, tipo quando a gente compra algum sapato caro demais? Sabe, eu tive *ataques de pânico* na minha primeira semana de casamento. Chorei dias e dias. Simplesmente não conseguia acreditar que ele supostamente seria o último homem com quem eu iria dormir. O último que eu iria *beijar*! Mas isso melhora, Andy, eu juro.

Andy sentia seu coração começar a bater um pouco mais rápido. Fazia dois dias desde que encontrara o bilhete e ela não dissera uma palavra sobre aquilo para ninguém.

— Encontrei uma carta da mãe do Max na mochila dele. Basicamente dizia que ele estava cometendo um erro enorme casando-se comigo; isso *se* ele decidisse ir em frente com isso.

Fez-se silêncio do outro lado da linha.

— Meu Deus, achei que fosse algo muito pior — falou Emily.

— Isso deveria fazer com que eu me sentisse melhor?

— Sério, Andy, o que você esperava? Os Harrison são muito conservadores. E, na real, alguma sogra no mundo gosta da nora? Nenhuma mulher nunca é boa o bastante.

— Pelo visto Katherine é boa o bastante. Miles lhe contou que Max a encontrou nas Bermudas?

— O quê? — Emily pareceu surpresa.

— Barbara comentava no bilhete que Katherine era mesmo ótima e que era um *sinal* eles terem se esbarrado nas Bermudas! E que ele ficara *encantado* em vê-la.

— Katherine? Ah, por favor. Você não pode estar preocupada com Katherine. Ela mandava para ele links das suas joias preferidas antes de cada aniversário e comemoração de namoro. Ela usava *twin-sets*, Andy. Tudo bem, eram Prada; mas ainda assim, *twin-sets*. De todas as namoradas de Max, ela foi a que menos gostamos.

Andy pressionou a testa com a ponta dos dedos. Emily e Miles eram amigos de Max antes de Andy surgir na vida dele, sabiam de todo o seu histórico de namoros e haviam conhecido todas as namoradas dele durante anos. Andy realmente não queria ouvir mais detalhes como esse.

— Bom saber — disse Andy, sua cabeça começando a doer.

— Ele não mencionou o encontro porque não teve importância — falou Emily. — Porque ele é louco por *você*.

— Emily, eu...

— Completamente apaixonado por você, sem falar que é um cara bem bacana, apesar do passado de péssimo gosto para mulheres. Então ela estava nas Bermudas. Grande coisa. Ele não trairia você com ela. Com ninguém! Você sabe disso e eu sei também.

Dois dias antes Andy teria jurado que Emily tinha razão. Max não era nenhum santinho, mas Andy havia se apaixonado por um homem genuinamente bom. Só pensar na alternativa já era quase horrível demais. Mas ela não podia negar que a omissão dele a deixava apavorada...

— É a ex-namorada dele, Emily! O *primeiro amor* do Max! A garota com quem ele perdeu a virgindade. Com quem ele supostamente só não se casou porque estar com ela não era "desafiador". Até hoje ele só disse coisas boas sobre ela. É inevitável se perguntar se ele não resolveu dar uma última conferida. Pelos velhos tempos. Não seria o primeiro cara a fazer besteira durante a despedida de solteiro. Talvez não fosse tão ruim uma vida como a do pai dele, com uma doce esposa dona de casa. Mas não, ele decide que quer se rebelar e me encontra. Que maravilha para ele.

— Você está sendo dramática — disse Emily, mas algo em sua voz reforçou as dúvidas de Andy. Além disso, Emily fora a primeira a usar a palavra *trair*. Andy não havia realmente se permitido pensar nisso até sua amiga vir e dizer...

— Então o que eu faço agora? E se ele tiver *mesmo* me traído?

— Andy, você está sendo ridícula. Para não dizer histérica. Converse com Max, só isso. Descubra a verdade.

Andy sentiu sua garganta se fechar. Ela raramente chorava — quando o fazia, era quase sempre por causa de estresse e não tristeza genuína —, mas naquele momento seus olhos se encheram de lágrimas.

— Eu sei. Só não consigo acreditar que isso esteja acontecendo. Se for verdade, como eu poderia perdoá-lo? Até onde sei, ele está apaixonado por ela! Achei que fôssemos passar o resto das nossas vidas juntos, e agora...

— Andy! Converse com ele, só isso. Pare com a choradeira por enquanto e converse com ele, está bem? Vou chegar tarde hoje, tenho uma reunião com o pessoal da Kate Spade. Mas vou estar no celular...

Andy sabia que tinha que se recompor antes que seus colegas de trabalho chegassem. Ela respirou fundo, ainda trêmula, e prometeu a si mesma que perguntaria a Max, apesar de saber que ia adiar aquela conversa o máximo que pudesse. De repente ela não conseguiu se conter e pensou nas perguntas mais sombrias: quem sairia do apartamento? Ora, ela, é claro — fora comprado com o dinheiro da família de Max. Quem ficaria com Stanley, o maltês deles? O que ela diria às pessoas? Aos conhecidos? A seus pais? À irmã de Max? Como eles deixariam de ser melhores amigos que moravam juntos, dormiam juntos, apoiavam os sonhos e as ambições um do outro e passariam a ser completos estranhos? Haviam entrelaçado suas vidas, sua casa, suas famílias, seu trabalho e seus horários, os planos para o futuro, a revista. Tudo. Como ela iria sobreviver à perda dele? Ela o amava.

Como se ele pudesse sentir alguma coisa a quarenta quarteirões de distância, o computador anunciou que ela recebera um e-mail de Max.

Querida esposa,
Você saiu cedo hoje; espero que isso signifique que está se sentindo melhor. Senti falta da nossa manhã juntos. Não consigo parar de pensar no nosso final de semana incrível e espero que você ainda esteja sorrindo, assim como eu estou. Um monte de gente já me escreveu dizendo que a festa foi muito divertida. Tenho reuniões até as duas, mas logo que sair eu ligo para você para combinarmos como vamos fazer hoje à noite. Quero você lá, mas só se estiver mesmo a fim de ir, então, me avise.
Um beijo,
Seu marido

Esposa. Ela era esposa de Max. A palavra reverberou em sua cabeça, soando ao mesmo tempo estranha e maravilhosamente familiar. Ela respirou fundo e ordenou a si mesma que ficasse calma. Ninguém estava morrendo. Não era câncer terminal. Eles não tinham três filhos e uma hipoteca esmagadora. Além disso, apesar daquela mãe opressiva, ela o amava. Como podia não amar o homem que no último Dia dos Namorados — uma data que Andy insistia em dizer que odiava, por causa de toda a avalanche de cor-de-rosa e corações — havia forrado a minúscula sacada do apartamento que eles dividiam com panos pretos cheios de adesivos de estrelas que brilhavam no escuro e ainda acrescentado uma mesa posta para dois? Que havia preparado um menu composto de queijo quente com anchovas (o preferido dela) em vez de filé mignon, Bloody Mary extrapicante em vez de Cabernet e, como sobremesa, um pote de sorvete de café da Häagen-Dazs em vez de uma caixa de chocolates caros? Eles haviam ficado sentados lá fora até bem depois da meia-noite, observando o céu noturno pelo telescópio industrial que Max tinha alugado porque Andy uma vez reclamara, meses antes, que a única coisa que ela realmente odiava em viver na cidade era não poder ver as estrelas.

Eles iam superar aquela crise.

Foi bem fácil repetir isso para si mesma durante as duas horas seguintes, enquanto estava tudo silencioso e o escritório era só dela. Mas o pânico voltou quando todo mundo chegou, às dez horas, todos loucos para comentar cada minuto do fim de semana, e só piorou quando Daniel, o diretor de arte, apareceu com um disco cheio de arquivos de imagens que ele não podia esperar para ver com ela.

— Estão maravilhosas, Andy. De tirar o fôlego. Foi totalmente acertada a sua decisão de escolher St. Germain para o trabalho. Ele é exigente de doer, eu sei, mas é muito bom. Tome, veja estas.

— Você já tem fotos do fim de semana? — perguntou ela.

— Ainda não foram tratadas. Nem queira saber quanto pagamos para acelerar a entrega.

Daniel, que Andy havia contratado no ano anterior após entrevistar não menos que dez candidatos, conectou um cartão de memória diretamente no iMac dela. Uma janela se abriu, perguntando se ela queria importar as fotos; Daniel clicou em "sim".

— Aqui, dê uma olhada nestas. Com alguns cliques, Daniel fez surgir na tela de 27 polegadas uma foto dela e de Max. Ela olhava diretamente para a câmera, seus olhos intensamente azuis e sua pele impecável. Max lhe dava um beijo no rosto; o formato de seu maxilar estava bem definido, seu perfil, perfeito. As folhas atrás deles quase explodiam ao fundo, seus tons de laranja, amarelo e vermelho servindo como um contraste intenso para o smoking preto dele e o vestido branco dela. Parecia uma foto saída de uma revista, uma das mais lindas que ela já vira.

— Espetacular, não? Agora veja esta. Mais alguns cliques e uma imagem em preto e branco da recepção encheu a tela. Dúzias de seus convidados reunidos em volta da pista de dança, sorrindo e aplaudindo, enquanto Max a puxava para sua primeira dança, ao som de "Warm Love". O ângulo o mostrava inclinando-se para baixo para beijar a testa dela, seus braços enlaçando sua cintura, o cabelo castanho dela descendo em cascatas pelas costas. O detalhe do botão que haviam decidido acrescentar à cauda depois da última prova parecia fantástico, pensou Andy. E ela ficou satisfeita por ter escolhido saltos mais baixos; a diferença de altura mais definida aparecia mais elegante nas fotos.

— Aqui, dê uma olhada naquelas em que você aparece sozinha. Ficaram deslumbrantes. Daniel moveu o cursor para a pasta "retratos" e acessou as miniaturas. Rolando a barra um pouco para baixo, ele clicou em cima de uma. A tela criou vida com o rosto e os ombros de Andy, o toque do leve pó iluminador fazendo-a brilhar. Na maioria das fotos ela mantivera um sorriso deliberadamente contido (de acordo com o fotógrafo, pequenos vincos e rugas eram mais difíceis de esconder com um sorriso "cheio"), mas a única foto dela sorrindo descaradamente era, apesar dos pés de galinha e rugas de expressão mais evidenciados, a mais autêntica das fotos, sem sombra de dúvida. Obviamente tinha sido tirada antes de ela ter visitado a suíte de Max.

Todo mundo lhe dissera que seria impossível conseguir lugar na agenda de St. Germain, mas ela não resistira a tentar. Havia levado mais de um mês e não menos que uma dúzia de telefonemas para o agente de St. Germain se dignar a atendê-la. Ele lhe disse repetidamente que a *Plunge* era uma publicação insignificante demais para que seu cliente mundialmente famoso levasse em consideração, mas que repassaria suas informações se ela concordasse em parar de telefonar. Depois de uma semana sem receber notícias, ela escreveu uma carta de próprio punho para St. Germain e mandou entregar em seu estúdio em Chinatown. Na carta, ela lhe prometia duas capas a sua escolha, todas as despesas pagas para qualquer locação distante e ainda oferecia que a revista cofinanciasse um de seus eventos beneficentes pelas vítimas do terremoto no Haiti, sua causa de caridade favorita. Foi assim que uma mulher entrou em contato, identificando-se apenas como "amiga" de St. Germain, e quando Andy concordou com o pedido dessa tal mulher de que a *Plunge* fizesse uma matéria de capa sobre a adorada sobrinha de St. Germain, que estava noiva e se casaria no final do ano seguinte, o fotógrafo impossível finalmente assinou na linha pontilhada. Aquela fora uma de suas maiores tacadas, e ela sorriu ao se lembrar do feito.

Andy ficara apavorada com a ideia de ser fotografada por um profissional assim tão famoso — ainda mais sendo ele especializado em nus —, mas St. Germain imediatamente a deixou à vontade. Ela logo entendeu o que o tornava tão bom.

— Que alívio! — exultou ele no instante em que pôs os pés na suíte nupcial de Andy, com dois assistentes a reboque. Andy lembrava-se de, ao vê-los ali, ter ficado inexplicavelmente grata por eles terem comparecido. Apesar de estar usando apenas um sutiã tomara que caia e uma cinta que ia do joelho ao peito, Andy não sentiu nada além de felicidade e alívio ao ver o fotógrafo.

— O quê? Por ter que fotografar uma noiva normal em vez de um batalhão inteiro de modelos de biquíni? Oi, eu sou a Andy. É um prazer enorme conhecê-lo pessoalmente.

St. Germain não devia ter mais que 1,65m, com um corpo magro e uma pele branca como leite, mas sua voz parecia pertencer a um jogador de futebol americano. Nem mesmo o sotaque indeterminado (francês? Britânico? Um toque de australiano?) parecia combinar com sua figura.

— Ha, ha! É, exatamente. Aquelas garotas eram loucas, completamente *anômalas*! Mas sério, *ma chérie*: estou muito feliz por não precisarmos de maquiagem de corpo inteiro. É tão cansativo.

— Nada de maquiagem de corpo inteiro, prometo. E se tudo correr bem, você também não vai precisar ver se estou em dia com a depilação — disse Andy, rindo. Todo aquele drama para conseguir contratá-lo deixara Andy pronta para odiá-lo, mas St. Germain era irresistivelmente charmoso. Ela soubera, pela tal "amiga", que ele viria direto do Rio de Janeiro, onde estivera fotografando a última edição de biquínis da *Sports Illustrated*. Cinco dias, duas dúzias de modelos, centenas senão milhares de centímetros de pernas bronzeadas e malhadas.

St. Germain assentiu como se ela tivesse acabado de dizer algo muito sério.

— Que bom. Ah, estou tão cansado de ver garotas magricelas em biquínis berrantes. É claro que é o sonho da maioria dos homens, mas você sabe o que dizem... mostre-me uma mulher linda e eu lhe mostrarei um homem que está cansado de... bem, você provavelmente já ouviu o resto. — Ele abriu um sorriso endiabrado.

— Não parece que você achou assim tão sofrido — disse Andy, sorrindo.

— É, talvez não. — Ele então se aproximou e virou o queixo de Andy na direção da luz. — Não se mexa.

Antes que ela soubesse o que estava acontecendo, um dos assistentes entregou a ele uma câmera com uma lente gigantesca e St. Germain clicou vinte ou trinta vezes.

· A mão dela voou para o rosto.

— Pare! Falta a maquiagem dos olhos. E eu ainda nem coloquei o vestido!

— Não, não, você está linda desse jeito mesmo. Deslumbrante! Seu noivo nunca lhe disse que você fica maravilhosa quando está zangada?

— Não, nunca.

Ele estendeu a câmera para a esquerda. Um assistente vestido de preto imediatamente foi pegá-la e a trocou por outra.

— Hum, pois deveria dizer. Isso, assim. Brilhe para mim, querida.

Andy deixou os ombros caírem e virou-se para olhar para ele.

— O quê?

— Vamos lá, brilhe!

— Não sei se eu sei brilhar.

— Raj! — gritou ele.

Um dos assistentes surgiu de trás do sofá, onde estava segurando um rebatedor; projetou o quadril para o lado, franziu os lábios, inclinou a cabeça ligeiramente para o lado e baixou os olhos em uma espécie de olhar sexy.

St. Germain assentiu.

— Viu? Como eu digo para todas as gatas de biquíni. Brilhe.

Andy riu de novo agora, ao lembrar. Ela apontou para uma das miniaturas pelas quais Daniel estava passando o cursor. Suas pálpebras estavam pesadas a ponto de fazê-la parecer drogada e sua boca estava franzida como um bico de pato.

— Viu? Eu brilhei ali.

— Você o quê?

— Nada não.

— Aqui — disse Daniel, aumentando uma foto de Andy e Max se beijando durante a cerimônia. — Veja que linda.

Andy só conseguia se lembrar da sensação extracorpórea de ansiedade que começara no instante em que as portas se abriram. Ouvir as primeiras notas do Cânone em Ré Maior confirmara que não havia mais chances de fugir. Segurando o braço do pai, ela viu os pais de seu cunhado, algumas primas distantes de sua mãe e a babá caribenha de Max, a mulher que até os 4 anos ele pensou que fosse sua mãe. Seu pai a conduzia muito suavemente, tanto puxando-a para a frente quanto, talvez, mantendo-a ereta. À sua direita, um grupo de amigas da faculdade, com seus respectivos maridos, lhe sorriu. À frente delas estava o grupo de amigos de internato de Max, quase uma dúzia ao todo, cada um mais irritantemente bonito que o outro, e suas mulheres igualmente lindas — todos se viraram para vê-la passar. Por um breve momento ela se perguntou por que não haviam se dividido entre lado da noiva e lado do noivo. Não se fazia mais isso? Será que ela, uma especialista em casamentos, não deveria saber a resposta? Mas ela não sabia.

Um lampejo verde-amarelado à direita lhe chamou atenção: era Agatha, a assistente antenada em moda que trabalhava com ela e Emily. Pelo visto ela recebera um memorando do Grande Hipster lhe dizendo que néon, assim como barbas e chapéus fedora, era uma ótima ideia. Com Agatha estavam os outros funcionários do escritório, quase vinte ao todo. Alguns, como o diretor de fotografia e o diretor de produção, conseguiam fingir felicidade por estarem passando o feriado no casamento da chefe. Os assistentes, editores associados e as vendedoras de espaço publicitário já não dissimulavam tão bem. Andy achou que era cruel convidar todos eles, obrigá-los a gastar seu tempo em um evento de trabalho quando já tinham um expediente tão puxado, mas Emily insistira, argumentando que era bom para o grupo que todos se reunissem, bebendo e dançando. E então, assim como acontecera com a florista e o bufê e o tamanho da festa, Andy cedera.

Conforme ela se aproximava do altar, suas pernas pesadas como se cruzando uma piscina de cimento fresco, um rosto em especial lhe chamou a atenção. Seu cabelo louro havia escurecido um pouco, mas não dava para não notar as covinhas. Seu terno era completo, bem-cortado, impecável, preto — não um smoking, claro, porque nem morto ele usaria uma roupa tão prosaica assim. Sempre dizia que códigos de vestimenta eram para pessoas sem estilo. Ele sempre dizia muitas coisas, e Andy lembrou-se de seguir seus dogmas como se o próprio Deus os tivesse decretado. O erro pós-Alex, pré-Max: Christian Collinsworth. Ele parecia tão lindo, pomposo e confiante quanto da última vez que ela acordara ao lado dele em seu quarto em Villa d'Este, cinco anos antes, ainda nua e emaranhada nos lençóis, pouco antes de ele anunciar casualmente que sua namorada iria encontrá-lo no lago Como no dia seguinte — não gostaria de conhecê-la, Andy? Quando Emily lhe pedira para convidá-lo, como um favor pessoal a ela, Andy recusara veementemente, mas então a Sra. Harrison o colocara no topo de sua lista de convidados, bem ao lado dos pais de Christian, que eram grandes amigos dos Harrison, e aí não havia mais nada que ela pudesse dizer. *Ah, e Barbara? Sinto muito, mas talvez seja inadequado convidar para o nosso casamento alguém com quem eu tive um caso espetacular, sabe? Não me entenda mal, ele era fantástico na cama, mas fico com medo de a presença dele tornar a hora do brinde* constrangedora... *você entende, não?* Então lá estava ele, uma das mãos nas costas da mãe, virado na direção de Andy e lhe dirigindo aquele olhar. O mesmo de cinco anos antes, sem tirar nem pôr, e que dizia: *Você sabe e eu também sei que temos um segredinho delicioso.* Era o olhar que ele lançava a metade das mulheres de Manhattan.

— No caminho para o altar eu vou ver um cara com quem eu costumava transar — reclamara Andy para Emily depois de ver a lista de convidados da Sra. Harrison pela primeira vez. Agora tanto fazia que Katherine tivesse sido cortada da lista, por ordem de Max. Andy quase dera vivas de alegria ao ouvi-lo dizer à mãe, durante um brunch dedicado a planejarem o casamento: "Katherine não. Nada de ex-namoradas" — e isso apesar do status que ela portava de "amiga íntima da família". Mas então, quando Andy confessara a Max que Christian Collinsworth também estava na lista de sua mãe, ele a olhara nos olhos dela e dissera: "Não me importo nem um pouco com Christian, desde que você também não." Andy assentira e concordara: melhor deixar o assunto de lado e não contrariar mais Barbara.

Emily reagira com desdém ao comentário dela.

— Ou seja, você vai ser exatamente como 99 por cento das noivas, excluindo apenas as fanáticas religiosas e as aberrações ocasionais que conheceram o futuro marido já no maternal e nunca dormiram com mais ninguém. Esqueça isso. Eu lhe garanto que Christian já esqueceu.

— Eu sei. Provavelmente fui o número cento e alguma coisa para ele. Mas ainda acho estranho tê-lo no nosso casamento.

— Você é uma mulher de 33 anos que mora em Nova York há oito anos. Eu ficaria preocupada se você *não* visse no seu casamento ninguém com quem já dormiu, tirando o seu marido.

Andy deixou de lado o layout em que estava trabalhando e olhou para Emily.

— O que nos leva à pergunta...

— Quatro.

— Mentira! Quem? Só consigo pensar em Jude e Grant.

— Lembra do Austin? Aquele que tinha um monte de gatos?

— Você nunca me contou que transou com ele!

— Bem, não foi lá essas coisas, nada para me gabar. — Emily tomou um gole de café.

— Falta um. Quem é o quarto?

— Felix. Da *Runway*. Ele trabalhava no...

Andy quase caiu da cadeira.

— Felix é gay! Ele se casou com o namorado no ano passado. Quando foi que você transou com ele?

— Você se preocupa tanto com rótulos, Andy. Foi só uma vez, depois do evento do Fashion Rocks um ano desses. Teve uma hora em que Miranda nos mandou anotar os pedidos de bebidas na sala VIP dos bastidores. Nós dois tínhamos bebido martínis demais. Foi divertido. Acabamos indo ao casamento um do outro, e, na real, quem se importa? Você precisa relaxar um pouco.

Andy lembrava-se de ter concordado na época, mas isso foi antes de ela estar empacotada dentro de um vestido de noiva caminhando até o altar para se casar com alguém que talvez tivesse acabado de traí-la, enquanto o cara por quem ela sempre fora um pouco obcecada lhe sorria (um sorriso bem safado, ela podia jurar!) da lateral.

O resto da cerimônia era um borrão. Foi preciso o som de vidro estilhaçando debaixo do pé do Max para trazê-la de volta à realidade. *Crash!* Eles estavam casados. Dali em diante ela nunca mais seria só a boa e velha Andy Sachs, ela mesma, o que quer que isso significasse. Depois daquela fração de segundo ela carregaria eternamente um dentre dois possíveis títulos, nenhum dos dois muito atraente aos seus olhos naquele momento: casada ou divorciada. Como isso havia acontecido?

O telefone do escritório começou a tocar. Ela deu uma olhada no relógio: 10h30. A voz de Agatha lhe chegou pelo intercomunicador:

— Bom dia, Andy. Max na linha 1.

Agatha chegava cada dia mais tarde e Andy não conseguia dizer nada a respeito. Ela foi apertar o botão do intercomunicador para dizer a Agatha que não podia atender a ligação, mas acabou derrubando a xícara de café e, nisso, apertando a linha 1.

— Andy? Está tudo bem? Estou preocupado com você, minha linda. Como está se sentindo?

O café, agora frio a ponto de ser mais desagradável do que se estivesse quente, escorreu lentamente da mesa direto para a calça de Andy.

— Eu estou bem. — Ela se apressou em dizer. Olhou em volta procurando um lenço ou até mesmo um pedaço qualquer de papel para conter o avanço do líquido. Sem encontrar nada, ficou vendo o café ensopar lentamente seu calendário de mesa e pingar em seu colo, e aí começou a chorar. De novo. Para alguém que raramente chorava, ela definitivamente andava chorando muito.

— Você está chorando? Andy, o que está havendo? — perguntou Max, e a preocupação na voz dele só fez as lágrimas brotarem mais rápido.

— Não, nada, eu estou bem — mentiu ela, observando o café se espalhar em uma mancha circular por sua coxa esquerda. Ela limpou a garganta. — Escute, vou ter que passar em casa e trocar de roupa hoje à noite antes da Festa do Iate, então posso passear com Stanley. Você cancela o passeador? Vai em casa também ou prefere me encontrar lá? De que píer vai sair mesmo?

Eles repassaram os detalhes da noite e Andy conseguiu desligar sem voltar a falar sobre sua crise de choro. Deu um jeito na maquiagem com a ajuda de um espelhinho de mesa, jogou dois Tylenols na boca, engoliu-os com uma Coca Diet e atravessou o resto do dia quase sem ter uma pausa para respirar e, felizmente, sem mais lágrimas. Até conseguiu reservar meia hora para fazer uma escova no salão, o que, somado à rápida troca de roupa em casa e a uma taça geladíssima de Pinot Grigio, quase a fez se sentir gente de novo. Max correu até ela no momento em que a viu sair da rampa de embarque, forrada com um tapete vermelho, e pisar na sala de estar ao ar livre do iate: seu beijo suave e seu cheiro mentolado e picante a deixaram tonta de prazer. Mas aí ela se lembrou de todo o resto.

— Você está linda — disse ele, beijando seu pescoço. — Fico muito feliz que esteja se sentindo melhor.

Uma onda de náusea atingiu Andy como uma pá; sua mão voou para a boca.

Max franziu o cenho.

— O vento está deixando a água agitada e fazendo o barco balançar. Não se preocupe, já vai melhorar. Venha, quero exibir você.

A festa estava a toda, e, juntos, ela e Max devem ter recebido umas cem felicitações pelo casamento. Seria possível que fazia só quatro dias desde que ela andara até o altar? Uma brisa gelada soprou; com uma das mãos Andy segurou o cabelo, e com a outra ela apertou o xale de caxemira em volta dos ombros. Mais do que tudo, estava aliviada por sua sogra ter um outro compromisso social aquela noite e não poder estar ali.

— Este deve ser o mais lindo de todos que já vi — falou Andy, olhando em volta para admirar a sala de estar de inspiração marroquina. Ela acenou com a cabeça na direção de uma tapeçaria intricadamente tecida e passou os dedos pelo bar entalhado à mão. — Quanto bom gosto!

A esposa do editor da *Yacht Life*, uma mulher cujo nome Andy sempre esquecia, inclinou-se para ela e disse:

— Ouvi que ele recebeu um cheque em branco para fazer a decoração. Literalmente. Tipo, ilimitado.

— Quem recebeu?

A mulher olhou para ela, surpresa.

— Como quem? Ora, Valentino! O proprietário o contratou para decorar o iate inteiro. Já imaginou? Quanto deve custar contratar um dos maiores estilistas do mundo para escolher tecidos para o seu sofá?

— Não posso nem imaginar — murmurou Andy.

Mas é claro que podia. Pouca coisa a chocava depois de seu ano na *Runway*, e o que ainda a surpreendia certamente não incluía as loucuras que os ricos cometiam com seu dinheiro.

Mais uma vez Andy olhou em volta, enquanto a mulher (Molly? Sadie? Zoe?) devorava uma *tortilla* em miniatura coberta com tartare e olhava, mastigando, para além de Andy. Os olhos da mulher se arregalaram.

— AhmeuDeus, ele veio. Não acredito que ele realmente veio — murmurou ela, a mão na frente da boca, pouco ajudando a esconder a comida semimastigada...

— Quem? — perguntou o marido dela, aparentemente com interesse zero.

— Valentino! Ele acabou de chegar! Olhe! — A mulher conseguiu engolir o que restava do canapé e retocar o batom em um movimento quase gracioso.

Max e Andy se viraram na direção do tapete vermelho e, sim, lá estava um Valentino bronzeado, impecável e empertigado, removendo cuidadosamente os mocassins estilizados para embarcar. Um lacaio de pé bem ao seu lado lhe entregou um pug de cara molhada e fungando, que ele aceitou sem fazer comentários e começou a acariciar. Ele varreu a festa com os olhos descaradamente e, não aparentando estar nem satisfeito nem insatisfeito, virou-se para oferecer a mão livre para quem o acompanhava. Seu parceiro de tantos anos, Giancarlo, não estava em nenhum lugar à vista; em vez disso, Andy viu, horrorizada, cinco dedos longos com unhas pintadas de vermelho se esticarem da escada do deque inferior e se fecharem, como garras, no antebraço do estilista.

Nãããããoooo!

Andy olhou para Max. Ela havia realmente gritado isso ou só pensado?

Como se em câmera lenta, a assustadora mulher foi se materializando centímetro por centímetro: o topo do cabelo curto, seguido pela franja e então o rosto, retorcido em uma expressão muito familiar de extremo desprazer. A calça branca bem-cortada, a túnica de seda e os sapatos altos azul-cobalto eram todos Prada, enquanto o casaco de inspiração militar e a bolsa de matelassê em estilo clássico eram Chanel. A única joia que ela usava era uma pulseira esmaltada grossa da Hermès, de um tom de azul que combinava perfeitamente com os trajes e acessórios. Andy havia lido anos antes que as pulseiras tinham substituído as echarpes como sua boia de salvação Hermès — diziam que ela já colecionara quase quinhentas, de todas as cores e tamanhos imagináveis —, e agradeceu aos céus por não ser mais a responsável por consegui-las. Observando em uma espécie de terror fascinado enquanto Miranda recusava-se a remover seus sapatos, Andy nem percebeu quando Max apertou sua mão.

— Miranda — disse ela, meio sussurrando, meio engasgando.

— Sinto muito — falou Max em seu ouvido. — Eu não sabia que ela viria.

Miranda não gostava de festas nem de barcos, portanto fazia sentido que ela não fosse muito fã de festas em barcos. Havia três, talvez cinco pessoas no planeta que poderiam convencê-la a entrar em um barco, e Valentino era uma delas. Apesar de Andy saber que Miranda só se dignaria a ficar dez ou 15 minutos, entrou em pânico com a ideia de dividir um espaço tão pequeno com a mulher que inspirava seus terrores noturnos. Fazia mesmo quase dez anos que ela lhe havia gritado um F-se no meio da rua em Paris e então saído correndo do país? Porque parecia ter sido ontem. Ela segurou o celular com força, desesperada para ligar para Emily, mas de repente percebeu que Max largara sua mão e esticava o braço para cumprimentar Valentino.

— É um prazer vê-lo de novo, senhor — disse Max, daquele jeito formal que sempre reservava aos amigos de seus pais.

— Espero que perdoem a intrusão — falou Valentino, com uma pequena reverência. — Giancarlo é quem viria, como meu representante, mas de qualquer modo eu estava em Nova York esta noite, para me encontrar com esta adorável dama, e quis visitar meu barco novamente.

— Estamos felicíssimos que o senhor pôde vir.

— Chega de "senhor", Maxwell. Seu pai era um amigo querido. Ouvi dizer que você está se saindo muito bem com os negócios.

Max sorriu rigidamente, sem conseguir discernir se o comentário de Valentino era genuíno ou mera questão de educação.

— Estou tentando, isso é certo. O que posso providenciar para você e... e a Sra. Priestly beberem?

— Miranda, querida, venha cá dizer um oi. Este é Maxwell Harrison, filho do falecido Robert Harrison. Max atualmente está dirigindo a Harrison Media Hol...

— Sim, estou ciente — interrompeu ela friamente, olhando para Max com uma expressão indiferente e desinteressada.

Valentino parecia tão surpreso quanto Andy.

— Arrá! Eu não sabia que vocês dois se conheciam — falou ele, obviamente tentando cavar informações.

No exato instante em que Max murmurou "Não nos conhecemos", Miranda disse "Pois é, nos conhecemos".

Seguiu-se um silêncio constrangedor, finalmente quebrado com uma sonora gargalhada de Valentino.

— Ah, estou sentindo que há uma história aí! Bem, estou ansioso para ouvi-la algum dia! Ha, ha!

Andy mordeu a língua e sentiu gosto de sangue. O enjoo havia voltado, sua boca parecia giz e por nada desse mundo ela conseguia pensar no que dizer a Miranda Priestly.

Felizmente, Max, sempre mais hábil socialmente que ela, colocou a mão em suas costas e falou:

— E esta é minha esposa, Andrea Harrison.

Por reflexo, Andy quase o corrigiu — *profissionalmente é Sachs* —, antes de perceber que ele deliberadamente evitara usar seu nome de solteira. Mas não fazia diferença. Miranda vislumbrara alguém mais interessante do outro lado da sala e já estava a metros de distância quando a apresentação de Max finalmente saiu de sua boca, sem nem ter pedido licença ao anfitrião ou mesmo olhado na direção de Andy.

Valentino lhes lançou um olhar de desculpas e, segurando seu pug, disparou atrás dela.

Max virou-se para Andy.

— Eu sinto muito, muito mesmo. Não fazia a menor ideia de que...

Ela tocou seu peito.

— Está tudo bem. Sério. Sabe, foi bem melhor do que eu jamais imaginei. Ela nem olhou para mim. Não tem problema.

Com um beijo no rosto, Max disse que ela estava linda e que não precisava se sentir intimidada por ninguém — muito menos pela lendariamente grosseira Miranda Priestly —, depois pediu que não saísse dali pois ia buscar água para os dois. Andy esboçou um sorriso e virou-se para observar a tripulação puxar a âncora, o iate começando a se afastar do píer. Pressionou o corpo contra a amurada de metal e tentou controlar a respiração inalando profundamente o ar frio de outubro. Abraçou a si mesma para fazer as mãos pararem de tremer e fechou os olhos. A noite iria acabar logo.

Escrever o obituário não o torna realidade

6 Na manhã seguinte à Festa do Iate, quando o alarme de Max tocou, às seis, Andy pensou em destruí-lo (o despertador ou o próprio Max) com uma paulada. Só depois de muitas cutucadas ela conseguiu se arrastar para fora da cama e vestir uma legging e um velho moletom da época de faculdade. Mastigou devagar a banana que ele lhe entregou a caminho da porta e o seguiu apaticamente pelo quarteirão até a academia, onde o simples esforço de passar o cartão de membro lhe pareceu avassalador. Subiu em um transport e o programou, otimista, para 45 minutos, mas não chegou nem perto disso: assim que o programa do aparelho passou de aquecimento para queima de calorias ela apertou o botão de emergência para parar, pegou sua água Poland Spring e sua *US Weekly* e se retirou para um banco bem na saída da sala de spinning. Quando seu celular tocou, com "Emily" no visor, ela quase o derrubou no chão.

— São seis e cinquenta e dois da manhã. Está de sacanagem comigo? — atendeu ela, já se preparando para o Ataque Emily.

— O que foi, ainda não se levantou?

— É claro que já me levantei. Estou na academia. O que você está fazendo acordada? Está ligando da cadeia? Ou da

Europa? É a segunda vez em menos de uma semana que eu falo com você antes das nove.

— Você não vai adivinhar quem acabou de me ligar, Andy! — A voz de Emily continha um nível de entusiasmo que ela normalmente reservava a celebridades, presidentes ou ex-namorados malresolvidos.

— Antes das sete da manhã? Ninguém, eu espero.

— Tente adivinhar.

— Ah, Emily, sério mesmo?

— Vou te dar uma pista: você vai achar muito, muito interessante.

De repente, Andy simplesmente soube. Mas por que ela estava ligando para Emily? Para se confessar, aliviar a consciência pesada? Para se defender alegando amor verdadeiro? Anunciar que estava grávida de Max? Andy nunca tivera tanta certeza em toda a sua vida.

— Foi Katherine, não foi?

— Quem?

— A ex-namorada do Max. Aquela que ele encontrou nas Bermudas e...

— Você ainda não falou com ele sobre isso? Sério, Andy, isso é ridículo. Não, não foi Katherine... Por que diabos ela ligaria para mim? Foi alguém do Elias-Clark.

— Miranda! — sussurrou Andy.

— Não exatamente. Um cara chamado Stanley que não se deu ao trabalho de fornecer muitos detalhes como cargo e tal, mas dei uma pesquisada no Google e acho que ele é do conselho do Elias-Clark.

Andy inclinou-se para a frente e colocou a cabeça entre os joelhos só por um instante antes que "Call Me Maybe" começasse a vazar da sala de spinning. Então se levantou e cobriu a orelha livre com uma das mãos.

— Então é isso, e eu não faço ideia do que ele quer comigo, mas ele deixou uma mensagem bem tarde ontem à noite dizendo que era importante e pedindo que eu por favor retornasse a ligação assim que pudesse.

— Meu Deus. — Andy ficou andando entre o vestiário das mulheres e os colchonetes de alongamento. Ela podia ver Max fazendo supino na área de pesos livres.

— Interessante, não? Devo dizer que estou intrigada — falou Emily.

— Deve ter algo a ver com Miranda. Eu a vi ontem à noite. Primeiro ao vivo e depois nos meus pesadelos. Foi uma noite longa.

— Você a *viu*? Onde? Na TV? — Emily riu.

— Ha, ha. Porque a minha vida é tão pouco fabulosa que você nem consegue imaginar, certo? Eu a vi na Festa do Iate! Ela estava lá com Valentino. Na verdade, todos tomamos drinques juntos e depois fomos nós quatro jantar no Da Silvano. Ela foi encantadora, tenho que admitir. Fiquei surpresa.

— Ah, meu Deus, estou morrendo! Como você pôde não me ligar no segundo em que chegou em casa? Ou do banheiro do restaurante? Andy, isso só pode ser mentira sua! É *absurdo*!

Andy riu.

— É claro que é absurdo, sua doida. Você acha que eu teria dividido um prato de talharim com Miranda e deixado de contar para você? Ela esteve lá ontem à noite, isso sim, mas nem olhou na minha cara. O máximo de interação que tivemos foi por meio da nuvem de Chanel Nº 5 de quando ela passou por mim sem demonstrar um pingo de reconhecimento.

— Eu odeio você.

— Eu também odeio você. Mas, sério, você não acha que é coincidência demais? Eu a vejo ontem à noite pela primeira vez em séculos e ela liga para você no dia seguinte?

— Ela não ligou para mim. Foi Stanley.

— Mesma coisa.

— Será que eles descobriram aquele nosso truquezinho de citar o nome de Miranda para conseguir um espaço na agenda das celebridades? Isso não é crime, é? — Emily parecia preocupada.

— Talvez eles tenham finalmente descoberto que você roubou todos os contatos dela, aquela agenda com 2 mil números de telefone, e a estejam processando para que não os divulgue — sugeriu Andy.

— De nove anos atrás? Duvido.

Andy massageou os músculos doloridos da panturrilha.

— Talvez ela queira você de volta. Chegou à conclusão de que era a melhor entregadora de peças lavadas a seco e buscadora de almoço que ela já teve e que simplesmente não pode viver sem você.

— Engraçadinha. Olhe, vou entrar no banho agora e em meia hora eu saio. Você me encontra no escritório?

Andy olhou para o relógio, animada com a desculpa para ir embora da academia.

— Está bem. A gente se vê lá.

— Ah, e, Andy? Vou fazer o filé hoje à noite. Chegue cedo e me ajude, está bem? Você pode fazer a abobrinha. Miles só vai chegar em casa às oito.

— Legal. Vou falar para Max entrar em contato com Miles. Até daqui a pouco.

Filé aperitivo com palitos de abobrinha havia se tornado a refeição de praxe para todos os jantares que as duas haviam cozinhado uma para a outra em mais de cinco anos, desde que aprenderam a receita, juntas, em uma aula terapêutica de culinária. Era o único prato que as duas chegaram a dominar no semestre inteiro. E não importava quantas vezes elas fizessem o maldito filé com abobrinha — duas ou três vezes por mês —, sempre lembrava a Andy o ano de 2004, depois que ela saiu da *Runway* e seu mundo inteiro mudou.

Andy não era aquele tipo de garota que se lembrava do que havia vestido em cada primeiro dia de aula, terceiro encontro ou aniversário, nem mesmo como conhecera certos amigos ou como tinha comemorado a maioria dos feriados. Mas aquele ano que se seguira a sua saída da *Runway* estava entalhado para sempre em sua memória: não era toda hora que você saía do seu emprego, que seus pais se divorciavam, que seu namorado de seis anos a dispensava e que sua melhor amiga (tudo bem, tudo bem, única amiga) se mudava para o outro lado do país.

Começara com Alex, apenas um mês depois de voltar de Paris, aquela infame viagem do Foda-se Miranda. Sim, ela se encolhia por dentro toda vez que se lembrava da conversa, horrorizada com o próprio comportamento. Sim, ela achava que era simplesmente uma das maneiras menos profissionais e mais rudes de se largar um emprego, por mais horrível que fosse o dito emprego. Mas, sim, se ela tivesse que fazer tudo novamente, provavelmente não mudaria nada. Simplesmente tinha sido bom demais. Voltar para casa — para Lily, para sua família e para Alex — fora a coisa certa a fazer, e a única parte da qual ela se arrependia era não tê-lo feito antes, mas, para sua surpresa, as coisas não voltaram ao normal com um mero estalar de dedos. Aquele ano de buscas e descobertas que ela havia passado na *Runway*, aprendendo a nadar no tanque de tubarões mais assustador da moda, a deixara tão imersa na própria exaustão e pavor que ela mal tivera tempo de perceber o que mais estava acontecendo à sua volta.

Em que momento ela e Alex haviam se afastado tanto a ponto de ele achar que já não tinham mais muita coisa em comum? Ele não parava de alegar que tudo mudara entre eles. Que não a conhecia mais. Era ótimo que ela tivesse largado a *Runway*, mas por que ela não percebia que havia se tornado uma pessoa diferente? A garota pela qual ele tinha se apaixonado só prestava contas a si mesma, mas a nova Andy ficava desesperada por fazer tudo que os outros esperassem dela. *O que quer dizer com isso?*, perguntava Andy, com uma careta, sentindo-se alternadamente triste e zangada. Alex só balançava a cabeça. Eles brigavam constantemente. Ele parecia o tempo todo *decepcionado* com ela. Quando ele finalmente disse que queria dar um tempo e que, ah, a propósito, tinha aceitado uma transferência para a região do delta do Mississippi, Andy ficou arrasada, mas não surpresa. Oficialmente havia acabado, mas a sensação que tinha não era essa. Eles se falavam pelo telefone e se viram intermitentemente durante o mês seguinte. Sempre havia um motivo para ligar ou mandar um e-mail, um casaco esquecido na casa do outro, uma pergunta para a irmã dela, um ingresso que compraram meses antes para um show do David Gray no outono e que agora queriam vender. Até a despedida pareceu surreal, talvez a primeiríssima vez que Andy se sentiu sem graça perto de Alex. Ela lhe desejou boa sorte. O abraço dele foi fraternal. Mas lá no fundo ela se recusava a acreditar: Alex não podia viver no Mississippi para sempre. Eles dariam um tempo, usariam a distância para pensar e respirar e entender as coisas, e aí ele perceberia que havia cometido um erro terrível (tanto com o Mississippi quanto com ela) e voltaria correndo para Nova York. Eles tinham sido feitos um para o outro. Todo mundo sabia disso. Era só uma questão de tempo.

Só que Alex não telefonou. Nem durante os dois dias da viagem de carro até lá, nem depois que chegou, nem mesmo depois que se instalou no chalé que alugara (a cidade era tão pequena que não havia apartamentos). Andy não parava de inventar desculpas para ele, repetindo-as mentalmente como mantras: *Ele está cansado de tanto dirigir, está se contorcendo de arrependimento em relação a essa sua nova vida*, e a sua preferida: *Não deve pegar celular lá no Mississippi*. Mas quando três dias se passaram, e depois uma semana, sem nem um e-mail que fosse, a ficha caiu: era para valer. Alex tinha ido embora. No mínimo ele estava determinado a se distanciar e não parecia disposto a voltar. Ela chorava todo dia de manhã no chuveiro, de noite na frente da TV e ocasionalmente também à tarde, só porque podia. E escrever para o *Felizes para Sempre*, o blog emergente sobre casamentos que a havia contratado como colaboradora, não ajudava. Quem era ela para organizar a lista de presentes perfeita ou sugerir algum destino de lua de mel fora dos roteiros batidos quando seu namorado não a achava digna nem mesmo de um telefonema?

— Ex-namorado — disse Lily quando Andy lhe fez essa pergunta. Estavam na casa da avó de Lily em Connecticut, sentadas no quarto de infância dela, tomando alguma espécie de chá cítrico xaroposo que Lily comprara da manicure coreana, a mesma que lhe servira a bebida da última vez que ela fora fazer as unhas.

Andy ficou de queixo caído.

— Foi isso mesmo o que eu ouvi?

— Não quero magoá-la, Andy, mas acho que é importante que você comece a encarar a realidade.

— Encarar a realidade? O que isso quer dizer? Não faz nem um mês.

— Um mês sem nenhuma notícia dele. Tenho certeza de que não vai ser assim para sempre, mas acho que ele está mandando um recado muito claro. Não estou dizendo que concordo com esse método, só não quero que você pense que...

Andy levantou a mão.

— Já entendi, valeu.

— Não faça assim. Eu sei que é difícil. Não estou dizendo que não é. Vocês se amavam. Mas acho que precisa começar a se concentrar em seguir com a sua vida.

Andy fungou em desdém.

— Isso é uma das brilhantes pérolas de sabedoria que eles ensinam no AA?

Lily inclinou-se para trás como se tivesse levado uma pancada.

— Só estou falando porque me importo com você — disse ela, baixinho.

— Ah, Lil, me desculpe, eu falei sem pensar. Você tem razão, eu sei que tem razão. Só não consigo acreditar... — Por mais que ela tentasse sufocar as lágrimas, sua garganta se apertou e seus olhos se encheram de lágrimas. Ela soluçou.

— Venha cá, querida — falou Lily, chegando mais perto de Andy, que estava numa almofada no chão.

Em um instante ela estava enroscada nos braços da amiga e percebeu que aquela era a primeira vez em semanas que alguém a abraçava. Era tão bom, tão pateticamente bom!

— Ele só está agindo igual a todo cara por aí. Dando um tempo, fazendo o que está a fim. Ele vai se tocar.

Andy enxugou as lágrimas e conseguiu dar um sorrisinho.

— Eu sei. — Mas elas duas sabiam que Alex não era como todo cara por aí e que não dera o menor sinal de que ia mudar de ideia, nem agora, nem nunca.

Lily se jogou no chão.

— Está na hora de você começar a pensar em ter um caso.

— Um caso? Eu não precisaria estar em um relacionamento para poder trair alguém?

— Uma ficada, uma noite com alguém... qualquer coisa. Vou ter que lembrá-la quanto tempo faz desde que você transou com outra pessoa? Porque eu posso muito bem...

— Acho que não é nece...

— Segundo ano da faculdade, Scott sei lá do quê, aquele cara com um prognatismo realmente triste, que você pegou no banheiro unissex enquanto eu vomitava? Lembra?

Andy botou a mão na testa.

— Ah, não, não quero ouvir.

— E aí ele lhe escreveu aquele cartão, com "Ontem à noite" na frente e "Você abalou meu universo" dentro, e você achou a coisa mais fofa e romântica do mundo.

— Por favor, eu imploro.

— Você passou quatro meses dormindo com ele! Ignorava aqueles chinelos ridículos que ele usava, a mania de nunca lavar a própria roupa, a insistência em lhe mandar cartões cafonas. Você provou ser capaz de engolir qualquer homem. Pois faça isso de novo!

— Lily...

— Ou não. Você está na posição de elevar o nível, se quiser. Duas palavras: Christian Collinsworth. Ele ainda não aparece de vez em quando?

— É, mas ele só está interessado porque eu sou comprometida. Era. Assim que perceber que estou disponível, vai sair correndo.

— Se por "disponível" você quer dizer "aberta para outro relacionamento", então sim, você provavelmente tem razão. Mas se quer dizer "aberta à ideia de sexo sem compromisso só pelo prazer", pode ser que ele esteja disposto.

— Por que não saímos daqui? — Desesperada para mudar de assunto, Andy deu uma olhada em seu e-mail pelo BlackBerry. — O Travelzoo está oferecendo quatro dias e três noites na Jamaica, incluindo passagem, hospedagem e refeições, por 399 dólares, para o feriado prolongado do Dia do Presidente. Nada mau.

Lily ficou em silêncio.

— Vamos lá, vai ser divertido. A gente toma sol, bebe umas margaritas... Quero dizer, você não, mas eu vou tomar... Quem sabe podemos até conhecer uns caras? Foi um verão pesado em todos os sentidos. Merecemos uma folga.

Andy soube que havia alguma coisa errada quando Lily continuou em silêncio, olhando para o carpete.

— O que foi? Leve seus livros. Você pode ler na praia. É exatamente disso que nós duas precisamos.

— Eu vou me mudar — disse Lily, a voz quase um sussurro.

— Você vai o quê?

— Vou me mudar.

— De apartamento? Encontrou algum lugar? Achei que o plano era terminar o ano letivo aqui, já que você só tem aulas duas vezes por semana, e só começar a procurar um lugar novo ano que vem.

— Vou me mudar para o Colorado.

Andy ficou olhando para ela, mas não conseguia dizer nada. Lily partiu um canto microscópico de um *rugelach* de canela, mas deixou-o no prato. Elas não falaram nada por quase um minuto, o que para Andy pareceu uma hora.

Finalmente, Lily respirou fundo.

— É só que eu preciso muito de uma mudança, eu acho. A bebida, o acidente, o mês na reabilitação... Eu associo tantas coisas à cidade, tantas conotações negativas... Ainda nem contei para a minha avó.

— Colorado? — Andy tinha um monte de perguntas a fazer, mas estava tão chocada que só conseguiu dizer isso.

— A Universidade de Boulder, no Colorado, está me ajudando na transferência dos meus créditos, e eu vou ganhar bolsa integral tendo que dar só uma disciplina por semestre, para alunos da graduação. Lá posso encontrar um pouco de ar fresco e um ótimo programa e um monte de gente que ainda não conhece a minha história. — Quando Lily ergueu o olhar, seus olhos estavam cheios de lágrimas. — Mas lá não tem você; essa é a única parte que está me deixando triste. Vou sentir muita saudade.

E aí foi aquela choradeira. As duas soluçavam e se abraçavam e limpavam o rímel das bochechas, incapazes de se imaginar separadas por um país inteiro. Andy tentou dar apoio fazendo um milhão de perguntas para Lily e prestando muita atenção nas respostas, mas só conseguia pensar no óbvio: dentro de algumas semanas, ela estaria totalmente sozinha em Nova York. Sem Alex. Sem Lily. Sem vida.

Alguns dias depois da partida de Lily, Andy se retirou para a casa de seus pais, em Avon. Ela acabara de devorar três pratos do purê de batatas de sua mãe, cheio de manteiga e creme de leite, e engolido duas taças de Pinot; estava pensando em desabotoar a calça quando sua mãe esticou o braço por cima da mesa para pegar sua mão e anunciou que estava se divorciando do pai de Andy.

— Não tenho palavras para dizer o quanto nós amamos você e Jill e que é claro que isso não tem a ver com nenhuma de vocês duas — disse a Sra. Sachs, atropelando as palavras.

— Ela não é nenhuma criança, Roberta. É claro que não acha que é por causa dela que o casamento dos pais está terminando.

O tom de seu pai era mais cortante que o normal, e, se ela fosse sincera consigo mesma, admitiria que já vinha reparando nisso fazia algum tempo.

— É completamente mútuo e amigável. Ninguém está... saindo com outra pessoa, nada desse tipo. Só nos afastamos, depois de tantos anos.

— Queremos coisas diferentes — acrescentou seu pai, inutilmente.

Andy assentiu.

— Você não vai dizer nada? — perguntou sua mãe, o rosto crispado de preocupação.

— O que eu posso dizer? — Andy engoliu o resto do vinho. — Jill já sabe?

Seu pai assentiu; sua mãe pigarreou.

— Bem, talvez você... tenha alguma... pergunta, sei lá?

Sua mãe parecia preocupada. Uma rápida olhada para seu pai convenceu a Andy que ele estava prestes a se lançar no modo psicólogo, a começar a interrogá-la sobre seus sentimentos e a fazer comentários irritantes como *O que quer que você esteja sentindo neste momento é compreensível* e *Eu sei que vai levar algum tempo até você se acostumar com a ideia*, e ela não estava disposta a esse tipo de coisa.

Ela deu de ombros.

— Olhe, isso é assunto de vocês. Desde que os dois estejam felizes, não é da minha conta.

E, limpando a boca com o guardanapo, ela agradeceu à mãe pelo jantar e saiu da cozinha. Sem dúvida estava agindo como uma adolescente mimada, mas não conseguia se conter. Andy também sabia que o fim do casamento de 34 anos de seus pais não tinha nada a ver com ela, mas não podia deixar de pensar: *Primeiro Alex, depois Lily, e agora isso.* Era demais.

Em termos de distrações, passar as horas pesquisando, entrevistando e escrevendo para o *Felizes Para Sempre* funcionava por parte do dia, mas Andy ainda não conseguia preencher o interminável período de tempo que se estendia do momento em que terminava de trabalhar até a hora de ir dormir. Ela chegara a sair para beber algumas vezes com a editora do blog, uma mulher avassaladora que nos bares passava o tempo todo olhando por cima do ombro de Andy, observando os recém-formados que perambulavam pelas happy hours, e Andy ocasionalmente ia jantar com algum conhecido seu da época da Brown ou encontrar algum amigo que volta e meia aparecia em Nova York a trabalho, mas na maior parte do tempo estava sozinha. Alex sumira da face da Terra. Não havia telefonado nem uma única vez, e o único contato fora um e-mail lacônico dizendo "Muito obrigado por lembrar, espero que você esteja bem", em resposta à mensagem de voz longa, sentimental e, olhando em retrospecto, humilhante que ela lhe deixara pelo seu aniversário de 24 anos. Lily, satisfeita com sua nova vida em Boulder, tagarelava entusiasmadamente sobre seu apartamento, seu novo escritório e a aula de ioga que havia experimentado e adorado. Nem conseguia fingir uma solidária infelicidade. E os pais de Andy se separaram oficialmente depois de entrarem no acordo de que ela ficaria na casa e ele se mudaria para um condomínio novo mais perto da cidade. Aparentemente a documentação fora assinada, ambos estavam fazendo análise — apesar de separadamente, dessa vez — e os dois se sentiam "em paz" com a decisão.

Foi um inverno longo e frio. Um inverno longo, frio e *solitário*. Então ela fez o que todo jovem nova-iorquino antes dela já fizera em algum momento de sua primeira década na cidade: matriculou-se em uma aula de culinária ao estilo "Como fritar ovo".

Parecia uma boa ideia, considerando-se que ela só usava o forno para guardar catálogos e revistas. O único ato de "cozinhar" que ela fazia envolvia uma cafeteira ou um pote de manteiga de amendoim, e pedir comida em casa — por mais frugal que ela tentasse ser — era caro demais. *Teria* sido uma boa ideia, se Nova York não fosse a menor cidade do mundo justo nos momentos em que você mais precisava de anonimato: sentada de frente para Andy do outro lado da cozinha do curso em seu primeiríssimo dia de aula, com uma cara de infinitamente aborrecida e um ar muito intimidante, estava ninguém menos que a fabulosa assistente sênior da *Runway*, Emily Charlton.

Oito milhões de habitantes em Nova York e Andy não conseguia evitar sua única (que ela soubesse, é claro) inimiga? O que ela mais queria naquele momento era um boné ou óculos escuros gigantes, qualquer coisa que a pudesse proteger do iminente olhar de fuzilamento que ainda assombrava seus pesadelos. Seria melhor ir embora? Desistir do curso? Tentar outro horário? Enquanto avaliava suas opções, o instrutor leu a lista dos inscritos. Ao som do nome de Andy, Emily se sobressaltou um pouco, mas disfarçou bem. Elas conseguiram evitar fazer contato visual e chegaram a um acordo tácito de fingir não terem se reconhecido. Emily faltou à segunda aula e Andy teve esperanças de que ela tivesse abandonado o curso de vez; Andy faltou à terceira por causa do trabalho. Ambas ficaram decepcionadas em ver a outra na quarta aula, mas houve alguma mudança sutil que tornava difícil demais que se ignorassem mutuamente, portanto se cumprimentaram com um frio aceno de cabeça. Ao final da quinta aula, Andy resmungou um "E aí" quase inaudível mais ou menos na direção de Emily, que resmungou alguma coisa em resposta. Só faltava mais uma aula! Era concebível, até provável, que as duas conseguissem terminar o curso sem trocar nada além de sons guturais, e Andy se sentia aliviada. Mas aí o impensável aconteceu. Num minuto o instrutor estava lendo a lista de ingredientes para a refeição que eles iriam preparar aquela noite e no minuto seguinte estava juntando as duas arqui-inimigas como "parceiras de cozinha", colocando Emily encarregada do trabalho de apoio e instruindo Andy a supervisionar o sauté. Seus olhos se encontraram pela primeira vez, mas ambas desviaram o olhar rapidamente. Mas foi o suficiente para Andy perceber: Emily estava detestando aquilo tanto quanto ela.

Elas se colocaram em suas posições, lado a lado, sem dizer uma única palavra, e, depois de ver que Emily pegara o ritmo de cortar as abobrinhas em palitos, Andy se forçou a dizer:

— E então, como vão as coisas?

— As coisas? Vão bem. — Ela ainda era mestre em dar a impressão de que achava cada palavra pronunciada por Andy de um extremo mau gosto. Era quase reconfortante ver que nada havia mudado. Apesar de Andy perceber que Emily não queria perguntar e não podia se importar menos com a resposta, Emily conseguiu indagar: — E você?

— Ah, eu? Bem, está tudo bem. Nem parece que já faz um ano, não acha?

Silêncio.

— Você se lembra do Alex? Então: ele acabou se mudando para o Mississippi, aceitou um emprego como professor. — Andy ainda não conseguia admitir que ele havia terminado com ela. Fez um esforço mental para parar de falar, mas não conseguiu. — E Lily, aquela amiga minha que estava sempre passando no escritório tarde da noite depois que Miranda ia embora, aquela que sofreu um acidente enquanto eu estava em Paris, lembra dela? Também se mudou! Para Boulder. Nunca achei que isso fosse possível, mas ela virou uma fanática por ioga e alpinismo em, sei lá, menos de seis meses. Na verdade, agora estou escrevendo para um blog sobre casamentos, *Felizes Para Sempre*. Já ouviu falar?

Emily sorriu, não com crueldade, mas também não com simpatia.

— O *Felizes Para Sempre* não é afiliado à *New Yorker*? Porque eu lembro de muitas conversas sobre escrever para eles...

Andy sentiu seu rosto ficar quente. Como ela fora ingênua! Tão jovem e boba. Alguns anos batendo perna, entrevistando pessoas e escrevendo dúzias de artigos que nunca seriam publicados, ligando na cara dura para editores e defendendo incansavelmente ideias para matérias lhe haviam ensinado que era um feito enorme ser publicado em qualquer lugar, escrever *qualquer coisa* naquela cidade.

— É, isso foi muita burrice da minha parte — falou Andy, baixinho. Ela disfarçadamente deu uma olhada nas botas de Emily, que iam até a coxa, e em sua jaqueta de motociclista de couro ultramacio e perguntou: — E você? Ainda está na *Runway*?

Ela havia perguntado só para ser educada, visto que não tinha dúvidas de que Emily fora promovida a algo glamouroso, no qual ficaria alegremente até se casar com um bilionário ou até morrer — o que viesse primeiro.

Emily dobrou o ritmo com as abobrinhas. Andy rezou para que ela não cortasse fora um dedo.

— Não.

A tensão era palpável; Andy aceitava os palitos de Emily e os salpicava com alho picado, sal e pimenta antes de adicioná-los à frigideira crepitante, onde imediatamente começaram a cuspir azeite.

— Abaixe o fogo! — gritou o instrutor lá de seu poleiro na frente da cozinha. — A ideia é dourar as abobrinhas, não fazer uma fogueira.

Emily ajustou a chama do fogão e revirou os olhos, e, com esse movimento quase imperceptível, Andy foi transportada de volta no tempo, direto para a antessala da *Runway*, onde Emily havia revirado aqueles mesmos olhos, ligeiramente mais brilhantes, mil vezes por dia. Miranda ligava pedindo um milk-shake, ou uma SUV nova, ou uma sacola de píton, ou um pediatra, ou um voo para a República Dominicana; Andy se debatia, tentando decodificar o que ela estava dizendo; Emily revirava os olhos e suspirava alto diante da incompetência de Andy. Um ato reencenado à exaustão.

— Em, olhe, eu... — Ela parou na mesma hora em que viu a cabeça de Emily virar como um foguete na direção dela.

— É Emily — disse ela rigidamente.

— Emily, me desculpe. Como pude esquecer? Miranda me chamou assim durante um ano da minha vida.

Para sua surpresa, Andy pensou detectar um sorrisinho.

— É, ela fazia isso, não é?

— Emily, eu... — Sem saber direito como continuar seu discurso, Andy mexeu as abobrinhas, apesar da ordem do instrutor de "deixá-las quietas para dourar sem incomodar as pobrezinhas". — Sei que já faz muito tempo desde aquele... hã... aquele ano, mas eu me sinto mal pelo modo como as coisas terminaram.

— Ah, quer dizer que se sente mal por ter manipulado as coisas para ir a Paris mesmo sabendo que era o sonho da minha vida, e apesar de eu trabalhar ali fazia muito mais tempo e com muito mais afinco que você, para depois ter a coragem de *jogar tudo para o alto* no meio da viagem? Sem parar um segundo para pensar que isso poderia deixar Miranda de péssimo humor ou que eu iria levar um tempão para contratar e treinar alguém novo? Levou quase três semanas, por falar nisso, o que significa que eu tive que ficar à disposição dela 24 horas por dia, sete dias por semana, sem mais ninguém para me ajudar. — Emily baixou os olhos para a abobrinha. — Você nunca nem mandou um e-mail para se despedir, ou agradecer pela ajuda, ou me mandar para o inferno, nem nada. E foi assim que as coisas terminaram.

Andy olhou para sua parceira de cozinha. Será que Emily estava realmente magoada? Andy não teria acreditado se não tivesse visto por si mesma, mas parecia que Emily estava verdadeiramente chateada por ela não ter entrado em contato.

— Sinto muito, Emily. Achei que eu fosse a última pessoa no mundo de quem você ia querer saber notícias. Não é nenhum segredo que eu não morria de amores por aquele trabalho. Mas agora reconheço que também não era tão fácil para você e que eu provavelmente poderia ter sido um pouco menos difícil.

— Difícil? Você foi uma escrota de primeira categoria.

Andy respirou fundo e soltou o ar pela boca. Queria retirar tudo que acabara de dizer, chamar Emily de dedo-duro puxa-saco, pois era isso o que ela era de verdade, e dar adeus para sempre à *Runway* e a todas as pessoas que tivessem alguma relação com aquela época. Só falar sobre aquele lugar durante os últimos sessenta segundos fizera voltar toda a velha mágoa e as ansiedades: as noites insones, os pedidos intermináveis, o telefone que não parava de tocar, o menosprezo e os constantes insultos e comentários passivo-agressivos. Sentir-se gorda, burra e inadequada todas as manhãs, e exausta, arrasada e deprimida todas as noites.

Mas qual seria o sentido disso agora? Em uma hora e meia o curso acabaria para sempre e Andy poderia ir embora, comprar um frozen yogurt a caminho de casa e, se Deus quisesse, nunca mais ver sua cruel ex-colega de trabalho.

— As abobrinhas estão prontas. E agora? — perguntou Andy, passando a frigideira para o fogo de trás e untando uma outra com azeite extravirgem.

Emily largou dois punhados de couves-de-bruxelas cortadas ao meio na frigideira e então despejou por cima uma mistura de mostarda Dijon, vinho e vinagre.

— Ela me demitiu, sabe.

Andy deixou a colher de pau cair no chão.

— Ela o quê?

— Ela me demitiu. Uns dez meses depois que você foi embora. Eu tinha acabado de treinar a garota nova, aliás a quarta depois da sua saída; devia ser umas oito da manhã de um dia totalmente normal. Ela entrou, mal olhou para mim e me disse que eu não precisava voltar no dia seguinte. Nem nunca mais.

Andy não conseguiu impedir que seu queixo caísse.

— Está falando sério? E você não sabe por quê?

A mão de Emily tremia ligeiramente enquanto ela mexia a couve-de-bruxelas.

— Não faço ideia. Trabalhei para ela por quase três anos, aprendi a falar a porra do francês para poder dar aula de reforço para Caroline e Cassidy no pouco tempo livre que eu tinha, e tudo para ela me jogar fora como se eu fosse lixo. Eu estava a semanas de uma promoção, ia virar editora assistente de moda, quando de repente, bum!, adeus. Nenhuma explicação, nenhum pedido de desculpas, nenhum agradecimento, nada.

— Sinto muito, isso é horrível...

Emily ergueu a mão esquerda.

— Isso foi no ano passado. Já superei. Bem, talvez não exatamente, ainda rezo todo dia de manhã para que ela seja atropelada por um caminhão, mas depois disso consigo seguir em frente com o meu dia.

Se não fosse pela expressão de mágoa no rosto de Emily, Andy teria dado pulinhos. Quantas vezes ela não se perguntara por que Emily não reconhecia todas as atrocidades e humilhações que Miranda cometia contra as pessoas que trabalhavam para ela? Quantas vezes não havia desejado ter uma amiga no escritório? Quão mais suportável seria se ela tivesse um parceiro de crime com quem comiserar-se? Ninguém trabalhara mais ou com mais dedicação que Emily, e mesmo assim Miranda descumprira todas as promessas feitas a ela. Era tão fundamentalmente injusto.

Andy enxugou as mãos no avental.

— Eu escrevi o obituário dela uma vez. Isso é muito bizarro?

Emily largou a colher de pau e ficou olhando para ela. Era a primeira vez em todo o curso que elas de fato se olhavam diretamente.

— Você o quê?

— Tipo, sei lá, como um exercício, sabe? Digamos que o meu texto não se estendia muito nas qualidades dela. Foi surpreendentemente catártico. Você não é a única a desejar a ela uma morte precoce.

Finalmente Emily sorriu.

— Então isso significa que você trabalhou em um jornal? Eu procurei o seu nome no Google durante algum tempo depois que você foi embora, mas nunca encontrei muita coisa.

Por essa ela não esperava. Era estranhamente satisfatório descobrir que Emily também tentara saber o que estava acontecendo com eia. Nas semanas seguintes à sua saída da *Runway*, Andy pensara frequentemente em ligar para pedir desculpas por ter ido embora tão de repente e a colocado, como assistente sênior, em uma situação tão horrorosa, mas no final acabara sempre amarelando. Ninguém mandava Miranda Priestly ir se foder sem depois pagar o preço com Emily Charlton. Então Andy preferira evitar os xingamentos e insultos e o telefone batido na cara, todos certeiros, e guardar sua culpa para si mesma.

— É, provavelmente porque não havia muito para encontrar. Fiquei com Lily lá na minha cidade por um tempinho, enquanto ela se recuperava. Ajudei a levá-la de carro para as sessões de fisioterapia e reuniões do AA, esse tipo de coisa. Tentei vender algumas matérias e escrevi um pouco para o jornal local, cobrindo noivados e casamentos. Quando finalmente voltei para Nova York, enviei meu currículo para praticamente todas as vagas que encontrei pela frente e foi assim que acabei no *Felizes para Sempre*. Até agora tem sido bem legal. Eu escrevo muito. O que você anda fazendo?

— O que você faz para eles? É um site de casamentos, não é? Já li o site parceiro deles, aquele sobre decoração. Não é ruim não.

Esse era certamente o elogio mais entusiasmado que Andy já ouvira da boca de Emily.

— Obrigada! É, é tudo e qualquer coisa relacionada a casamentos, das alianças de noivado a flores, vestidos, listas de presentes, de convidados, salões de festa, luas de mel, decoração, cerimonialistas, inspirações para a primeira dança... você sabe como é. — Não era nada espetacular, mas Andy havia criado um nicho agradável para si mesma no site e não estava inteiramente infeliz. — E você, o que anda fazendo?

— As mocinhas aí do canto! — berrou o professor, apontando uma espátula de silicone na direção delas. — Menos papo, mais cozinha. Apesar do nome do curso, na verdade vocês devem aprender mais do que fritar um ovo.

Emily assentiu.

— Eu me lembro agora. Faz pouco tempo você entrevistou Victoria Beckham, sobre quais eram as melhores lembranças dela do próprio casamento e o que ela recomendaria se pudesse aconselhar uma noiva hoje a gastar muito dinheiro em uma única coisa. E ela disse o álcool, porque é o que garante que as pessoas se divirtam. Não foi você?

Andy não conseguiu deixar de sorrir; ainda era novidade para ela perceber que as pessoas realmente liam o que ela escrevia.

— É, essa matéria foi minha.

— Fiquei imaginando se era você, mas depois achei que devia ser outra Andrea Sachs, porque você definitivamente teria virado correspondente de guerra ou coisa assim. Lembrei totalmente agora. Coloquei um alerta do Google para tudo que saísse sobre a Posh, então leio tudo sobre ela. Você realmente chegou a conhecê-la em pessoa?

Emily estava realmente lhe fazendo perguntas sobre sua vida? Demonstrando interesse? Impressionada com algum feito seu? Era quase absurdo demais para acreditar.

— Só por 15 minutos, mas sim, fui até o quarto de hotel onde ela estava quando veio a Nova York, há alguns meses. Cheguei até a ser apresentada a ele.

— Não!

— Aham.

— Com todo o respeito, mas como você conseguiu convencê-la a dar uma entrevista para um blog sobre casamentos?

Andy pensou por um instante, avaliou até que ponto deveria ser sincera com Emily, antes de dizer:

— Liguei para o agente dela, disse que tinha trabalhado recentemente na *Runway* direto para Miranda Priestly e que, sendo Miranda tão fã de Victoria Beckham, eu esperava que ela pudesse me dar uma entrevista rápida a respeito de seu casamento.

— E ela deu, só por causa disso?

— É.

— Mas Miranda nem gosta da Victoria Beckham.

Com uma colher, Emily colocou as couves-de-bruxelas e a abobrinha em um prato e sentou-se em um banquinho. Andy foi até a bandeja de queijo e bolachas, encheu um prato e, colocando-o entre elas, sentou-se ao lado de Emily.

— Não importa. Para funcionar, basta que Victoria, ou pelo menos o agente dela, goste de Miranda. E eles sempre gostam. Até agora minha taxa de sucesso é de cem por cento.

— O quê? Você já fez isso antes, se passar por ex-colunista da *Runway*?

— Eu não minto — defendeu-se Andy, jogando um cubo de cheddar na boca. — Se interpretam errado o que eu digo, isso é problema deles.

— Brilhante. Simplesmente brilhante. E por que não? Aquele período de escravidão tem que servir para alguma coisa. Quem mais você conheceu?

— Bem, vejamos. Britney Spears fez uma lista das dez melhores músicas para a primeira dança dos noivos, Kate Hudson nos contou que pretendia fugir com seu amor um dia, Jennifer Aniston descreveu seu vestido dos sonhos, Heidi Klum falou sobre cabelo e maquiagem para o grande dia e Reese Witherspoon se abriu a respeito dos prós e contras de se casar jovem. Na semana que vem vou entrevistar J. Lo sobre a melhor forma de fazer uma recepção se for o seu segundo ou terceiro casamento.

Emily montou um minissanduíche com dois cubos de queijo e duas bolachas e Andy tentou impedir que seu queixo batesse no chão. *Emily Charlton comia?*

— Parece ótimo, Andy — falou ela, dando uma mordida.

Andy devia estar com os olhos arregalados, porque ela meio que sorriu e disse:

— Ah, é, agora eu como. Foi a primeira coisa que voltou depois que ela me demitiu. Meu apetite.

— Pois não parece — falou Andy, com sinceridade, e Emily meio que sorriu de novo. — Quer me dizer o que você anda fazendo?

O professor se materializou do nada.

— Queridas? O que está acontecendo aqui? Eu tenho quase certeza de que "sentar e fazer um lanchinho" não está na ementa do curso. — Ele juntou as mãos e levantou as sobrancelhas.

— E eu tenho quase certeza de que "ser um completo babaca" não consta nas suas funções como professor. Na verdade, estávamos mesmo indo embora — disse Emily, olhando para Andy.

— É, é isso aí. Obrigada por um curso tão horrível.

A empolgação na voz de Andy fez Emily guinchar de felicidade e o resto da turma se virar para olhar. As duas pegaram suas coisas e saíram apressadas para o corredor, onde caíram na gargalhada.

Devia ter sido constrangedor um ou dois momentos depois, mas não foi. Elas podiam ter se odiado antes disso, mas certamente haviam passado tempo suficiente na companhia uma da outra para se sentirem à vontade. Andy sugeriu timidamente que fossem tomar um drinque e continuassem a botar a conversa em dia, ao que Emily concordou prontamente. Uma margarita se transformou em três, e três se transformaram em jantar e o jantar em planos para dois dias depois. Logo as duas estavam se encontrando regularmente para happy hours, para o brunch de domingo e papos rápidos durante o café no escritório de Emily na *Harper's Bazaar*, onde ela acabara de ser promovida a editora de moda júnior e ganhara um espaço pequeno mas com janelas, todinho dela.

Andy passou a acompanhar Emily em todas as festas chiques de moda; em contrapartida, levava-a como sua "associada" sempre que ia entrevistar alguma celebridade. Elas trocavam opiniões sobre situações de trabalho, zombavam das roupas uma da outra e mantinham seus celulares ligados o tempo inteiro, para poderem se falar quando chegassem em casa tarde da noite após um encontro amoroso. Andy ainda sentia falta de Alex e de Lily, ainda ficava triste pensando em seus pais morando separados e também se sentia sozinha e desconectada, mas com bastante frequência Emily telefonava ou mandava mensagens de texto, querendo conhecer o novo restaurante japonês que havia aberto no SoHo ou ir comprar batom vermelho, ou uma máquina de espresso nova, ou uma sandália rasteirinha.

Não aconteceu do dia para a noite, mas aquilo que parecia mais improvável no mundo de Andy se tornara realidade: Emily Charlton, sua arqui-inimiga, era agora sua amiga. E não só uma amiga qualquer, mas sua melhor amiga, a primeira pessoa para quem ela ligava em qualquer situação, boa ou ruim. Motivo pelo qual foi tão natural quando, alguns anos depois — época em que Emily já havia saído da *Bazaar* e Andy estava começando a ficar entediada no *Felizes para Sempre* —, as duas tiveram a ideia para a criação da *Plunge*. Partiu primeiro de Emily, na verdade, mas Andy refinou o propósito e a missão da revista, pensou em matérias e ideias para capa e conseguiu os primeiros casamentos que cobriram. Com os contatos comerciais e a experiência em revistas impressas de Emily somados ao bom texto de Andy mais sua expertise em relação a tudo sobre casamentos, elas conceberam e projetaram um produto excepcionalmente lindo. Com a entrada de Max na história, um dos melhores amigos do marido de Emily, tanto como investidor quanto futuro marido de Andy, suas vidas se entrelaçaram de tal forma que, às vezes, Andy mal conseguia se lembrar da época em que as duas se odiavam. Com muito trabalho e o passar do tempo, tanto ela quanto Emily haviam conseguido deixar Miranda para trás. Até agora.

Andy mal podia acreditar no medo que sentia. Estava no escritório da *Plunge*, sentada na sala de Emily, ainda de short de corrida e moletom, as mãos suadas e fechadas com tanta força que as unhas deixavam marcas na pele, enquanto Agatha telefonava para a famosa central telefônica do Elias-Clark.

— Vamos mesmo fazer isso? — gemeu Andy, desesperada para saber mais, porém, ao mesmo tempo, morrendo de medo de descobrir.

— Ah, sim, eu gostaria de falar com Stanley Grogin, por favor. Estou ligando da revista *The Plunge.* — A garota assentiu para si mesma, claramente satisfeita em ser o centro do drama, e limpou a garganta. — Sr. Grogin? Aqui é a assistente de Emily Charlton. No momento ela está viajando, mas pediu que eu retornasse seu telefonema. Será que posso ajudar em alguma coisa? — Outro aceno de cabeça.

Andy podia sentir uma gota de suor escorrer por entre os seios.

— Hum, entendo. Uma conferência por telefone. Posso perguntar do que se trata? — Agatha fez uma careta, como se tivesse provado algo nojento, e então revirou os olhos, ao estilo de Emily. — Com certeza. Vou dar o recado e retornar para o senhor. Muito obrigada.

Emily nem esperou que a garota colocasse o fone no gancho antes de se inclinar para a frente e apertar o botão para encerrar a ligação.

— O que ele falou? — perguntaram Andy e Emily em uníssono.

Agatha deu um gole em sua vitamina verde. Parecia estar se divertindo.

— Ele disse que gostaria de marcar uma conferência por telefone com vocês duas.

— Uma conferência por telefone? A respeito do quê? — perguntou Andy. Por que raios um advogado do Elias-Clark estaria atrás delas depois de todos aqueles anos? A não ser que tivessem realmente ouvido falar sobre o recurso ligeiramente enganoso que Andy *talvez* ainda usasse para agendar celebridades.

— Ele não quis dizer.

— Como assim, não quis dizer? — Emily quase guinchava. — O que ele falou quando você perguntou?

— Só falou que está livre quase todas as manhãs antes das onze, que o assunto era particular e que só o discutiria com vocês duas... e alguns colaboradores dele.

— Ah, meu Deus, ela voltou! Ela vai nos processar. Vai tornar nossas vidas um verdadeiro inferno, eu sei... — gemeu Andy.

— Miranda não está nem aí para nenhuma de nós duas, isto eu garanto — disse Emily, com sua velha autoridade de assistente sênior. — Lembre-se: nós estamos mortas para ela, e ela tem coisas muito mais importantes para fazer do que desenterrar merdas de séculos atrás. Só pode ser outra coisa.

Emily tinha razão. Só podia ser outra coisa. Mas Andy ficou chocada com o fato de que só de ver o número do Elias-Clark no identificador de chamadas podia jogá-la de volta em uma caverna emocional de puro pânico. Não importava o que Elias-Clark *queria*. Lá vinha Miranda Priestly, satã em pessoa, balançando sua cauda de diabo e sua bolsa Prada para encher o mundo de Andy mais uma vez com lembranças dolorosas e novas ansiedades. Era como se os últimos dez anos simplesmente não tivessem acontecido.

Meninos são meninos

7

Fazia uma semana desde o casamento e Andy estava se sentindo pior. Sua cabeça agora latejava regularmente, e ela se sentia permanentemente lenta, com déficit de sono e, às vezes, enjoada. Sua febre ia e vinha, mas não desaparecia inteiramente. Estava começando a parecer que ela nunca se livraria daquela gripe.

Quando ela abriu o closet para pegar seu roupão de lã mais surrado, Max levantou a cabeça.

— Bom dia — disse ele, dando-lhe seu sorriso sonolento mais fofo. — Deite aqui e se enrosque comigo.

Andy vestiu o trapo magenta e amarrou o cinto.

— Não estou me sentindo bem. Vou fazer café. Não estou com disposição para malhar hoje, então acho que vou começar a trabalhar cedo.

— Andy? Pode vir aqui um minuto? Quero conversar com você.

Por um momento ela ficou convencida de que ele estava prestes a confessar sobre Katherine. Talvez ele finalmente dera por falta da carta da mãe. Talvez...

— O que foi? — perguntou ela, empoleirando-se no pé da cama, o mais longe possível dele. Stanley olhou para ela melancolicamente, chateado por seu café da manhã não ser tão iminente quanto ele pensara.

Max pegou os óculos da mesinha de cabeceira e apoiou a cabeça na mão.

— Quero que você vá ao médico hoje. Eu insisto.

Andy não disse uma palavra.

— Já faz dias que você está assim. Dias desde que nos casamos...

Ela sabia o que ele queria dizer. Já fazia uma semana e eles só haviam transado uma vez, e mesmo assim, ao terminarem, Andy ficara de molho na banheira por uma hora, alegando que estava morrendo de frio. O que era verdade. A paciência dele havia acabado, assim como as desculpas dela. Basicamente, Andy só estava desesperada para se sentir melhor.

— Já marquei uma consulta para esta manhã. Achei que poderia cancelar se estivesse me sentindo melhor, mas não estou.

Isso pareceu agradar Max.

— Excelente, isso é uma ótima notícia. Você me liga depois para me contar o que ele disser?

Andy assentiu.

Max puxou os cobertores mais para perto de si.

— De resto está tudo bem? Sei que está passando mal, mas é que você anda... sei lá... esquisita. A semana inteira. Eu fiz alguma coisa?

Andy não havia planejado ter essa conversa agora. Insistia em esperar pelo momento perfeito, quando nenhum dos dois estivesse estressado ou com pressa ou doente, mas já bastava: estava na hora de conseguir respostas.

— Eu sei o que aconteceu nas Bermudas.

Andy não percebeu, mas estava prendendo a respiração.

Max apertou os olhos, sem entender.

— Bermudas? Está falando da minha despedida de solteiro?

— É.

Ele ia mentir para ela? Isso era praticamente a única coisa agora que poderia fazê-la se sentir ainda pior.

Max olhou para ela.

— Você deve estar falando da Katherine — disse ele, baixinho, e o coração de Andy afundou.

Então era verdade. Barbara não tinha inventado aquela história. Max guardara esse segredo dela; não havia como negar agora.

— Então você realmente a encontrou lá — falou Andy, mais para si mesma do que para ele.

— É, eu a encontrei lá. Mas acredite, eu não fazia *ideia* de que ela estaria lá. Quero dizer, os pais dela têm uma casa nas Bermudas, tudo bem, mas eu nem imaginava que ela e a irmã tinham escolhido aquele fim de semana, justo aquele, para ir a um spa. Elas tomaram uns drinques conosco uma noite. Não é uma desculpa, mas, por favor, não pense que aconteceu alguma coisa, porque não aconteceu. *Nada.*

Ouvir até mesmo esses poucos detalhes era mais arrasador do que ela poderia ter imaginado.

Então por que você não mencionou isso?, ela queria gritar. *Se foi tudo assim tão doce e inocente como você diz, qual é a razão do bilhete? E por que escondeu tudo de mim?*

— Como você descobriu, por falar nisso? Não que fosse segredo, só estou curioso.

— Encontrei a carta da sua mãe, Max, na qual ela implora para que você não se case comigo. A questão não é só Katherine, é?

Ele estava com uma cara de quem parecia prestes a passar mal, o que deu a Andy um momentinho de satisfação.

— E o incidente é obviamente um segredo, ou você teria me contado quando aconteceu. Ou logo depois. Significou o suficiente para você mencionar para a sua mãe mas não para mim.

— Como ele não falou nada, Andy pegou Stanley no colo e anunciou: — É melhor eu ir tomar banho se quiser chegar na hora para a consulta.

— Eu ia contar, juro que ia, mas achei que era egoísmo deixar você preocupada ou desconfortável com uma coisa dessas quando não tem nada no *mundo* para se preocupar.

— Preocupar? Eu não teria me *preocupado*. Eu poderia ter tirado esta aliança! — Depois de tantos dias preocupando-se e perguntando-se em silêncio, gritar era maravilhoso. — Poderia ter me recusado a vestir aquele vestido branco e proclamar meu amor por você na frente de todos os nossos amigos e de nossas famílias. Principalmente da *sua* família, já que eles nem gostam de mim. Acham que eu sou inferior a você. Essa poderia ter sido a minha escolha. Portanto não ouse ficar aí sentado dizendo que estava mantendo isso em segredo pelo *meu* bem.

Mesmo enquanto falava, Andy sabia que estava sendo injusta. É claro que ela tivera escolha aquele dia. Escolhera subir ao altar em vez de envergonhar a si mesma ou a Max ou a suas famílias com uma crise de ciúme. E fizera isso porque amava Max, porque confiava nele — ou pelo menos queria confiar — e tinha certeza de que havia alguma explicação lógica para tudo. Seria razoável adiar um casamento a poucos minutos da cerimônia por causa de uma carta sem data e de uma sogra escrota? E mais: ela queria fazer isso? É claro que não. Mas Max não precisava saber disso ainda.

— Andy, você está exagerando...

Segurando o cachorro contra o peito, ela entrou no banheiro, bateu a porta e girou a chave. Max bateu na porta furiosamente e gritou lá do outro lado, mas o som do chuveiro logo cobriu a voz dele. Quando ela entrou na cozinha, já totalmente vestida, para pegar uma banana e uma garrafinha de chá gelado, Max levantou-se de um pulo e tentou abraçá-la.

— Andy, não aconteceu nada! — Ela conseguiu se desvencilhar de tal forma que só a mão dele continuou em seu ombro.

Andy olhou em volta, observando o apartamento de dois quartos mais escritório que ficava no 14º andar; era um imóvel de 90 metros quadrados voltado para o sul, com uma ampla varanda no quarto principal e uma cozinha recém-reformada que se abria para um extenso lounge. Os Harrison o haviam adquirido para o filho, logo que Max se graduara, e, por mais caro que fosse, em termos de preço não chegava nem perto das outras propriedades da família. Por esse motivo, Barbara o convencera a não vendê-lo na época em que ele se desfez de todo o resto: era, no mínimo, um investimento. Quando ele e Andy resolveram morar juntos, Max imediatamente pensara em colocar seu amado apartamento à venda, para que eles pudessem escolher juntos algum lugar novo, mas Andy argumentou que era ridículo incorrer em todas aquelas despesas extras quando aquele era mais do que o suficiente para os dois. Max a beijara, declarando o quanto amava seu desapego aos bens materiais. Andy rira e anunciara que ainda pretendia jogar fora a maior parte dos móveis dele e contratar um decorador. Agora, enquanto olhava em volta, ela mais uma vez pensava que o apartamento ficara lindo, que tinha muita sorte de morar ali. Carpete moderno e grosso, sofás de veludo elegantes e poltronas hiperestofadas convidavam ao aconchego. Nas paredes, fotografias emolduradas de aventuras dos dois pelo mundo, sozinhos ou juntos. Eles haviam juntado suas bugigangas (o sapo africano dela, feito de ripas de madeira e que coaxava quando um palito era roçado em suas costas; o enorme busto do Buda reclinado que ele trouxera de uma viagem à Tailândia), todos os seus livros e seus milhares e milhares de CDs, criando um lar caloroso e convidativo que parecia um refúgio.

— Você me liga assim que terminar? Estou preocupado com você. Posso comprar algum antibiótico ou qualquer outra coisa que precisar na volta para casa hoje à noite, é só me dizer. Temos muito mais para conversar, eu sei disso, então vou voltar para casa assim que der. Vamos superar isso, eu prometo. Eu devia ter lhe contado, Andy, sei disso agora. Mas juro, eu amo você. E não aconteceu absolutamente nada nas Bermudas. Nada.

A palma da mão dele em seu ombro parecia uma agressão.

— Andy?

Ela não olhou para ele, não respondeu.

— Eu amo tanto você. Vou fazer qualquer coisa para recuperar a sua confiança. Tomei uma decisão ruim não lhe contando que encontrei por acaso uma ex, mas eu não traí você. E não sou a minha mãe. Por favor, volte para casa hoje à noite e fale comigo, está bem? Por favor?

Ela se forçou a erguer o rosto e a olhar nos olhos dele. Ali, fitando-a com aquela expressão preocupada, parecendo tão angustiado quanto ela, estava seu melhor amigo, seu parceiro, o homem que ela amava mais que qualquer outra pessoa no universo.

O assunto não havia acabado, Andy sabia; eles iriam conversar aquela noite e ela ainda precisava ser convencida — mas não naquele momento. Ela assentiu e apertou o braço dele e, sem mais palavras, pegou a bolsa e saiu.

— Andrea? É um prazer revê-la, querida — disse o Dr. Palmer enquanto olhava o prontuário de Andy.

Ele não ergueu os olhos. Depois de, vai saber, trinta ou quarenta anos de profissão, como o homem podia aguentar mais um paciente reclamando de dor de cabeça e garganta dolorida? Andy quase sentiu pena dele.

— Vejamos, você fez seu último check-up há quase dois anos... está na hora, você sabe disso... mas veio por causa de um mal-estar. O que está acontecendo?

— Bem, tenho certeza de que não é nada sério, mas estou me sentindo muito mal já há uma semana e não melhora nunca. Tenho uma dor de cabeça que não passa e meu estômago anda esquisito.

— Parece uma típica virose que está circulando por aí. Algum incômodo respiratório? — Com um gesto, ele indicou que Andy abrisse a boca. Ela teve ânsias de vômito quando ele empurrou sua língua para baixo.

— Não, na verdade não. Mas tenho tido uma febre que vai e volta.

— Hum. Respire fundo para mim? Pronto.

Em uma sucessão rápida ele verificou seus olhos e ouvidos e então apertou sua barriga, e perguntou se ela sentia alguma dor. Ela respondeu que não, mas teve um desejo irracional de

dar um soco na cara dele por apertar sua barriga (suas gordu-
rinhas?) daquele jeito.

— Bem, vou fazer uma cultura de estreptococos porque
você está aqui e sua garganta está irritada, mas tenho quase
certeza de que não é isso. Sinceramente, acho que é só um ví-
rus que precisa sair do seu organismo. Eu recomendaria tomar
uma vacina contra gripe, já que está aqui. Tome Tylenol conforme necessário, beba muito líquido e descanse, e me ligue se
a febre subir.

Ele estava falando rápido agora, fazendo anotações e do-
brando o prontuário dela e se preparando para sair. Por que
eles estavam sempre com tanta pressa? Ela havia esperado
quase uma hora para a consulta e agora ele a estava enxotando
depois de meros quatro minutos.

— Não quer fazer um exame para detectar alguma doença
sexualmente transmissível? — perguntou o Dr. Palmer, sem
nem se dar ao trabalho de erguer os olhos da papelada.

— Como disse? — indagou Andy. Ela tossiu.

— É só uma pergunta de praxe. Sugerimos isso a todos os
pacientes solteiros.

— Na verdade, eu sou casada — disse Andy. — Há uma
semana.

Ela se surpreendeu ao perceber como ainda era estranho
falar. Casada.

— Meus parabéns. Bem, então, se é só isso, eu vou liberar
você. Foi bom vê-la, Andy. Acho que vai se sentir melhor logo,
logo.

Ele se virou para deixar o consultório, mas, antes que Andy
pudesse pensar duas vezes, ela pediu:

— Eu gostaria de fazer todos os exames, por favor.

O Dr. Palmer se virou.

— Sei que provavelmente é tudo coisa da minha cabeça
e que não tem motivo para eu me preocupar, mas acabei de
descobrir que meu marido encontrou uma ex dele durante a
despedida de solteiro. Quero dizer, eu sei que é uma ex-namo-

rada e não uma prostituta e é claro que não acho que chegou a acontecer alguma coisa, mesmo porque ele jura que não aconteceu, mas... melhor prevenir do que remediar, não? — Ela fez uma pausa só por um momento, para respirar fundo, sofregamente. E então, mais calma, completou: — Acabamos de nos casar. Fim de semana passado.

Noventa e nove por cento de Andy sabiam que ela estava sendo completa e absolutamente ridícula. Tinha quase certeza de que Max não a traíra com Katherine nem com nenhuma outra mulher. Ele sempre fora amoroso e franco com ela e, apesar de ter cometido o erro de não mencionar o encontro, ela realmente acreditava na alegação dele de que nada havia acontecido. E mesmo se por algum acaso improvável tivesse, sim, acontecido alguma coisa, quais eram as chances de ele pegar uma doença sexualmente transmissível de Katherine von Herzog, a verdadeira princesa virgem? Os Von Herzog não pegavam herpes. Ponto. Dito isso, se houvesse a mais minúscula chance de todo aquele mal-estar ter qualquer coisa a ver com Max e Katherine, ela iria saber de uma vez por todas.

Ele assentiu.

— O laboratório é no final do corredor, à esquerda. Vá até lá agora para tirarem o seu sangue. Deixe uma amostra de urina no banheiro. Quando voltar, tire toda a roupa. Há um roupão de papel perto da cadeira, vista-o com a abertura para a frente. Eu já volto, com a enfermeira.

Andy fez menção de agradecer, mas ele já tinha desaparecido. Ela desceu da mesa de exame e se dirigiu ao laboratório, onde uma mulher gorda e séria tirou seu sangue com rapidez e de forma quase indolor, sem jamais fazer contato visual com ela, e depois a mandou ao banheiro. Ela então voltou para a sala de exames e, como instruído, vestiu o roupão com a abertura na frente, deitando-se de novo na mesa. Uma edição antiga da revista *Real Simple* sobre a cadeira lhe chamou atenção, e ela estava concentrada no plano de dez passos para ter uma cozinha impecável quando o médico e outro homem entraram.

— Andy, este é Kevin, nosso enfermeiro — disse o Dr. Palmer, gesticulando para o homem asiático que não parecia ter mais que 17 anos. — Sinto muito, mas não temos nenhuma mulher disponível no momento. Espero que não se incomode.

— Claro que não — mentiu Andy.

O exame foi rápido, graças a Deus. Apesar de ela não poder ver o que o médico estava fazendo e ele não se dar ao trabalho de explicar, ela sentiu um pouquinho de pressão e um esfregaço familiar, talvez como um Papanicolau. Tentou ignorar o tal de Kevin olhando por entre suas pernas abertas como se jamais tivesse visto algo igual. No momento em que estava começando a se sentir extremamente desconfortável, o Dr. Palmer puxou o papel firmemente por cima da metade inferior de seu corpo e deu um tapinha em seu tornozelo.

— Prontinho, Andrea. Dependendo do volume de análises pendentes no laboratório, eu posso receber alguns desses resultados hoje, alguns amanhã. Confirme com a recepcionista quando estiver saindo se o seu telefone está atualizado. Se eu não ligar amanhã até as cinco horas, fique à vontade para telefonar aqui para o consultório.

— Hum, está bem. Há mais alguma coisa que eu...

— Nós cuidamos de tudo. Em breve nos falamos,

E antes que ela pudesse pronunciar mais uma palavra ou mesmo perguntar que testes ele pediria, o médico havia ido embora.

Só depois de assinar o protocolo de atendimento, vestir o casaco e passar pela roleta do metrô foi que ela percebeu que ele não dissera nada nem remotamente tranquilizador. Nenhum "tenho certeza de que não há nada com que se preocupar" ou "é bom se cuidar, mas tenho certeza de que está tudo bem" ou mesmo "não vejo nada errado aqui embaixo". Só um vago "prontinho" e uma saída apressada. Será que ele só não queria outro surto de histeria ou de fato vira alguma coisa que havia soado o alarme?

Andy mal conseguiu se concentrar no trabalho. Barbara, Katherine, Bermudas e clamídia por um lado. Miranda do outro. Ela sinceramente não sabia o que era mais assustador. Tentou se distrair com uma olhada rápida na "Page Six" on-line, mas uma foto das filhas de Miranda olhou de volta para ela. Embora não fossem mais as menininhas que costumavam atormentá-la anos antes, as gêmeas não pareciam menos infelizes. Na foto, tirada por ocasião da inauguração de alguma galeria na noite anterior, Caroline estava vestida dos pés à cabeça de preto e abraçada a um cara espinhento que ostentava um bigode exuberante. Cassidy havia tentado — e conseguido, Andy tinha que admitir — o visual da cabeça semirraspada. A calça de couro toda colada e acetinada acentuava sua magreza assustadora e, combinada a seu batom vermelho-rubi, lhe dava uma aparência de boneca de porcelana gótica. A legenda dizia que as duas garotas, atualmente cursando o primeiro ano da faculdade, estavam em casa para as férias de outono; Caroline era da Escola de Design de Rhode Island e Cassidy, de uma universidade francesa em Dubai. Andy não podia deixar de pensar em como Miranda se sentia a respeito das escolhas de suas filhas, e o pensamento a fez sorrir por um instante.

Emily bateu na porta do escritório de Andy e entrou sem esperar uma resposta.

— Ei, você está com uma cara péssima. Ainda doente? Mas o que realmente importa é: conversou com Max?

— Sim e sim. — Andy puxou um Kiss da Hershey's de uma doceira de vidro que mantinha em cima da mesa antes de empurrar o pote na direção de Emily.

Emily suspirou, desembrulhou um e o jogou na boca.

— E aí, o que ele disse? Eu perguntei a Miles, por falar nisso, e ele jura que não tinha garota nenhuma andando com eles. E eu acredito. Não que ele não vá mentir para mim, mas normalmente eu sei identificar quando...

— É verdade, Em. Katherine estava lá. Ele admitiu.

A cabeça de sua amiga chicoteou como um elástico. Andy ficou olhando para o borrãozinho de chocolate no lábio inferior de Emily e se perguntou por que se sentia morta por dentro.

— Como assim, ele admitiu? Admitiu o que exatamente?

O celular de Andy apitou e uma mensagem de texto apareceu na tela. As duas se inclinaram para a frente para ver se era de Max, e de fato era. Emily olhou de maneira inquisitiva para Andy.

Como foi no médico?

A sensação de estar deitada naquela mesa fria, tendo suas partes íntimas reviradas enquanto dois homens observavam tudo lhe voltou correndo, e Andy foi inundada por um desejo avassalador de assassinar Max. Todos aqueles anos (desde o ensino médio) em que ela fora sexualmente ativa — incluindo várias ficadas passageiras com homens daquele antro que era Nova York —, Andy nenhuma vez se preocupara se havia pegado alguma DST. Tomava um cuidado quase obsessivo, e tinha orgulho disso. Como era injusto que agora, quando ela finalmente se sentia segura o suficiente para baixar a guarda, para se entregar completamente ao seu *marido*, pelo amor de Deus, fosse torturada dessa forma, esperando saírem os resultados de exames de DST.

Ela começou a digitar com os polegares. *Resultados dos exames hoje mais tarde ou amanhã. Provavelmente é só uma virose.*

— Andy?

Ela desembrulhou outro Kiss e arrancou a ponta com os dentes antes de jogar o restante na boca.

— Pode parar com a comilança por um segundo e me dizer o que está acontecendo? — Emily tirou o vidro de chocolates do alcance de Andy e o colocou no chão. — Seja lá o que aconteça, você não vai ficar feliz ganhando 5 quilos com chocolate barato, garanto.

— Na verdade não tem muito o que contar. Eu disse a ele que sabia o que havia acontecido nas Bermudas e ele confessou e pediu desculpas.

Emily inclinou a cabeça para o lado. Mulheres do mundo inteiro dariam tudo para ter aquelas ondas castanho-avermelhadas, e ela só conseguia falar em pintá-las de louro.

— Entendi... Mas você *não* sabe o que aconteceu nas Bermudas. Você só sabe que ele deu de cara com uma ex-namorada.

Andy levantou a mão.

— Por favor, pare. Nem está aberto para debate. Eu sei que você está tentando fazer com que eu me sinta melhor, mas Max pediu desculpas milhares de vezes, garantiu que não foi premeditado, que Katherine só estava lá com a irmã e que eles todos se encontraram por acaso e que ela passou um tempinho com eles. Diz ele que ia me contar, mas que, por algum motivo absurdo, achou que seria egoísmo fazer isso, então ficou de boca calada mesmo e deixou o assunto de lado.

— Ah, Andy, não acredito nisso...

— Pois acredite — vociferou ela, irritada até mesmo com a sugestão de que sua melhor amiga duvidasse de sua história. — Passei a manhã inteira fazendo exames de DSTs.

O queixo de Emily caiu da maneira mais deselegante e não Emily. E aí ela começou a rir.

— Andy! — gargalhou ela, sua voz tremendo. — Você só pode estar brincando comigo. Max não te passou uma doença. E garanto que Katherine também não passou nada para ele.

Andy deu de ombros.

— Não sei o que dizer. Ele alega que nada aconteceu. Mas estava nas Bermudas seis semanas atrás, esbarrando "por acaso" com uma ex-namorada, e agora eu estou tendo todo tipo de coisas estranhas sem nenhuma explicação. Quer que eu pense o quê?

— Que você é a pessoa mais dramática da face da Terra. Sério, Andy. DSTs?

As duas ficaram em silêncio por um minuto, ouvindo seus funcionários começarem a chegar. Logo Andy ouviu Agatha escutando as mensagens de voz da noite anterior.

— Posso ser uma péssima amiga por um segundo? Promete que não vai me odiar por perguntar?

— Não posso prometer, mas vou tentar — disse Andy.

Emily abriu a boca para falar alguma coisa, mas a fechou novamente.

— Não, me desculpe, esqueça; não é importante.

— Você quer saber sobre o cara do Elias-Clark, não é? O que vamos fazer agora? — Fazia quatro dias desde o telefonema, e Emily havia perguntado a Andy o que ela planejava fazer uma meia dúzia de vezes. Enquanto isso, o tal sujeito havia telefonado de novo, e Agatha dissera que elas retornariam assim que possível. — Acho que temos que retornar a ligação.

Emily apenas assentiu, mas era óbvio que estava satisfeita.

— Tudo bem, parece uma boa ideia. — Então seu celular zumbiu, e ela olhou para baixo. — É Daniel. Tenho certeza de que ele também anda perturbando você, mas é para saber o que decidimos sobre a capa de fevereiro.

— Não decidimos nada — disse Andy, sabendo que não estava ajudando.

— Bem, ainda está de acordo em botar o seu casamento na capa? Se eu fosse você, não pensaria duas vezes.

Andy suspirou. Ela quase havia esquecido esse assunto.

— Recebemos o filme de volta e as fotos estão deslumbrantes; gastamos quase todo o nosso orçamento editorial com St. Germain e não temos nada nem de longe tão bom para botar no lugar. A edição inteira depende dessa matéria. Eu entendo.

— É verdade.

Do nada, Andy sentiu a garganta apertada.

— O que eu faço, Em? Sinto como se tudo estivesse rodopiando, saindo de controle. Não posso acreditar que a família dele me odeia. E toda essa história da Katherine é simplesmente enervante.

Emily agitou a mão em um gesto de respeitoso desdém.

— Já vi o jeito como vocês se olham. Meu Deus, se Miles e eu tivéssemos metade do que você e Max têm, seria o céu. Ele venera você, e eu o conheço: ele está se odiando neste exato instante, se perguntando por que foi agir como um babaca e morrendo de medo de perdê-la. Mas sabe o que isso faz dele? Um cara. Um cara que pisou na bola por não lhe contar, mas ainda é o mesmo cara por quem você se apaixonou, aquele que sempre disse que nunca havia conhecido alguém com quem quisesse sossegar. Até conhecer você.

Andy lhe lançou um olhar.

— Se este é o jeito dele de sossegar, não quero nem ver como ele seria galinhando.

— Você se lembra dele lhe implorando para ir morar com ele seis meses depois de se conhecerem? Ele queria ir comprar alianças depois do seu primeiro aniversário de namoro! E se aquele homem mencionar "formar família" mais uma vez, Miles vai matá-lo. Ele realmente a ama, Andy, e você sabe disso.

— Eu sei. Só preciso continuar repetindo isso para mim mesma. — Andy tossiu e enxugou os olhos com um lenço de papel. — Tudo bem fazer do casamento a edição de fevereiro — falou, antes que pudesse se arrepender.

— Sério? — A expressão de alívio de Emily era quase cômica.

— Sério. As fotos realmente estão lindas. Não tem por que desperdiçá-las.

Emily assentiu e então saiu correndo da sala de Andy, provavelmente antes que qualquer uma das duas pudesse dizer alguma coisa para estragar tudo.

Quando a linha 1 do metrô finalmente a deixou em seu quarteirão, Andy estava ficando, se não calma, ao menos algo razoavelmente próximo disso. Max jogava em uma liga de basquete uma vez por semana depois do trabalho, mas Andy sabia que ele planejava faltar aquela noite para poder ficar em casa cuidando dela. Se ele saísse do trabalho no horário de sempre, chegaria em casa em meia hora. O que ela devia fazer? Aceitar que seu marido mentira descaradamente sobre o fato de ter encontrado seu primeiro amor? Ela já não era bem grandinha para saber que onde há fumaça há fogo? Se ele omitira a informação de que vira Katherine, ali tinha coisa, certo? E, nesse caso, o que ela faria? *Iria embora de casa?* Barbara ia simplesmente amar isso — ver-se livre dela em míseras duas semanas. Um homem de terno virou-se para olhar para ela. Será que ela dissera isso em voz alta? Será que estava ficando louca?

Ela largou sua enorme sacola Louis Vuitton — um daqueles trambolhos colossais que supostamente carregava 250 quilos sem arrebentar uma tira — no banco do hall e chutou os sapatos para longe. Olhou o relógio. Mais 25 minutos. Achar e comer uma fatia de pão integral com manteiga de amendoim e uma Coca Diet geladíssima levou mais oito. Como ela iria começar? *Max, eu amo você, mas sinto que devemos tirar alguns dias para repensar as coisas.* Parecia saído direto de um filme. Respirou fundo. Quando chegasse a hora, ela simplesmente diria o que quer que lhe passasse pela cabeça.

Sua tela se iluminou, mostrando uma nova mensagem de texto.

Chego em dez. Quer alguma coisa da rua?

Não, obrigada. Até mais.

Ela pensou em ligar para alguém, qualquer pessoa, para preencher o tempo, mas não sabia o que poderia dizer. *Ah, oi, Lily. Você se divertiu no casamento? A viagem de volta foi tranquila? Que maravilha! Pois é, só estou esperando Max chegar em casa para poder dizer a ele que quero um ou dois dias para pensar direito. Uma semana depois do nosso casamento, nada menos!* Ela mordeu as cutículas e ficou olhando para a hora no celular, até que o aparelho começou a tocar e ela quase pulou da cadeira. Era um número bloqueado, mas ela já havia desistido de filtrá-los havia muito tempo.

— Alô? — O tremor em sua voz a surpreendeu.

— Andrea Sachs, por favor.

— É ela. Quem está falando?

— Ah, olá, Andrea. Aqui é Kevin, do consultório do Dr. Palmer. Estou ligando para lhe passar o resultado de alguns exames. Agora seria um bom momento?

Alguma hora é?, pensou Andy. *Uma confirmação de alguma doença genital torpe bem que combinaria com meu pedido de "preciso de espaço". Portanto agora até que é um excelente momento.*

— Sim, pode falar.

— Muito bem, vamos ver aqui... Sua cultura de estreptococos deu negativo, mas acho que já esperávamos por isso. Quanto a DSTs, tenho boas notícias. Negativo para clamídia, gonorreia, hepatite, herpes, HIV, HPV, sífilis e vaginose bacteriana.

Andy esperou, ansiosa para que ele continuasse, mas houve um silêncio de constrangimento.

— Que bom — falou ela, sem entender por que ele estava sendo tão esquisito. — Não é? Então deu negativo para tudo?

Kevin tossiu.

— Bem, não exatamente *tudo*...

Andy vasculhou a mente, tentando lembrar se faltava alguma coisa na lista. *Ele falou HIV, certo? E herpes?* Havia alguma coisa nova, alguma doença de última geração da qual ela ainda nem ouvira falar? Será que ele estava com medo de dizer porque ela ia morrer? Ela levaria Max junto, jurou para si mesma...

— Seus níveis de HCG na verdade estão bem altos, Andrea. Parabéns! Você está grávida.

Em algum lugar no fundo de seu cérebro ela já previra aonde ele iria chegar naquela última fala, provavelmente na altura do "parabéns", mas se sentia totalmente incapaz de processar a informação. Era como se alguém tivesse esticado um lençol preto gigantesco diante da lente de sua vida. Só preto. Ela estava consciente e respirando, mas era incapaz de sentir, ver ou ouvir qualquer coisa. Tinha perguntas, tantas perguntas, mas acima de qualquer outra coisa sentia uma descrença silenciosa e estupefata. Grávida? Não podia ser verdade. Não era verdade. Devia ter havido um engano. Não importava que uma vozinha dentro de sua cabeça estivesse dizendo *Você suspeitou disso o tempo inteiro. A náusea, a menstruação irregular, as dores, o peso e a infelicidade em geral. Você sabia, Andy, mas não conseguia enfrentar.*

Os latidos de Stanley a despertaram para a realidade à sua volta. Ele só latia quando alguém se aproximava da porta do apartamento, o que significava que Max tinha chegado.

— Andrea? Você está aí? — Por um instante ela não soube se era Kevin ou Max quem havia feito a pergunta.

— Sim, sim, estou aqui — falou ela ao celular. — Obrigada pela informação.

— Você tem obstetra ou precisa de uma indicação? Não posso dizer quantas semanas de gestação sem um ultrassom, mas, julgando pelos seus níveis, eu não diria que é uma gravidez recente. É melhor marcar uma consulta o mais rápido possível.

— Andy? Você está em casa? — gritou Max, a porta batendo atrás dele. Stanley entrou em um frenesi de latidos.

— Obrigada, Kevin. Eu cuido disso — mentiu ela pelo que lhe parecia a milésima vez naquele dia. *Não é uma gravidez recente. O que isso queria dizer?*

— Oi — sussurrou Max, chegando por trás dela e beijando seu pescoço. — Está falando com quem?

Ela cobriu o aparelho com a mão.

— Ninguém.

— Andrea? Posso ajudá-la com mais alguma coisa? — perguntou a voz desencarnada pelo celular.

— É por isso que eu estou passando mal? — indagou ela.

Kevin limpou a garganta.

— Isso certamente explicaria a náusea e a fadiga. O Dr. Palmer acha que seus outros sintomas, ou seja, a garganta dolorida, a febre e as dores musculares, não têm relação. Uma virose, estresse, talvez só esteja se sentindo esgotada. Deve melhorar em breve.

— É, tenho certeza de que vou me sentir ótima em breve. Obrigada por ligar.

Ela apertou "desligar", respirou fundo e tentou acalmar sua pulsação acelerada.

— Está tudo bem? — perguntou Max.

Ele abriu a geladeira, pegou um Gatorade verde e tomou a metade em três segundos.

Andy não respondeu. Não sabia se ainda tinha voz.

Max enxugou a boca e lançou-lhe um olhar de desculpas.

— Sinto muito por ter chegado tarde. Sei que precisamos conversar. O que está acontecendo? Falou com o médico? Venha cá. Sente-se comigo.

Andy permitiu que ele a guiasse até o sofá, onde ela calculou mentalmente a distância da sala até o lavabo, caso vomitasse. Max começou a acariciar seu cabelo, e ela não tinha energia para fazê-lo parar.

— Fale comigo, meu amor. Sei que esta foi uma semana muito longa para você, com o casamento e esse mal-estar e... todo esse lance da Katherine. Aliás, eu preciso lhe dizer de novo, porque acho que não fui claro o suficiente hoje de manhã: não aconteceu nada. Nada. Tenho pensado muito e quero que saiba que eu faço qualquer coisa, qualquer coisa no *mundo*, para resolver isso com você e fazê-la se sentir melhor.

Andy tentou falar, mas não conseguiu. Um bebê. O filho dela e de Max. Um Harrison. Ela ficou imaginando se Barbara reprovaria também seu neto.

— O que está acontecendo nessa sua cabecinha? O que o médico disse? Ele receitou algum antibiótico? Quer que eu vá buscar algum remédio? Diga o que está acontecendo.

Ela não sabia de onde havia tirado a energia para isso, mas antes que pudesse pensar melhor em qualquer coisa, forçou-se a sorrir. *Grávida. Grávida. Grávida.* A palavra não parava de ecoar em sua mente, e ela teve que se segurar para não gritar.

Como queria contar a ele! Mas não, ela precisava de tempo para pensar.

Ela esticou o braço para dar um tapinha na mão de Max e disse:

— Vamos conversar sobre tudo isso uma outra hora, está bem? Ainda não estou me sentindo legal. Acho que vou me deitar um pouco, ok?

E, antes que ele pudesse dizer mais uma palavra, ela havia sumido.

Nada de vestidos alugados, nada de flores baratas, nada de sapatos bregas

8 Fazia uma semana desde que Kevin havia ligado com a notícia que mudara sua vida e Andy não dissera nada a ninguém. Nem para Emily, nem para Lily, nem para sua mãe ou irmã e muito menos para Max. Ela precisava de tempo para pensar, não de um monte de conselhos e opiniões não solicitadas e certamente não dos parabéns entusiasmados e da felicidade que com certeza viriam em seguida. Por um lado, era emocionante. Um bebê! Ela nunca fora uma dessas menininhas que sabia cada detalhe de seu casamento dos sonhos já em seu décimo aniversário, desde o tecido do vestido ao tom do buquê, mas definitivamente sempre imaginara seu futuro como mãe. Naquela época, imaginava ter dois filhos até os 30 anos, um menino e uma menina (o menino primeiro, é claro). Conforme foi ficando mais velha e começando a entender que dois filhos até os 30 anos — ora essa, *qualquer* filho até os 30 anos — era uma realidade muito diferente do que ela havia pensado, Andy alterou a equação. Dos 25 até quase os 30 ela havia passado bastante tempo pensando a respeito e chegara à conclusão de que ter dois, talvez três filhos em algum momento entre 30 e 40 anos seria perfeito. Os dois primeiros, um menino (o primogênito) e uma menina, teriam dois anos de diferença, garantindo sua proximidade e amizade quando fossem mais velhos, apesar de serem de gêne-

ros diferentes. O terceiro, uma segunda menina, viria três anos depois, tempo suficiente para dar uma folga para Andy, mas não tanto a ponto de ela ser uma mãe velha demais e o novo bebê não ser a melhor amiga de sua irmã do meio e a menina dos olhos do mais velho.

O que ela não imaginara, é claro, era a peça desse quebra-cabeça que impedia essa notícia de ser cem por cento fantástica (esquecendo o pequeno e perturbador detalhe de que ela já estava grávida no dia do casamento, uma conta que qualquer criança no jardim de infância poderia fazer): mais especificamente, o fato de que ela não tinha certeza se podia confiar no pai de seu filho, de que a avó do bebê a odiava e que ela estivera a trinta segundos de sugerir dar um tempo na relação antes de descobrir que estava grávida. Isso é o que ela chamava de uma boa reviravolta. Todas as racionalizações perfeitamente lógicas que a haviam convencido de que ela deveria deixá-lo se ele de fato a tivesse traído com Katherine — eles não eram ligados um ao outro por nada além de um documento legal, não tinham filhos cujas vidas podiam estar destruindo — evaporaram graças a um copo de plástico cheio de xixi e um único telefonema de um enfermeiro.

As luzes foram apagadas e a mãe de Andy emergiu da cozinha carregando um bolo, sua superfície inteira coberta de velas acesas. Todos começaram a cantar.

— Você precisava botar todas as 42, hein, mãe? — reclamou Jill.

— São 43. Uma para dar sorte — disse a Sra. Sachs.

Terminada sua interpretação desafinada de "Parabéns pra você", os meninos e Kyle insistiram para que Jill fizesse um pedido.

— Desejo que meu marido faça uma vasectomia — murmurou Jill enquanto se inclinava por cima do bolo.

Andy quase engasgou com seu café. As irmãs caíram na gargalhada.

— O que você falou, mamãe?

— Desejo saúde e felicidade para os meus filhos, meu marido, minha irmã e minha mãe — disse Jill, e soprou as velinhas.

— Ei, você está bem? — indagou Kyle, cutucando o braço de Andy com o cotovelo.

Seu cunhado lhe ofereceu um pedaço de bolo em um pratinho de papel, mas Jonah o arrancou da mão dele antes que Andy pudesse pegá-lo.

— Jonah! Devolva isso para sua tia agora mesmo. Você conhece as regras: primeiro as damas!

Jonah olhou para cima, o garfo posicionado sobre a cobertura, um olhar desesperado no rosto. Andy riu.

— Deixe o menino, eu pego o próximo.

O garfo de Jonah imediatamente mergulhou no glacê. Ele enfiou um pedaço grande na boca e lançou a Andy um sorriso achocolatado de agradecimento.

Kyle deu a ela outro pedaço (este não interceptado) e a olhou bem nos olhos.

— Sério, Andy, está tudo bem? Você parece meio... cansada.

"Cansada". O grande eufemismo para *Você está uma merda e eu não sei por quê*. É, talvez ela estivesse cansada. Por mais ou menos mil motivos diferentes.

Ela se forçou a sorrir.

— Só estou tendo um momento difícil na revista, com o casamento e tudo mais. Não estava nem um pouco disposta a viajar a trabalho. Mas pelo menos é Anguilla.

Kyle olhou para ela interrogativamente.

— Harper Hallow e Mack, não ouviu falar? Eles vão se casar no Viceroy, em Anguilla, este fim de semana, e eu vou cobrir o evento. Parece que ele queria fazer a cerimônia toda em um estúdio de som em Fresno. Acho que foi onde eles se conheceram, durante uma turnê, sei lá. Mas ela conseguiu fazê-lo mudar de ideia. Graças a Deus.

Ele comentou:

— Que maravilha. Sabe, literalmente o universo inteiro quer ver esse casamento e você *estará lá...*?

— É inacreditável, não é? Ela tem o melhor trabalho do mundo — falou Jill, limpando algo grosso e nojento do ombro.

Apesar de Andy ainda ficar instintivamente contrariada quando alguém falava que ela possuía "o melhor emprego do mundo", tinha que admitir que era excelente. Adorava a sensação de criar algo do zero, de poder orientar desde novas ideias e layouts elegantes a edições finalizadas. Era uma imensa satisfação debater ideias em um dia e escrever no seguinte, depois, talvez, passar alguns dias editando o texto, e então uma semana fazendo o planejamento da edição. A variedade mantinha as coisas estimulantes, e sempre havia novos desafios. Mas, acima de tudo, ela adorava ser a própria chefe.

Quando Emily tentara lhe vender a ideia de começarem juntas uma revista impressa sobre casamentos, Andy recusara terminantemente. Foi durante a segunda viagem anual para passar um fim de semana num spa, uma tradição que Andy propusera ao perceber que havia cortado gastos e economizado o ano inteiro para poder pagar por férias que não tinha com quem ir. Apesar de ainda ser recente o impulsivo (na opinião de Andy) casamento de Emily com Miles, um produtor de programas de TV cinco anos mais velho e que acabara de emplacar um enorme e surpreendente sucesso, Emily concordou em deixar seu recém-marido sozinho por quatro dias enquanto ela aproveitava tratamentos de spa, sol e praia com Andy. Estavam sentadas juntas na hidromassagem mais quente das três hidros internas do spa Mandarin Oriental na Riviera Maya. Nuas. Haviam acabado de sair de uma massagem com pedras quentes na sala romântica para casais, que dava vista para o mar, e se retiraram para a área de relaxamento para mulheres, onde Emily jogara sua toalha em uma espreguiçadeira e fizera uma dancinha da felicidade antes de tomar um gole de seu chá de gengibre, dando uma mordidinha em um damasco seco e então, lentamente — muito lentamente —, imergindo na água fumegante. Andy teve que se conter para não ficar olhando de forma invejosa para as proporções exatas do corpo de Emily, do peito ao quadril, para os seios perfeitos e as pernas tonificadas e o traseiro redondo sem nem um furinho de celulite. Andy era magra, tudo bem, mas seu corpo não tinha a exuberância do de Emily — ela era toda linhas retas e ângulos. Ficou imaginando por que raios ficava tão envergonhada na frente da melhor amiga, mas mesmo assim largou sua toalha bem na beirada da hidro e submergiu em três segundos cravados. Enquanto Emily tagarelava animadamente, Andy se concentrava em manter os ombros abaixo dos redemoinhos da água, sentindo-se exposta apesar de estar inteiramente coberta.

— Como assim "não"? Você ainda nem ouviu a minha ideia — reclamou Emily, daquele seu jeito encantadoramente petulante que, Andy já sabia, só fingia mágoa.

— Não preciso ouvir a sua ideia. Cansei do mercado de impressos. Assim como o resto do mundo. Acredite ou não, eu realmente *gosto* do meu emprego.

Naquela época, Andy tinha um chefe mentalmente equilibrado, estava escrevendo quatro dias por semana para o *Felizes para Sempre* e maturando a semente de uma ideia para um romance. Com esse ritmo e o horário flexível de que dispunha, tinha certeza de que podia começar a escrever bastante por semana, o suficiente para conseguir um agente. Ela estava no caminho... de uma existência precária em termos de renda, talvez, mas ainda assim era o seu caminho.

— Sim, mas é só um *emprego*! Estou falando de uma *carreira*. É um empreendimento. Vamos lançá-la juntas, será o nosso bebê. Você não pode me dizer que não está pronta para fazer algo mais que listas dos dez melhores penteados! O *Felizes para Sempre* é um site legalzinho com um conteúdo ocasionalmente fofo e um monte de encheção de linguiça trivial. Você sabe disso tanto quanto eu.

— Valeu.

Emily deu um tapa na água.

— Ah, não seja tão sensível, Andy. Você está sendo subaproveitada lá. Você é tão mais talentosa que isso! Quero que escreva matérias de capa extensas, trabalhe com fotógrafos brilhantes que vão executar o que você tiver em mente, que transmita suas ideias para outros redatores e edite, oriente, supervisione todos eles. Você vai viajar e entrevistar celebridades e é claro que vamos aceitar presentes e viagens gratuitas e todos os descontos imagináveis porque não vamos alegar ser nem remotamente imparciais. Isso não parece *divertido*?

Andy projetou o lábio inferior, como quem pensa melhor.

— Não é terrível.

— Vamos, repita isso. Nem um pouco terrível. Eu serei a representante oficial da revista e farei tudo aquilo que você odiaria fazer. Vou dar as festas e cortejar os anunciantes e cuidar dos contratos e das demissões. Vou achar um escritório e comprar o equipamento e material. Vamos encontrar pessoas geniais capazes de supervisionar a maior parte dessas coisas, para que nós duas possamos nos concentrar em fazer a revista de casamentos mais importante do país. Eu falei em seguro de saúde? E um salário tão bom que vai dar para jantar fora sempre que você quiser? Já imaginou?

Andy sentiu-se relaxar na hidro quente, seus ombros finalmente começando a desfazer os nós. Tinha que admitir que *podia* imaginar. Parecia bem incrível, na verdade. Mas ela não conseguia deixar de se perguntar o que qualificava Emily ou ela própria para lançar e comandar uma revista de verdade. O somatório de alguns anos como assistente e o trabalho como editora assistente, mais alguns anos escrevendo para um site? Como essa revista de casamentos seria diferente das dezenas de outras edições superficiais que só sabiam falar sobre véus transparentes e vestidos ajustados ao corpo? E como exatamente elas iam pagar por tudo isso? Aluguel de escritório em Manhattan? No conjugado de Andy mal cabia a mesinha minúscula que ela usava para trabalhar, e, apesar de o duplex que Emily dividia com Miles ser maior e muito mais elegante, mal havia espaço para uma mesa de luz, muito menos para um *departamento de arte*. Parecia fantástico, mas será que realmente daria certo?

Emily jogou a cabeça para trás em deleite, encharcando seu alto e glamoroso coque.

— Andy, você é racional demais. Isso não é nada divertido, vou lhe dizer. Deixe comigo: eu já planejei tudo.

— Puxa, isso é um plano de negócios sensacional. Quando estivermos pedindo empréstimos no banco e eles perguntarem para que precisamos do dinheiro, posso simplesmente dizer que Emily vai cuidar de tudo.

— Eu vou! Miles tem uma dúzia de amigos, talvez mais, todos banqueiros em Nova York ou figurões de Hollywood que estão sempre querendo investir nesse tipo de coisa. Eles adoram dar dinheiro a novos empreendimentos criativos, ainda mais quando é algo relacionado à mídia ou à editoração. Não conseguem se controlar: pensam automaticamente em sexo, modelos e glamour. E vamos nos sentir muito à vontade para encorajar esse tipo de pensamento. Porque, na minha visão, a nossa revista vai ser diferente de todas as outras publicações sobre casamento que existem.

Andy ainda estava tentando processar a informação a respeito de sua dúzia de investidores em potencial e quanto dinheiro estavam dispostos a gastar, mas essa parte de que a revista delas ia se destacar lhe parecia uma fantasia ainda maior.

— Sério? Porque eu me familiarizei bastante com todo o universo dos casamentos e, acredite, não é fácil apresentar coisa nova o tempo todo. Não há muitas mudanças de um ano para o outro.

— Irrelevante! — escarneceu Emily.

As bolhas começaram a diminuir. Emily pulou para fora da banheira, sua pele perfeita escorregadia de água. Sentando-se no banco em frente a Andy, ela tomou mais um gole de chá e disse:

— A nossa vai ser megaestilosa. Sofisticada. A versão de luxo dos casamentos. A frase "venda de mostruário" nunca vai aparecer em nossas páginas. Nem "luas de mel acessíveis", "formas inteligentes de economizar dinheiro" ou "lindos buquês por menos". Nada de matérias sobre onde encontrar serviços e produtos em conta... de nenhum tipo. Nada de vestidos alugados, nada de flores baratas, nada de sapatos bregas.

— Você não está esquecendo que estamos no meio de uma recessão mundial?

— E é exatamente por isso que nossas leitoras vão querer algo para olhar e sonhar! Você acha o quê? Noventa e nove por cento das pessoas que leem a *Runway* não podem comprar nem um único cinto dos que aparecem na revista. Isso é óbvio.

Apesar de seu viés pragmático, Andy podia sentir que estava ficando entusiasmada.

— É verdade — disse ela. — A *Runway* não é um catálogo para elas: é uma fonte de inspiração. São mulheres inteligentes e antenadas quanto a estilo e que não necessariamente têm grana para vestir alta-costura, mas que encontram naquelas páginas ajuda para se planejar quando chegar a hora de escolher o que *podem* pagar. Faz sentido que todas as que são inspiradas pelos visuais inatingíveis da *Runway* ficariam igualmente estimuladas pelos casamentos inatingíveis que mostraríamos em *The Plunge*.[1]

Emily sorriu.

— *The Plunge*?

— Você não adorou? É simples, dramático, fácil. É perfeito.

— Adorei. Adorei mesmo. *The Plunge*. Você é brilhante, vai ser exatamente esse o nome da revista! — Nesse ponto Emily se levantou e chegou a dar uma reboladinha pelada. — Eu sabia que você ia entender. Por que não começa a pensar aonde quer ir para nossa primeira edição? Talvez Sydney? Ou Maui? Provença? Buenos Aires? Acredite, isso vai ser fabuloso!

Emily, a impulsiva e louca Emily, estava certa desde o início. É claro que houve percalços e obstáculos pelo caminho (o

---

[1] A autora faz referência à expressão "to take the plunge", que significa "se casar". (*N. do E.*)

loft que só ficou pronto seis meses depois da data prometida; mais dificuldade para conseguir uma impressora do que qualquer uma das duas havia imaginado; peneirar os não menos que 250 currículos que elas receberam depois de anunciar oito diferentes vagas), mas em geral esse caminho, desde as ideias até a execução, foi relativamente tranquilo, graças, quase que exclusivamente, à fé cega e à ambição de Emily e aos amigos bem-relacionados e bem-financiados de Miles — Max sendo o maior investidor de todos, com uma participação de 18 por cento mais 1/3. Um grupo de cinco outros investidores partilhavam 15 por cento, o que deixava Andy e Emily com um terço cada. Elas eram sem dúvida as proprietárias; suas partes somavam 66 por cento mais 2/3; podiam vencer qualquer um no voto e ter a palavra final sobre todas as decisões importantes relativas à publicação.

The Plunge era pensada tendo em mente a alta moda e o refinamento: vestidos de grife exclusivos; joias de diamante dignas de serem passadas de geração em geração; guias sobre como escolher as baixelas de prata mais elegantes, alugar uma ilha particular para sua lua de mel, organizar listas de presentes únicas e finamente planejadas. Começou pequena, uma revista trimestral com apenas umas quarenta páginas por edição, mas em dois anos Andy e Emily estavam publicando sete vezes por ano (bimestralmente, com uma edição especial em junho) e vendiam mais assinaturas e exemplares nas bancas do que haviam projetado no início.

Como Emily previra, poucas de suas leitoras podiam arcar com o estilo de vida proposto pela *Plunge*, mas eram todas antenadas e estilosas e sabiam reconhecer o luxo, de forma que sabiam usar as fotos deslumbrantes e as detalhadas matérias como inspiração para seus casamentos. Os primeiros meses de existência da revista não foram tão pomposos. Elas cobriram qualquer casamento que exibisse a menor centelha de glamour ou sensualidade e ao qual tivessem acesso: uma colega de trabalho de Emily da *Bazaar*, que se casou em um iate clube com um cara de fundos de investimento; uma amiga de faculdade de Emily cujo noivo havia dirigido uma dúzia de filmes de ação famosos; a célebre dermatologista de Emily, que concordou com a cobertura de seu casamento com um conhecido âncora de telejornal desde que a *Plunge* também mencionasse pelo nome seu novo preenchimento com um gel à la Restylane. As noivas e os noivos podiam não ser nomes conhecidos, mas os casamentos eram sempre suntuosos e as fotografias resultantes deram à revista uma ponta de prestígio que não teria sido possível somente com sugestões de listas de presentes e guias para alianças.

Ironicamente, foi através da conexão de Andy que elas chegaram ao casal que lançou a *Plunge* da semiobscuridade ao foco da curiosidade nacional. Max foi convidado para o casamento de uma socialite com quem havia crescido, uma garota linda com um pai venezuelano trilionário que estava noiva do filho de um suposto "empresário" mexicano. Bastou um único telefonema por parte de Max e a promessa de que a noiva teria a última palavra na seleção final das fotos. A matéria, cheia de imagens deslumbrantes de quem estava realmente dentro da festa, mostrando uma imensa propriedade em Monterrey e lindíssimas mulheres latinas transbordando diamantes, atraiu muita atenção em todos os sites de fofoca e entretenimento on-line e até uma menção em uma matéria do *60 Minutes* envolvendo o FBI, o tal "empresário" mexicano e o arsenal de armas automáticas de sua equipe de segurança, que fazia a tropa de elite da Marinha parecer desguarnecida.

A partir daí foi fácil cobrir casamentos. Tanto Andy quanto Emily haviam copiado a agenda telefônica da *Runway* e não tiveram pudor em usá-la. Elas desenvolveram uma rotina tão refinadamente coreografada quanto um balé. As duas varriam sites, blogs e revistas de fofocas procurando notícias de noivados, davam algumas semanas para que todo o entusiasmo diminuísse e então ligavam diretamente para a celebridade ou para seu relações-públicas, dependendo de quão próxima fosse a relação de cada um com a *Runway* ou com Miranda. Durante a conversa citavam descaradamente o nome de Miranda, mencionavam que juntas haviam trabalhado para ela durante *anos* (não era mentira) e explicavam (não com muitos detalhes) como tinham "ramificado" para uma revista de casamentos sofisticada. Após cada telefonema enviavam por FedEx um exemplar da edição do casamento mexicano, esperavam exatamente uma semana e então ligavam mais uma vez. Até o momento, sete em cada oito celebridades que elas haviam contatado concordaram que a *Plunge* cobrisse seu casamento para uma edição futura, desde que ainda estivessem livres para vender fotos para uma revista semanal nesse ínterim. Andy e Emily nunca reclamavam dessa condição; a qualidade artística de suas fotos, as entrevistas íntimas que conduziam com os casais e a forma acolhedora e acessível com que Andy escrevia as matérias abriam uma enorme distância entre a *Plunge* e a concorrência, revistas típicas de caixas de supermercado. Além disso, a cada edição com uma atriz, modelo, cantora, artista ou socialite famosa ficava mais fácil convencer a celebridade seguinte, agora sem nem precisar recorrer muito ao nome da *Runway*. A fórmula já vinha funcionando lindamente fazia anos, e elas estavam aproveitando o embalo. Esses casamentos de celebridades da vida real haviam se tornado não apenas o ponto alto de cada edição, mas também a característica que definia a revista e seu atrativo de venda.

Às vezes Andy ainda mal podia acreditar. Mesmo agora, folheando a recém-publicada edição de novembro, com Drew Barrymore e Will Kopelman na capa, era difícil absorver que a revista inteira existia graças à visão de Emily alguns anos antes e a todos os brainstormings e ideias e trabalho e erros das duas desde então. Andy havia entrado hesitantemente, sim, mas a revista era seu amor, seu bebê. Elas construíram do zero algo de que podiam se orgulhar, e todos os dias ela era grata a Emily — pela revista e por seu feliz dividendo: ter conhecido Max.

— Você acha que a Madonna vai estar lá? — perguntou sua mãe, vindo com seu bolo no pratinho de papel para junto de Andy, Kyle e Jill à mesa. — Ela e Harper frequentam o mesmo centro de cabala?

Jill e Andy se viraram para olhá-la, surpresos.

— O que foi? Não posso ler a *People* na sala de espera do dentista? — perguntou ela, pegando pedacinhos de bolo.

Desde que os pais de Andy se divorciaram, a mãe dela ficara cada vez mais rigorosa com o que comia.

— Eu cheguei a pensar nisso — falou Andy. — Acho que não, porque ela está fazendo alguma coisa no Pacífico Sul no momento. Mas o assessor de imprensa confirmou que Demi vai estar lá. Não tem tanta graça agora que ela está *sem* Ashton, mas mesmo assim é interessante.

— Pessoalmente, eu queria que alguém me confirmasse que nenhuma parte do corpo de Demi Moore é verdadeira — disse a Sra. Sachs. — Eu me sentiria bem melhor.

— Somos duas — comentou Andy, enfiando seu último pedaço de bolo na boca.

Tinha que se conter para não fazer igual às crianças e enfiar a mão inteira no bolo. A qualquer momento passaria de faminta para nauseada.

— É isso aí, galerinha, a diversão acabou. Jake e Jonah, por favor tragam seus pratos para a cozinha e deem um beijo de boa-noite em todo mundo. O papai agora vai encher a banheira e dar banho em vocês dois enquanto eu dou mamadeira a Jared — anunciou Jill, olhando ameaçadoramente para Kyle. — Aí, como hoje é meu aniversário e eu posso fazer o que quiser, vou direto dormir, e o papai é que vai ser o responsável por vocês esta noite, entenderam? — Ela levantou Jared em seu colo e beijou-lhe a bochecha. Ele deu um tapinha no rosto dela. — Para qualquer pesadelo, sede, frio, "quero um abraço", esta noite vocês acordam o papai, está bem, meus amores?

Os dois meninos assentiram solenemente. Jared guinchou e bateu palmas.

Jill e Kyle reuniram os três meninos, agradeceram à mãe de Andy pelo bolo, deram beijos de boa-noite em todo mundo e desapareceram no andar de cima. Um instante depois, Andy ouviu a água da banheira correndo.

A Sra. Sachs desapareceu na cozinha por um momento e voltou de lá com duas canecas de chá preto descafeinado ainda fumegantes, mas já com adoçante e um pouquinho de leite. Colocou uma em frente a Andy na mesa.

— Ouvi Kyle lhe perguntando mais cedo se estava tudo bem... — perguntou a mãe dela, concentrada em enrolar a cordinha do saquinho de chá em volta da colher.

Andy abriu a boca para dizer alguma coisa mas rapidamente voltou a fechá-la. Ela não era do tipo de garota que quando se muda da casa dos pais telefona para eles três vezes por dia ou que conversa com eles sobre os detalhes íntimos de seus relacionamentos românticos, porém era mais difícil do que ela havia pensado — praticamente impossível — não contar à própria mãe que estava esperando um filho. Sabia que deveria contar, *queria* contar. Não parecia nada natural que, além de seu médico e dos técnicos do laboratório, ela e o tal Kevin fossem as duas únicas pessoas no planeta a saber de sua gravidez, mas mesmo assim Andy não conseguia elaborar em palavras. Não parecia real, e, por mais que ela estivesse em desarmonia com Max por causa de toda aquela história, sem dúvida não seria certo contar a outra pessoa, mesmo sendo a própria mãe, antes de falar com ele.

— Está tudo bem — respondeu ela, evitando o olhar da mãe. — Só estou cansada.

A Sra. Sachs assentiu, embora obviamente soubesse que Andy estava escondendo alguma coisa.

— A que horas é o seu voo amanhã?

— Às onze, saindo do JFK. Vão me buscar aqui às sete.

— Bem, pelo menos vai passar alguns dias em um lugar quente. Sei que você não chega propriamente a relaxar quando está cobrindo um casamento, mas talvez encontre uma ou duas horas para se sentar ao ar livre, não?

— É, espero que sim.

Ela pensou brevemente em contar à mãe sobre o telefonema que recebera do representante do Elias-Clark, mas sabia que uma longa conversa se seguiria. Era melhor descansar um pouco, em vez de dar corda a uma noite de pesadelos com Miranda.

— Como vai Max? Não ficou chateado por você viajar logo depois do casamento?

Andy deu de ombros.

— Ele está bem. Vai ao jogo dos Jets no domingo com os amigos, então nem deve sentir minha falta.

A Sra. Sachs ficou em silêncio ao ouvir isso, e Andy se perguntou se não fora longe demais. Sua mãe sempre gostara de Max e adorava ver Andy feliz, mas não fingia entender a riqueza da família Harrison e o que ela via como a necessidade deles de ser constantemente sociáveis.

— Falei que encontrei por acaso Roberta Fineman semana passada, naquele almoço que teve lá na cidade?

Andy tentou fingir indiferença.

— Não, não falou. Como ela está?

— Ah, muito bem. Está namorando já faz alguns anos; acho que é sério. Eu soube que ele é dentista, um viúvo, e que provavelmente vão se casar.

— Hum. Ela falou alguma coisa sobre Alex?

Ela se odiou por perguntar aquilo, mas não pôde se conter. Mesmo depois de mais de oito anos separados, com uma única recaída desde então, Andy ainda ficava chocada com o pouco que sabia sobre Alex e sua vida atual. O Google não fornecia nada além das informações biográficas básicas que ela já conhecia e um único artigo, de três anos antes, em que Alex falava rapidamente ao repórter, empolgadíssimo, sobre a cena da música ao vivo em Burlington. Dava para saber que ele havia feito uma pós-graduação na University of Vermont e, pelo que se podia deduzir, ainda vivia naquele estado. Ele havia mencionado uma namorada, também esquiadora, quando se encontraram por acaso, mas não dera detalhes. Não estava no Facebook, o que não a surpreendia. Lily também não sabia muito mais que isso, ou então escolhera não contar a ela — provavelmente a primeira opção mesmo, pois era do seu conhecimento que os dois no máximo trocavam cartões de Natal, e uma vez, quando ele estava pensando em se matricular na University of Colorado Boulder, mandara um e-mail a ela perguntando sobre sua experiência por lá.

— Falou, sim. Ele terminou o mestrado e vai voltar para Nova York com a namorada. Ou talvez já tenha voltado, não sei. Ela trabalha numa dessas coisas de criação, não me lembro o que exatamente, mas surgiu uma boa oportunidade na cidade, então acho que Alex vai procurar alguma coisa por lá também.

Interessante. Alex e a bela esquiadora criativa ainda estavam juntos, três anos depois. Ainda mais interessante: ele estava voltando para Nova York.

— É, ele me contou sobre essa namorada quando esbarrei com ele no Whole Foods. Meu Deus, quando foi isso mesmo? Eu e Max estávamos começando a namorar... Três anos atrás. Acho que o lance com essa garota é sério.

Ela disse a última parte querendo que sua mãe negasse, inventasse alguma análise ou opinião ridícula de que é claro que não era nada sério, mas a Sra. Sachs só balançou a cabeça e falou:

— É, Roberta acha que eles devem ficar noivos até o final do ano. É claro que ela tem só 20 e poucos anos, então acho que não tem por que a pressa. Mas tenho certeza de que Roberta está tão ansiosa para ter netos quanto eu.

— Você tem netos. Três, na verdade. Um tesouro, cada um deles.

A mãe riu.

— Eles dão um trabalho, não é? Eu não desejaria três meninos para ninguém. — Ela tomou um gole do chá. — Não me lembro de você ter esbarrado com Alex. Eu sabia disso?

— Eu ainda estava trabalhando no *Felizes para Sempre* e tinha acabado de conhecer Max. Você estava naquele cruzeiro com o clube do livro. Eu lembro porque escrevi falando sobre isso e a sua resposta foi de um teclado maluco que trocava todos os *s* por *t*.

— A sua memória nunca deixa de me surpreender.

— Alex estava passando o verão na cidade, fazendo algum tipo de estágio pedagógico pela Columbia. Ainda não sei por que ele estava no Whole Foods naquele dia, mas é claro que Max e eu tínhamos acabado de sair para correr e paramos para comprar água. Eu estava um horror, e Alex estava vestido para uma entrevista. Nós três tomamos café durante dez minutos no andar de cima, e foi tão constrangedor quanto você pode imaginar. Ele mencionou que estava namorando uma aluna do mestrado, mas que não era nada sério.

Andy omitiu o detalhe de que seu coração batia disparado enquanto ela tomava seu minúsculo *latte*, de que ela rira um pouco demais e assentira com um pouco de ênfase demais cada vez que Alex fazia uma piada ou uma observação. Também não contou que se perguntara se ele estava entusiasmado para ver a namorada mais tarde aquela noite, se ele a amava, se pensava naquela nova garota como a única pessoa que realmente o compreendia. Andy não mencionou que torcera desesperadamente para que ele desse seguimento àquele encontro acidental com um telefonema ou um e-mail, nem que ficara extremamente magoada — apesar de estar entusiasmada com seu relacionamento recém-iniciado com Max — por não ter tido mais notícias dele. Ou que havia chorado aquela noite no chuveiro, lembrando-se de todos os anos que tinham passado juntos, imaginando como se tornaram estranhos, e que depois gritara consigo mesma para tirar Alex da cabeça de uma vez por todas e se concentrar em seus sentimentos por

Max. O lindo, sexy, divertido e adorável Max, o homem que *a apoiava*. Não falou nada disso, mas algo lhe disse que sua mãe compreendeu.

Andy ajudou a mãe a lavar os pratos e a guardar o bolo. A Sra. Sachs forneceu comentários contínuos altamente detalhados a respeito de cada interação social que fizera durante o casamento de Andy e Max, opiniões sobre o que as pessoas vestiram, o quanto beberam, se estavam ou não parecendo se divertir, e ainda comparou com todos os casamentos de filhos de amigos seus aos quais comparecera nos últimos anos (superior em todos os quesitos, é claro). Teve o cuidado de não mencionar a família Harrison nenhuma vez. Jill reapareceu brevemente para pegar leite (duas xícaras e uma mamadeira), e Andy sentiu como se estivesse traindo a mãe e a irmã não lhes contando a novidade. Mesmo assim, apenas desejou feliz aniversário a Jill, deu um beijo de boa-noite nas duas e se retirou para seu quarto de infância, o que ficava mais longe da escada, no segundo andar.

Os planos de reformar o quarto de Andy agora que ela era adulta estavam sendo colocados em prática — ela ajudara a mãe a escolher uma cama queen size com uma cabeceira de couro, além de um conjunto de lençóis lindo como os de hotel e um edredom bem branco com uma linha de bordado rústico cor de café —, mas não tinha nada pronto ainda. Seu tapete branco felpudo, agora cinza depois de anos usando os sapatos ilegalmente dentro de casa, e sua colcha florida em roxo e branco pareciam ter mil anos de idade. Uma meia dúzia de quadros de cortiça estava coberta de resquícios de seus anos de colégio: os horários das partidas de tênis da temporada de outono de 1997, fotos de Matt Damon e Marky Mark tiradas de várias revistas, um pôster de *Titanic*, uma lista de telefones do pessoal responsável pelo anuário do colégio, um talo seco de algum adereço de baile (com a flor havia muito caída), um cartão-postal da viagem que Jill fizera para o Camboja depois da faculdade, um contracheque do TCBY, uma lojinha de frozen yogurt na qual ela trabalhara no verão depois de se formar, e fotos, muitas fotos. Quase todas mostravam Lily, sorrindo bem ao lado de Andy, seja em vestido de tafetá para o baile de formatura, de calça jeans para trabalharem juntas como voluntárias no abrigo de animais do parque Avon ou em roupas de corrida iguais para a única temporada em que participaram da equipe de cross-country. Andy removeu uma tachinha e puxou uma das fotos do quadro: ela e Lily na feira estadual com um grupo de amigos, saindo do Gravitron, uma mais verde que a outra. Ela se lembrava de ter corrido para vomitar nos arbustos poucos instantes depois que aquela foto fora tirada e de ter passado os três dias seguintes tentando convencer os pais de que o vômito reflexivo havia sido resultado apenas de muitas rodadas naquele brinquedo maldito, e não de um ato adolescente de rebeldia etílica (apesar de isso também ter contribuído, é claro).

Ela desabou na cama de viúva, o colchão agora afundando ligeiramente no centro por causa de tantos anos de uso, e discou o número de Lily. Seriam oito e cinquenta no Colorado, e Lily devia ter acabado de colocar Bear para dormir. Ela atendeu no segundo toque.

— Ei, gata! Como vai a vida de recém-casada?

— Estou grávida — disse Andy, antes que pudesse se convencer a não fazer isso.

Houve três, talvez cinco segundos de silêncio antes de Lily voltar a falar:

— Andy? É você?

— Sou eu. Estou grávida.

— Ah, meu Deus. Parabéns! Vocês não perdem tempo, hein? Espere, isso não pode ser possível...

Andy prendeu a respiração enquanto Lily fazia as contas. Ela sabia que o mundo inteiro faria exatamente a mesma coisa e que isso a deixaria louca, mas Lily era diferente. Era um alívio enorme contar a alguém.

— É, totalmente impossível. Eles acham que não é uma gravidez "recente", seja lá o que isso signifique, e obviamente não estamos casados não faz nem duas semanas. Tenho um ultrassom marcado para semana que vem. E estou surtando...

— Não surte! É assustador, eu sei, eu me lembro dessa parte. Mas é tão maravilhoso, Andy. Você já vai saber o sexo?

Eis a pergunta mais normal a se fazer a uma amiga recém-grávida, e a inocência dela fez Andy se sentir sufocada. Por um instante ela ficou duplamente chateada ao se dar conta de que aquela conversa com sua amiga mais antiga no mundo não podia ser só comemoração. Elas não teriam a chance de debater se seria menino ou menina, de listar nomes preferidos ou discutir os prós e contras de cada carrinho exorbitantemente caro disponível nas lojas. Havia outras coisas a dizer.

— E o Max, está muito animado? Nem posso imaginar! Ele fala em ter filhos desde o dia em que vocês se conheceram.

— Eu não contei a ele. — Andy disse isso tão baixo que talvez Lily nem tivesse escutado.

— Você não *contou* a ele?

— As coisas andam estranhas entre nós. Eu encontrei uma carta da Barbara no dia do nosso casamento e não consigo parar de pensar nisso.

— Estranhas como, exatamente? Estranhas o suficiente para você não contar ao seu marido que está esperando um filho dele?

Depois que começou, ela não conseguiu mais parar de falar. Contou tudo a Lily, absolutamente tudo, incluindo alguns dos detalhes que não admitira nem para Emily. Contou que pensara em pedir um tempo e que estava a cinco segundos de dizer isso a Max quando recebera o telefonema de Kevin. Que não queria tocar nele. Conseguiu até articular, pela primeira vez, que não conseguia parar de imaginar se Max estava lhe contando toda a verdade a respeito de Katherine.

— Então... é isso. Bela perspectiva, não é?

Andy puxou o elástico de seu rabo de cavalo e sacudiu o cabelo. Deitou a bochecha no travesseiro florido cor-de-rosa e inspirou: provavelmente era o mesmo Tide ou Bounce ou o que fosse, mas tinha o cheiro de sua infância e ela não queria que mudasse jamais.

— Nem sei o que dizer. Quer que eu vá até aí? Acho que posso deixar Bear com Bodhi e pegar um avião amanhã...

— Obrigada, Lil, mas amanhã de manhã vou para Anguilla a trabalho. E você acabou de vir aqui. Mas eu agradeço.

— Pobrezinha! E foda-se a Barbara! Que megera. Mas, meu Deus, você deve estar se sentindo tão vulnerável! Eu me lembro perfeitamente de que quando estava grávida do Bear tinha esses medos, pavores na verdade, de que Bodhi ia me deixar grávida e sozinha, sem ter como me sustentar. Não sei o que é, mas alguma coisa na gravidez deixa a gente nesse... nesse *estado de espírito*. Não sei explicar.

— Não, você acabou de explicar e eu entendi muito bem. Uma semana atrás eu estava pensando em dar um tempo para repensar tudo. Para nos dar a chance de sermos honestos um com o outro e realmente resolver as coisas. Não seria fácil, mas eu ia fazer isso. Mas agora? Agora tem um *bebê*! O bebê do Max. Eu quero ficar chateada com ele, mas já amo esse bebê.

— Ah, Andy. Eu sei. É só o começo.

Andy fungou. Ela nem tinha percebido que estava chorando.

— Você acha que ama este bebê agora? Espere só para ver.

— Eu... eu só pensei que seria diferente.

Lily ficou em silêncio por um instante. Andy conhecia sua amiga bem o bastante para saber que ela estava pensando se era apropriado ou não citar a própria experiência, preocupada como devia estar em voltar o foco para Andy. Mas então ela disse:

— Eu sei, querida. Você imaginava que ia acordar um dia ao lado do seu amado marido, depois de dois anos de casados, e vocês iam entrar no banheiro juntos para olhar para o palitinho de papel no qual você acabou de fazer xixi e iam cair de costas na cama de tanta alegria e emoção, se abraçando e rindo, felizes até não poder mais. E aí ele iria a todas as consultas com você e faria massagem nos seus pés e compraria picles e sorvete para você comer. Bem, sabe com que frequência isso acontece? Tipo, nunca. Mas eu estou aqui para lhe dizer que não torna o processo menos maravilhoso.

Andy pensou no dia, quase quatro anos antes, em que Lily ligara anunciando que estava grávida. A amiga estava morando em Boulder fazia dois anos e decidira diminuir o ritmo do doutorado para poder lecionar mais. As duas não se falavam mais com tanta frequência, porém quando o faziam Andy sempre ficava com inveja de como Lily parecia feliz. No início Andy achara que a nova obsessão de Lily por ioga era como as tantas em que ela própria embarcara apaixonadamente e logo descartara, uma extensa lista de paixões passageiras: tênis, cerâmica, spinning, culinária. Quando Lily anunciou que ia fazer umas horas como recepcionista do curso em troca de um pequeno estipêndio e desconto nas aulas, Andy balançou a cabeça com conhecimento de causa. Era a cara dela fazer isso. Quando ela anunciou que havia se inscrito no programa de quinhentas horas para formação de professores, Andy riu consigo mesma. Mas aí, quando ela completou o treinamento em tempo recorde e passou os quatro meses seguintes em um eremitério hindu em Kodaikanal, na Índia, fazendo cursos do tipo "Ioga para desequilíbrios emocionais" e "Ioga para um coração forte" com swamis de nomes impronunciáveis conhecidos mundialmente, Andy começou a ficar intrigada. Logo após voltar aos Estados Unidos, Lily começou a namorar o proprietário e principal professor de sua escola de ioga, um budista convertido chamado Bodhi, originalmente Brian, do norte da Califórnia, e um ano depois disso Lily telefonou para dar a grande notícia: ela e Bodhi estavam esperando um filho para dali a seis meses. Andy mal pôde acreditar. Um *bebê*? Com *Bodhi*? Ela o viu uma vez quando Lily o levou a Connecticut, e teve dificuldades para superar seus grossos dreadlocks e seus músculos mais grossos ainda e sua mania de passar cada minuto de cada dia bebendo chá verde de uma garrafa térmica, quente ou frio, dependendo da estação. Ele parecia ser um cara razoavelmente legal e estava obviamente apaixonado por Lily, mas nada daquilo batia para Andy. Ela não fez muitas perguntas, mas Lily, conhecendo-a muito bem, disse:

— Não foi um acidente, Andy. Bodhi e eu nos comprometemos a ser parceiros um do outro para o resto da vida e não precisamos de um papel para tornar nossa relação oficial. Eu o amo e nós queremos ter filhos juntos.

Mesmo se sentindo culpada, ela nutriu dúvidas durante toda a gravidez de Lily, imaginando onde sua amiga estava com a cabeça, por que exatamente fora tão impulsiva. Mas no instante em que viu Lily amamentando seu filho recém-nascido algumas semanas depois do nascimento, soube que Lily estava fazendo a coisa mais certa possível para si mesma, seu parceiro e seu filho. Criou-se uma distância entre elas por um tempinho — Andy não fazia a menor ideia de tudo o que Lily estava sentindo em seu novo papel como mãe e (meio que) esposa —, mas ficou feliz por sua amiga ter criado essa nova vida. E agora ela estava feliz por Lily entender exatamente o que ela dizia.

— Massagens nos pés e sorvete? Cara, eu ficaria satisfeita com algumas semanas sem achar que estou com alguma DST.

— Que bom que você consegue rir da situação — disse Lily, e Andy detectou o alívio em sua voz. — Sei que este é um momento terrivelmente difícil, mas ainda posso ficar feliz por você, não posso? Você vai ter um filho!

— Eu sei. Eu mesma não acreditaria se não fosse pela exaustão esmagadora e a náusea constante.

— Achei que estivesse com câncer, antes de descobrir — confessou Lily. — Eu literalmente não conseguia ficar de olho aberto por mais que três horas. Para mim não podia haver outra explicação.

Andy ficou em silêncio, processando como era maravilhoso e estranho estar conversando sobre sua gravidez com sua amiga mais antiga, e nisso deve ter adormecido, porque Lily perguntou:

— Andy? Ainda está aí? Você pegou no sono?

— Opa, me desculpe — resmungou ela, limpando um pouco de baba do canto da boca.

— É melhor a gente desligar.

Andy sorriu.

— Sinto sua falta, Lil.

— Estou sempre aqui por você, querida. Ligue *a qualquer hora*. E, em Anguilla, se permita tomar um pouco de sol e beber uma piña colada sem álcool e esquecer tudo por um dia, está bem? Pode me prometer isso?

— Vou tentar.

Elas trocaram mais algumas despedidas, e Andy disse a si mesma que não precisava se sentir culpada por não perguntar por Bear ou Bodhi. Se havia algum momento para ser um pouco egoísta, pensou ela, era agora. Ela tirou a calça jeans, que já estava começando a ficar desconfortavelmente justa, e depois o suéter. Escovar os dentes, lavar o rosto, passar fio-dental... tudo isso podia esperar, pensou, enquanto botava a cabeça de volta no travesseiro florido frio e puxava a colcha da sua infância até o queixo. Tudo ia parecer melhor pela manhã.

Se acabando nas piñas
sem álcool

9

Voo às onze da manhã. Um atraso de três horas com uma parada não planejada em Porto Rico. Uma viagem de "barca" de Saint Martin que foi como andar de jet ski em meio a um furacão. E finalmente uma longa espera em um salão da alfândega sem ar-condicionado seguida por uma viagem por estradas locais empoeiradas e esburacadas. Viajar já era difícil em circunstâncias normais, mas grávida era quase intolerável.

O hotel fez tudo valer a pena, apesar de *hotel* não chegar nem perto de descrever com exatidão o lugar. Era o paraíso. Um paraíso charmoso, estilo aldeia, composto por pequenas vilas individuais com telhados de sapé cravadas dentro de uma flora exuberante em volta de uma praia em forma de meia-lua. O "saguão", um pavilhão ao ar livre com piso de mármore e móveis de madeira entalhados em estilo balinês, era cheio de gaiolas elaboradas e pássaros tropicais que cantavam, e dava vista para um mar tão límpido e azul que por um momento Andy pensou que estivesse tendo alucinações. Antes de botar os pés na varanda privativa de sua suíte, ela chegou a ver um macaco se balançando na árvore acima.

Andy sentou-se na cama e deu uma olhada em volta. O móvel de plataforma tamanho king size estava arrumado com lençóis branquíssimos e o colchão era ao mesmo tempo magicamente firme e deliciosamente macio. Havia uma mesa com cadeiras de madeira de coco, um sofá modulado com uma mesinha de centro de vidro e um aparelho de som Bose à esquerda da cama. O teto de sapé com moldura de bambu, somado às paredes de vidro corrediço que se abriam completamente em três lados, dava a impressão de que a suíte era ao ar livre. A piscina funda precipitava-se da varanda, sua água verde misturando-se ao entorno, e as duas espreguiçadeiras de madeira teca com almofadas listradas e um guarda-sol combinando criavam o solário particular mais chique que ela já vira. Quase todas as superfícies do vasto banheiro eram cobertas por mármore branco, incluindo a bancada de pias duplas e uma cabine de vidro com um chuveiro que era quase tão grande quanto o segundo quarto de seu apartamento em Nova York. Toalhas tão fofas e brancas que pareciam algodão doce ficavam penduradas em suportes aquecidos; jasmins-manga frescos adornavam a área de vestir; xampu e condicionador com aroma suave ficavam em garrafinhas de barro etiquetadas com cartõezinhos presos com corda no gargalo. No lado mais distante do banheiro, cercada por palmeiras e vegetação exuberante, descansava uma gigantesca e funda banheira. Era cercada em três lados por paredes de 2,5 metros de altura, mas completamente aberta para o exterior, e, milagrosamente, já estava cheia de água quente e fragrante. Um potinho de barro com sais de banho descansava na beirada, uma música suave soava de algum lugar e o aroma de verdor, de plantas e árvores e solo, combinado ao calor do sol da tarde, enchia o aposento externo.

Ela tirou a legging, se contorcendo toda, e sua camiseta atingiu o chão antes mesmo que Andy estivesse completamente desperta. Então afundou na água fragrante, apenas quente o suficiente em comparação ao ar úmido do lado de fora, e fechou os olhos. Suas mãos automaticamente acariciaram a barriga, cutucando-a, ainda incapaz de acreditar que havia uma vidinha minúscula crescendo dentro dela. Apesar de não ter se permitido pensar no assunto até aquele momento, ela subitamente percebeu que queria um menino. Por que, não sabia dizer. Talvez por ver tanto sua irmã quanto Lily com meninos, as únicas crianças pequenas que ela conhecia bem e amava. Ou talvez pela ideia de um garotinho da mamãe, uma coisinha fofa com cabelo comprido desalinhado e um cobertor de estimação, que ela vestiria com blazers azuis e minigravatas e que se enroscaria em seu colo. Ela não tinha certeza, mas Max havia anunciado muito tempo antes que tinha certeza de que eles só teriam meninas. Dizia ele que mal podia esperar para ensinar a suas filhas tudo sobre tênis, futebol e golfe, para vesti-las com uniformes em miniatura e ser treinador de seu time de beisebol infantil. Ele imaginava bebês louras, apesar de nenhum dos dois ser louro, e dizia que elas amariam o pai mais do que qualquer homem no mundo inteiro. Era uma das coisas nele que a atraíra: o famoso playboy era no fundo um sentimental, um homem que queria uma família e um lar mais do que qualquer um que ela jamais conhecera, e que não tinha medo de admitir. Andy não o conhecera de outra forma, mas a irmã dele imediatamente comentara que, após conhecer Andy, Max havia se transformado no homem que ele sempre estivera destinado a ser. Ele ia morrer de felicidade quando ela lhe desse a notícia.

Em algum lugar o telefone do hotel tocou. Andy olhou à sua volta em pânico, até ver uma extensão discretamente presa na parede ao lado da banheira.

— Alô?

— Sra. Harrison? Olá, aqui é Ronald, da recepção. A Srta. Hallow me pediu para avisá-la de que o jantar de ensaio terá início em uma hora, na praia. Posso mandar alguém para acompanhá-la?

— Sim, obrigada. Estarei pronta.

Ela abriu a água quente e enfiou os pés bem debaixo do fluxo. Sentia o corpo inteiro exausto, mas a mente acordada e enérgica. Em uma hora ela estaria no jantar de ensaio do casal mais poderoso da música. Harper Hallow havia amealhado nada menos que 22 Grammys ao longo de sua carreira — empatando com U2 e Stevie Wonder —, apesar de ter sido indicada para quase mais uma dúzia; seu noivo, um rapper nascido Clarence Dexter mas que agora usava o nome único de Mack, fizera centenas de milhões transformando sua carreira musical em uma lucrativa linha de roupas e sapatos. O casamento os tornaria um dos casais mais ricos e famosos do mundo.

Após mais alguns minutos de molho, Andy forçou-se a sair da luxuosa banheira e a traçar uma linha reta para a cabine com o chuveiro, onde se enxaguou feliz e raspou as pernas usando um banco de teca providencialmente fornecido. Vestiu uma calça branca de linho, uma blusa sedosa azul-turquesa e laranja e sandálias rasteiras prateadas, pensando que Emily ficaria orgulhosa de seu look. Enquanto colocava o caderno e o celular na bolsa de palha fornecida pelo hotel, a campainha da vila tocou. Um tímido jovem anguilano em uma camisa meia-manga impecável a cumprimentou silenciosamente e fez um gesto para que o seguisse.

Eles andaram por três minutos e chegaram a um pavilhão que abrigava um bar informal ao lado da piscina. O sol estava começando a se pôr acima da água; o tempo estava mais fresco agora, e uma nesga de lua era visível. Centenas de pessoas perambulavam por ali, segurando coquetéis em cascas de coco e garrafas de cerveja caribenha. Uma banda de reggae de 12 instrumentos tocava músicas da região, e um grupo de crianças, todas vestidas inteiramente em roupas e acessórios de grife, ria e dançava na frente deles. Andy observou a cena, mas a princípio não viu nem Harper nem Mack.

Seu celular tocou no momento em que ela aceitava um copo de água com gás de um garçom uniformizado.

Andy foi até a lateral da tenda e puxou o aparelho da bolsa.

— Em? Ei. Está me ouvindo?

— Onde você está exatamente? Sabe que o jantar de ensaio começou há vinte minutos, certo?

Emily falava tão alto que Andy teve que afastar o telefone do ouvido.

— Estou bem aqui no jantar, conversando com pessoas encantadoras. Não tem com o que se preocupar.

— Porque você sabe que precisamos de alguns detalhes para personalizar tudo e que os melhores brindes aos noivos serão feitos hoje, os mais reveladores...

— É por isso que eu estou aqui, caderno na mão...

Ao olhar para sua carteira minúscula, ela percebeu que havia esquecido de levar uma caneta. Se já estava assim no primeiro trimestre, como seria dali a seis meses?

— O que Harper está vestindo? — perguntou Emily.

— Em? Não estou ouvindo direito. Está ventando muito aqui. — Ela soprou dentro do telefone para criar o efeito.

— Sei. Desligue e me mande uma foto. Estou louca para ver como está tudo.

Andy soprou um pouco mais.

— Pode deixar! Tenho que ir.

Ela desligou e voltou para a festa. Tochas de bambu cercavam toda a área onde convidados se serviam de uma enorme mesa de frutos do mar no centro da tenda ao ar livre. Andy estava prestes a ditar algumas observações no gravador do telefone quando uma mulher com fones de ouvido e carregando uma pasta de couro abarrotada colocou-se bem no seu caminho.

— Você deve ser Andrea Sachs — falou a mulher, parecendo aliviada.

— E você deve ser a assessora de imprensa da Harper...

— Sim, sou Annabelle. — Ela agarrou Andy pelo braço e a puxou na direção das mesas instaladas na areia. — Naquela cesta você vai encontrar chinelos, caso prefira usá-los. A mesa de frutos do mar está ali, canapés estão sendo servidos antes do jantar e é claro que os garçons podem lhe trazer o que você quiser para beber. Mack mandou trazer de avião toda a comida e o vinho especialmente para o fim de semana, então, por favor, tente experimentar tudo. Também posso providenciar um cardápio, se precisar.

Andy assentiu. Assessores de imprensa de estrelas tendiam a ser hiperativos e a falar numa velocidade três vezes maior que a de pessoas normais, mas certamente facilitavam seu trabalho.

— O jantar será servido em breve, seguido por trinta minutos de brindes, organizados pelo agente de Mack, que também é um amigo íntimo, depois vêm a sobremesa e os drinques. Teremos carros de prontidão depois das festividades para levar os jovens à melhor discoteca da ilha e depois trazê-los de volta. Naturalmente, Harper vai se retirar para sua suíte logo após a sobremesa, mas você é mais do que bem-vinda a participar do pós-festa se quiser.

— Discoteca? Ah, acho que vou só...

— Ótimo, muito bom — disse a mulher, continuando a puxar Andy. Elas chegaram a uma mesa redonda para oito, com um dramático centro de mesa em formato de ave-do-paraíso e sete belos convidados conversando entre si. — Chegamos. Pessoal, esta é Andrea Sachs, da revista *The Plunge*. A *Plunge* vai cobrir a festa, então por favor façam com que ela se divirta.

Andy sentiu seu rosto corar quando todo mundo se virou para olhá-la. E então seu estômago deu uma pequena cambalhota ao ouvir uma voz familiar que em um instante a fez voltar dez anos no tempo.

— Ora, ora, quem temos aqui? — cantarolou a voz, com um ar de quem está tanto se divertindo quanto preparando o bote. — Que surpresinha *interessante*!

Nigel sorria para ela, seus dentes excessivamente perfeitos quase brilhando na noite.

Andy tentou dizer alguma coisa, mas sua boca estava seca demais para falar.

Annabelle riu.

— Ah, é verdade, quase esqueci que vocês dois já trabalharam juntos. Que perfeito! — trinou ela, fazendo um gesto para que Andy se sentasse. — É como um pequeno reencontro do pessoal da *Runway*!

Só então ela percebeu que Jessica, a produtora de eventos durante o período de Andy na *Runway*, e Serena, uma das editoras juniores, estavam uma de cada lado de Nigel. Ambas conseguiam parecer mais jovens, mais magras e no geral mais confiantemente lindas do que uma década antes. Não que ela devesse ficar surpresa... era típico da *Runway*.

— Ora ora, eu não sou a garota mais sortuda do mundo? — trinou Nigel. — Andrea Sachs, venha se sentar bem ao meu lado.

Ele estava usando uma mistura de roupão com vestido, todo branco, por cima de uma calça que podia ser um jeans skinny mas que vista atentamente parecia uma legging. Uma echarpe de seda com franjas caía de seu pescoço até os joelhos e exibia uma estampa nada sutil da Louis Vuitton em todo o seu comprimento. Apesar do calor tropical, o conjunto era completado por um chapéu de cossaco de marta e chinelos roxos de veludo.

Andy não teve escolha a não ser sentar-se ao lado de Nigel. Ele abriu um sorriso largo, mas não gentil.

— Nem vou mencionar como você me abandonou! Eu a tomei sob os meus cuidados e é *assim* — ele puxou o tecido da túnica de Andy e franziu o rosto em desgosto — que você me paga? Indo embora? Sem nem se despedir?

Depois do desastre de Paris, Andy não voltara ao escritório da *Runway* para pegar nem um lápis, mas escrevera uma longa carta de agradecimento a Nigel, pedindo desculpas por desrespeitar Miranda e agradecendo a ele por ser seu mentor. Nenhuma resposta. Durante os meses seguintes, Andy lhe mandara por e-mail a mesma carta, alguns outros recados de "Como vai? Estou com saudades!" e até postara no blog de estilo de Nigel. Nada. Emily, por sua vez, alegava que havia voado para o escritório dele segundos após ter sido demitida, só para encontrar a porta fechada e uma assistente nada cooperativa. E que também mandara e-mails para ele, uma vez até o convidara para um jantar particular em homenagem a Marc Jacobs que a *Harper's Bazaar* estava oferecendo, mas que nunca recebera uma resposta.

Andy limpou a garganta.

— Eu sinto muito. Tentei várias vezes...

— Por favor! — guinchou Nigel, acenando com a mão. — Não vamos falar de trabalho em uma festa. Meninas, vocês se lembram de Andrea Sachs, é claro.

Serena e Jessica. Nenhuma das duas assentiu nem ofereceu ao menos um sorriso amarelo. Jessica avaliou os trajes de Andy com uma desaprovação gélida enquanto Serena dava um gole em seu vinho e olhava para Andy por cima da taça. Andy ficou escutando Nigel balbuciar sobre a roupa de Harper e o casaco esportivo de Mack. Andy bebericava sua Pellegrino e ouvia. Ele era louco, sem dúvida, mas uma pequena parte da velha Andy o adorava. A certa altura, Nigel lançou a Andy um olhar cúmplice e virou-se para conversar com a modelo sentada à sua esquerda; Serena e Jessica começaram a circular, e Andy sabia que deveria se levantar para interagir com os outros convidados. Fazia anos que ela não se sentia tão socialmente sem jeito. Dez anos, para ser exata. Ela mordiscou um pouco de pão de milho e tomou mais água com limão, o tempo todo esfregando a barriga embaixo da mesa. Seria o velho clima da *Runway* que a estava deixando tão enjoada ou o fato — que ela continuava tentando esquecer — de que estava inesperadamente grávida e nem mesmo seu marido sabia?

Os brindes começaram. A melhor amiga de Harper, uma cabeleireira que era famosa não só por sua habilidade em pentear mas também por sua militância em defesa dos transexuais, fez uma homenagem tocantemente doce e um pouco tediosa demais ao feliz casal. Foi rapidamente seguida por um dos irmãos de Mack, um jogador profissional de basquete que fez inúmeras referências a Mack e Magic Johnson, nenhuma delas nem remotamente apropriadas. E então veio Nigel, que teceu a história mais linda de que conhecia Harper desde que ela era uma menininha desajeitada, irreconhecível para a multidão que a idolatrava hoje, o que só acontecera graças inteiramente ao trabalho de Nigel. A festa inteira riu ruidosamente.

Por fim, depois que todos os outros haviam passado para a sobremesa, Andy pediu licença e saiu da tenda. Vasculhou sua carteira procurando o celular e discou, quase sem nem pensar no preço do roaming internacional. Aquilo era uma emergência.

Emily atendeu ao primeiro toque.

— Está tudo bem? Por favor, diga que eles não cancelaram o casamento.

— Eles ainda vão casar — falou Andy, aliviada por ouvir a voz da amiga.

— Então por que você está me ligando no meio do jantar?

— Nigel está aqui! Com Serena e Jessica. E eu estou sentada com eles. Este é literalmente o meu pior pesadelo.

Emily riu.

— Ah, qual é, eles não são tão ruins. Vou adivinhar: Nigel fingiu que você nunca o procurou? Que o cortou de sua vida?

— Exatamente.

— Só fique feliz por *ela* não estar aí. Podia realmente ser pior.

— Duas vezes em duas semanas? Eu ia pirar. Tipo, eu ia enlouquecer completamente.

Emily ficou em silêncio do outro lado.

— Você está aí? O que foi? Está agradecendo aos céus por não estar aqui comigo? Vou admitir, Anguilla não me parece mais tão legal agora.

— Não quero que você pire, Andy... — Mas Emily não continuou.

— Ah, não. Por favor. O que houve?

— Não houve nada! Meu Deus, você é sempre tão dramática.

— Em...

— Na verdade, é uma notícia incrível. Talvez a melhor de todos os tempos.

Andy respirou fundo.

— Falei com o advogado do Elias-Clark. Ele me achou direitinho; por falar nisso, descobriu meu celular e me ligou meia hora atrás, o que é muito tarde para um telefonema profissional. Mostra o quanto estão ansiosos! Quer dizer, você acredita que ele...

— Ansiosos para que, Emily? O que ele queria?

Andy podia ouvir alguém fazendo um brinde ao microfone em algum lugar atrás de si, e de repente só queria estar em casa, em sua cama, aconchegada ao lado de Max do jeitinho que eles costumavam fazer antes de ela encontrar o bilhete.

— Bem, no começo ele só reiterou que queria um encontro. Aí eu pensei: vai rolar um megaprocesso, certo? Tipo, falsidade ideológica ou alguma cascata absurda, e Miranda vai...

— Emily. *Por favor.*

— Mas não é isso, Andy! Ele não quis me dizer nada específico até estarmos cara a cara, mas deu a entender que estão interessados "nos negócios da *Plunge*", como ele colocou. Você sabe que isso só pode significar uma coisa!

Andy assentiu para si mesma. Ela sabia exatamente o que significava.

— Estão interessados em nos comprar.

— É!

Andy podia perceber que Emily estava tentando manter a voz neutra, sem se contaminar pelo entusiasmo, mas não estava funcionando.

— Achei que tivéssemos concordado que não íamos vender nos primeiros cinco anos, que gastaríamos um tempo aprimorando o produto e o consolidando. Mal completamos três anos, Emily.

— Você sabe tão bem quanto eu que não se rejeita uma oportunidade como esta! — guinchou Emily. — É do Elias-Clark que estamos falando. Só o maior e mais prestigiado grupo editorial do mundo. Essa pode ser a oportunidade de toda uma vida.

Andy sentiu um pequeno sobressalto. Um entusiasmo, uma satisfação profunda derivavam da ideia de que o Elias-Clark tinha interesse. Além de um verdadeiro pavor.

— Preciso dizer, Em? Preciso? Você esqueceu que Miranda é diretora editorial de todo o Elias-Clark agora, além de editar a *Runway*, e que isso faria com que ela fosse nossa chefe de novo? — Andy fez uma pausa para acalmar a voz. — Só um detalhezinho sem importância, mas talvez você queira levar isso em consideração.

— Não estou preocupada com isso — disse Emily, e Andy quase podia ver sua amiga acenando com a mão como se estivessem discutindo onde comprar sanduíches.

— Claro, porque não está aqui agora, sentada com essas perfeitas tagarelas da *Runway*. Acho que estaria preocupada se estivesse no meu lugar.

Emily suspirou como se essa fosse exatamente a reação que esperava.

— Olhe, Andy, você pode só concordar em manter a mente aberta? Pelo menos até sabermos o que eles querem? Prometo que não vamos fazer nada que seja desconfortável para você.

— Está bem. Porque eu não me sinto à vontade em voltar a trabalhar para Miranda Priestly. Isso eu posso garantir..

— Nós nem sabemos o que eles vão propor! Vá tomar um drinque, tente curtir a festa e deixe todo o resto comigo, está bem?

Andy olhou em volta para o cenário deslumbrante. Talvez outra piña colada sem álcool fosse uma boa ideia.

— É só uma reunião, Andy. Na hora a gente vê. Repita comigo: é só uma reunião.

— Está bem. É só uma reunião

Ela repetiu a frase para si mesma mais três vezes e tentou acreditar, tentou mesmo. Mas a quem estava enganando? Era muito mais aterrorizante do que isso.

Metade de um roupão
desenhado para dois

10
Quanto tempo fazia desde a última vez que haviam se beijado? Ela tentou se lembrar. Parecia impossível, mas só se recordava de algumas ocasiões em que os lábios de Max estiveram nos seus desde que haviam trocado votos e se beijado na frente de trezentos convidados para o casamento. Mesmo familiar, pareceu-lhe um tanto excitante, e quando Max a buscou de táxi no trabalho, sem avisar, pareceu descomplicado: ela estava feliz em vê-lo. E também aliviada por estar de volta de Anguilla, longe de Nigel e da equipe da *Runway*, e sentiu-se segura aconchegando-se nos braços de Max no banco de trás do táxi, todos os cheiros familiares e beijos hábeis. A sensação era como devia ser voltar para casa, pelo menos até aparecer na TV do táxi um comercial sobre os voos da JetBlue para as Bermudas.

Max seguiu o olhar dela. Ele sabia exatamente o que Andy estava pensando, mas tentou distraí-la com mais amassos apaixonados.

Ela tentou beijá-lo de volta, mas de repente só conseguia pensar naquele bilhete da mãe dele.

— Andy...

Max podia senti-la se retraindo. Tentou segurar sua mão, mas ela puxou-a. Os hormônios da gravidez certamente não a estavam ajudando a superar isso. Ela lera em algum lugar que futuras mães começam a odiar o cheiro de seus maridos. Seria possível que isso já estivesse acontecendo?

Max passou seu cartão de crédito quando o táxi encostou diante do prédio deles, na Décima Sexta com a Oitava. Segurou a porta aberta para Andy e trocou gentilezas com o porteiro da noite. Andy foi a primeira a entrar no apartamento e Stanley se jogou em cima dos dois em um frenesi, depois os seguiu até o quarto de casal, onde ficava a cama king size de dossel e a espreguiçadeira de leitura. Ela fez sons de beijos para o cão e ele a atendeu, seguindo-a até o banheiro, onde ela trancou a porta, abriu a água da banheira e o pegou no colo.

— Eca, você está fedendo — sussurrou ela na orelha caída dele, o rosto enterrado em seu pescoço quente.

Stanley era viciado em mastigar uma espécie de bifinho de couro duro que supostamente era feito de pênis de touro, e saber desse ingrediente lhe dava ânsias de vômito sempre que ela pensava a respeito, grávida ou não.

Ele lambeu o rosto dela, conseguindo enfiar a pontinha da língua em sua boca, e Andy quase botou tudo para fora. Stanley latiu um pedido de desculpas.

— Está tudo bem, rapaz. Essa não foi nem de longe a única coisa que me deu vontade de vomitar ultimamente.

Ela despiu o vestido-envelope, a meia-calça preta, o sutiã e a calcinha e virou-se para examinar seu perfil. Tirando a raivosa marca vermelha no meio do corpo, onde as meias a haviam apertado o dia inteiro, Andy precisava admitir que sua barriga parecia basicamente a mesma de sempre. Não totalmente chapada, ela podia ver enquanto passava a mão por cima. Mas o ligeiro volume que via não era nada novo, definitivamente. Talvez sua cintura estivesse um tantinho mais grossa, não tão definida quanto estivera um ou dois meses antes. Logo iria desaparecer por completo. Ela sabia disso, mas ainda assim parecia impossível imaginar — quase tão difícil quanto o carocinho dentro dela com um coração batendo.

Com as luzes baixas e Stanley esticado em cima de uma toalha na plataforma lateral da banheira (onde ele ocasionalmente mergulhava o focinho na água e tomava um gole), Andy afundou e exalou o ar dos pulmões. Max bateu na porta para perguntar se ela estava bem.

— Estou ótima, só tomando um banho de banheira.

— Por que você trancou a porta? Eu quero entrar.

Andy olhou para Stanley, que estava ofegando, a cabeça suspensa, logo acima da água quente.

— Foi sem querer.

Ela ouviu os passos dele se afastando.

Ela molhou uma toalhinha e a esticou em cima do peito. Inspirar fundo, expirar demoradamente. Permitiu-se flutuar, levemente, só por alguns minutos. O e-mail semanal da Baby-Center que informava sobre o desenvolvimento de seu bebê a lembrara de que os banhos de banheira durante a gravidez deveriam ser mornos, não quentes, e como ela não suportava banhos que fossem menos do que escaldantes, Andy comprometera-se consigo mesma a permanecer submersa apenas por cinco minutos. Não era a longa e calmante sessão de relaxamento à qual ela normalmente se entregava antes de ir para a cama, mas teria que servir.

Enquanto a água escoava ruidosamente, Andy vestiu seu roupão felpudo. Era metade de um presente de noivado dos avós maternos de Max. O de Andy era vermelho-maçã com um bordado branco no peito esquerdo que dizia "Sra. Harrison"; o de Max era branco, com "Sr. Harrison" em vermelho. Enquanto amarrava o cinto, ela pensou sobre a discussão que havia se seguido quando ela mostrara o presente a Max.

— Legal — dissera ele, largando a infame mochila surrada que arrastava para todo lado, mesmo naquela época.

— Foi muito legal a intenção, mas eles nem perguntaram se eu vou trocar meu nome ou não — falou Andy.

— E daí? — indagou Max, puxando-a para um beijo. — Ela deduziu assim. Tem 91 anos. Dá um desconto.

— Não, eu entendo. É só que... eu não vou mudar meu nome.

Max riu.

— É claro que vai.

Sua confiança arrogante a arrepiou mais do que qualquer coisa que ele pudesse ter dito ou feito.

— Meu nome é Andrea Sachs há mais de três décadas e eu quero que continue assim. O que você acharia se alguém pedisse para você mudar de nome a esta altura da sua vida?

— É diferente...

— Não é não.

Ele olhou para ela, olhou para ela de verdade.

— Por que você não quer usar o meu nome? — perguntou ele, com uma voz tão genuinamente magoada que ela quase mudou de ideia na hora.

Ela apertou a mão dele.

— Não é uma espécie de declaração política, Max, e não tem nada de pessoal nisso. Sachs é só o nome com o qual eu cresci, o nome com o qual estou acostumada. Trabalhei muito para construir uma carreira, e Sachs é o nome que usei durante o caminho. É tão difícil de entender isso?

Max ficou em silêncio. Ele deu de ombros e suspirou. Andy percebeu que era provavelmente só a primeira de várias conversas. Isso era casamento, certo? Discussões e meios-termos? Ela o abraçou e beijou seu pescoço e ambos pareceram deixar o assunto de lado, mas virou rapidamente uma daquelas discussões que representavam muitas outras questões maiores. *Quem não quer ter o nome do marido?*, ele não parava de perguntar, a descrença em sua voz. Usou o trunfo dos pais ("Minha mãe te ama como se fosse a própria filha"), o que agora lhe dava vontade de gritar ao se lembrar disso; o trunfo dos avós ("Este nome está na nossa família há inúmeras gerações") e o trunfo da culpa ("Achei que você fosse ter orgulho de eu ser seu marido — eu tenho orgulho de tê-la como minha esposa") e, quando todo o resto fracassou, ele tentou desanimadamente uma ameaça: "Se você não quer usar meu nome para que o mundo veja, talvez eu não devesse usar uma aliança de casamento para que o mundo veja", mas quando ela simplesmente deu de ombros e disse que ele podia ou não usar aliança, ele pediu desculpas. Admitiu que estava decepcionado, mas que tentaria respeitar a decisão dela. Ela imediatamente sentiu-se ridícula por bater o pé em relação a algo que obviamente era tão importante para ele, ainda mais quando não tinha *tanta* importância assim para ela. Quando enlaçou o pescoço dele e disse que ainda usaria Sachs profissionalmente, mas que ficaria feliz em mudar para Harrison para todo o resto, Max quase desabou de tanta gratidão e alívio. Mas ela também ficara secretamente feliz em fazê-lo: podia ser antifeminista e antiquado e o que quer que fosse, mas ela *gostava* de dividir um sobrenome com seu marido. Agora seu bebê também seria um Harrison.

— Ei — falou ele, erguendo os olhos de sua *GQ* quando Andy se aproximou da cama. Estava usando apenas uma cueca samba-canção da Calvin Klein. Seu tom de pele era daquela cor de oliva perfeita que dá a impressão de que a pessoa está sempre um pouco bronzeada; seu abdome era bem definido sem ser ofensivo e seus ombros eram reconfortantemente largos. Ela sentiu uma onda de atração, sem conseguir se conter.

— Bom banho?

— Sempre.

Ela pegou água de uma jarra que mantinha em sua mesinha de cabeceira e tomou um gole. Queria se virar e admirar o corpo de Max, mas forçou-se a pegar seu livro.

Max chegou mais perto dela. Seus bíceps se flexionaram conforme ele a abraçou por trás e beijou seu pescoço. Ela sentiu uma descarga familiar de excitação na barriga.

— Sua pele está tão quente. Você devia estar cozinhando lá dentro — murmurou ele, e Andy imediatamente pensou no bebê.

Ela o sentiu beijando seu pescoço novamente e, antes que percebesse o que estava acontecendo, Max havia escorregado seu roupão pelos ombros até sua cintura. As mãos dele se esticaram para pegar suavemente em seus seios. Andy escorregou para longe do toque dele e enrolou-se no roupão novamente.

— Não posso — falou, desviando o olhar.

— Andy. — A voz dele estava pesada, decepcionada. Derrotada.

— Sinto muito.

— Andy, vem cá. Olhe para mim. — Ele lhe tocou o queixo com os dedos e gentilmente virou o rosto dela para o seu. Beijou-a suavemente na boca. — Sei que te magoei, e isso me deixa arrasado. Toda esta situação. — Ele gesticulou em círculos com a mão. — Minha mãe, você não poder confiar em mim, não querer estar perto de mim... a culpa é minha e eu entendo por que você está se sentindo assim. Mas era só um bilhete, e não aconteceu *nada*. Nada. Eu sinto muito, mas só por não te contar, nada mais que isso. — Ele fez uma pausa, irritado agora. — Você precisa esquecer isso. Talvez o castigo esteja sendo maior do que o crime.

Andy podia sentir a garganta se contrair e sabia que as lágrimas logo se seguiriam.

— Eu estou grávida — disse, sua voz um mero sussurro.

Max congelou. Ela podia senti-lo olhando fixamente para ela.

— O quê? Eu...

— Sim. Estou grávida.

— Ah, meu Deus, Andy, isso é a coisa mais incrível. — Ele se levantou de um salto e começou a andar de um lado para o outro, um olhar de entusiasmo ansioso no rosto. — Quando você descobriu? Como sabe? Já foi a um médico? É de quanto tempo?

Ele caiu de joelhos ao lado da cama e pegou as mãos dela nas suas.

A felicidade óbvia de Max era reconfortante. Aquilo já estava sendo bastante difícil; ela não conseguia imaginar como seria se ele reagisse com ambivalência (ou coisa pior) diante da notícia. Sentiu-o apertar suas mãos, e ficou grata por isso.

— Quando fui ao Dr. Palmer na semana passada, lembra? Antes de Anguilla? Eles fizeram um exame de urina e ligaram aquela noite para me dar a notícia.

Era melhor omitir a parte em que ela pedira um exame completo de DSTs.

— Você sabe desde a *semana passada* e não me contou?

— Sinto muito — falou ela novamente. — Eu precisava de um tempo para pensar.

Max ficou olhando para ela com uma expressão inescrutável.

— Bom, eles acham que não é uma gravidez "recente", seja lá o que isso signifique. Não podem dizer com certeza até eu fazer um ultrassom, mas acho que aconteceu naquela vez em Hilton Head...

Ela ficou observando enquanto Max se lembrava. A casa que haviam alugado para uma semana de veranico com Emily e Miles. Aquela única noite na ducha ao ar livre, logo antes do jantar, quando entraram escondido como dois adolescentes. Quando Andy jurou a Max que era um período seguro, que tinha ficado menstruada na semana anterior, e eles se deixaram levar.

— Na ducha? Você acha que foi lá que aconteceu?

Andy assentiu.

— Eu estava trocando de pílula naquele mês e fiquei algumas semanas sem, então devo ter calculado errado.

— Você sabe o que isso significa, não sabe? Era o destino. Este bebê era o destino.

Essa era a frase favorita de Max. O encontro deles — era o destino. O sucesso da revista dela — era o destino. O casamento deles — era o destino. E agora o bebê.

— Bem, disso eu não sei — falou Andy, mas não pôde deixar de sorrir. — Acho que significa que temos uma prova concreta de que tabelinha não funciona, mas é, acho que você também pode ver as coisas dessa forma.

— Quando você pode fazer o ultrassom? Para saber para quando é o bebê?

— Marquei uma consulta com a minha ginecologista para amanhã.

— A que horas? — perguntou Max, quase antes que ela pudesse terminar a frase.

— Nove e meia. Eu queria mais cedo, mas eles só tinham esse horário.

Ele imediatamente pegou o telefone. Andy quis abraçá-lo enquanto o ouvia deixar instruções para sua secretária cancelar ou reagendar todas as reuniões programadas para a manhã seguinte.

— Posso levá-la para tomar café da manhã antes da nossa consulta?

Por que tinha esperado tanto para contar a ele? Ali estava Max, o seu Max, o homem com quem ela havia se *casado*. É claro que ele estava felicíssimo com a notícia de que iam ter um bebê. É claro que ele iria cancelar tudo, sem nem um segundo de hesitação, para poder comparecer com ela à primeira consulta — e a todas, ela apostava nisso. É claro que ele havia imediatamente, instintivamente, mudado para *nossa* e iria sem dúvida usar frases como *Estamos grávidos* e expressões como *nosso bebê*. Ela não achara que ele agiria de qualquer outra maneira, mas ainda era um alívio intenso vivenciar isso em primeira mão. Ela não estava totalmente sozinha.

— Bem, eu estava pensando em ir ao escritório por uma ou duas horas antes. Estou tão atrasada ultimamente. Primeiro o casamento, aí a náusea e agora todo esse negócio do Elias-Clark...

— Andy. — Ele apertou a mão dela novamente e sorriu. — Por favor.

— É. Café da manhã parece bom.

Uma onda de náusea a tomou. E deve ter transparecido em seu rosto, porque Max perguntou se ela estava bem. Ela acenou, incapaz de falar, e foi correndo para o banheiro. Enquanto vomitava, ela o ouviu ligando para a mercearia da esquina e pedindo água tônica, bolachas de sal, bananas e purê de maçã. Quando voltou para a cama, ele a olhou com compaixão.

— Pobrezinha. Vou cuidar muito bem de você.

Sua cabeça latejava por ter vomitado, porém, por mais estranho que parecesse, ela não se sentia tão bem assim fazia semanas.

— Obrigada.

— Venha cá, me dê seus pés.

Ele fez um gesto convidando-a a se sentar ao seu lado e puxou suas pernas para o colo.

A massagem era divina. Ela fechou os olhos.

— Lá se vai uma lua de mel em Fiji — disse ela, lembrando-se disso pela primeira vez. — Embora eu ache que não tem por que não irmos em dezembro, desde que esteja tudo bem.

Max parou de massagear seus pés e olhou para ela.

— Você não vai viajar para o outro lado do mundo e ficar a centenas de quilômetros da sua médica. Colocar o seu corpo sob todo o estresse de jet lag e da viagem? De jeito nenhum. Teremos tempo para Fiji depois.

— Não está chateado por não ir?

Max balançou a cabeça.

— Vamos dar tudo para a nossa filha, Andy, você vai ver. Você vai criar o quartinho perfeito e enchê-lo de bichinhos de pelúcia e roupinhas lindas e um monte de livros e eu vou aprender tudo o que há para aprender sobre bebês para saber o que fazer desde o primeiro dia. Vou trocar fraldas e dar mamadeira e levar nossa menininha para passear de carrinho. Vamos ler histórias para ela todos os dias e contar como nos conhecemos e, nas férias, vou levá-la para a praia, onde ela vai sentir a areia debaixo dos pés e aprender a nadar. E ela vai ser muito amada. Pelas nossas duas famílias.

— Ela, é?

Seu corpo inteiro havia relaxado, e pela primeira vez em semanas seu estômago se acalmou.

— É claro. Ela vai ser uma linda menininha loura. É o destino.

Quando ela abriu os olhos novamente, o relógio marcava 6h45. Ela estava debaixo do edredom, ainda de roupão, Max roncando de leve ao seu lado. As luzes estavam baixas, mas não apagadas; eles deviam ter adormecido no meio da conversa.

Depois que ambos tomaram banho e se vestiram, Max fez sinal para um táxi na rua e orientou o motorista a ir para o Sarabeth's, no Upper East Side, um minúsculo e charmoso café perto do consultório da ginecologista de Andy. Ela só conseguiu comer torrada com geleia caseira e tomar uma xícara de chá de camomila, mas gostou de ver Max devorar sua omelete de queijo, o bacon extracrocante, dois copos de suco de laranja e um café com leite grande. Ele falou animadamente enquanto comia, entusiasmado com a consulta dali a pouco, tagarelando sobre datas possíveis para o parto e perguntas que faria à médica e ideias de como dariam a notícia para suas famílias.

Eles pagaram a conta e percorreram a pé os seis quarteirões até a Madison Avenue. A sala de espera estava cheia; Andy podia contar pelo menos três mulheres visivelmente grávidas, duas com os respectivos maridos, e um punhado de mulheres provavelmente jovens demais ou velhas demais para estarem esperando um filho. Como ela nunca percebera isso antes? Como era estranho estar ali com Max segurando sua mão, dando o nome dos dois na recepção. Andy ficou chocada quando a recepcionista mal olhou para cima. Ela acabara de anunciar que estava ali para um ultrassom. Seu primeiro! Isso não era novidade para *todo mundo*?

Quinze minutos depois, uma enfermeira chamou seu nome e lhe entregou um potinho de plástico para exames.

— O banheiro é no final do corredor, à sua direita. Por favor, traga a amostra para a sala de exames número 5. O seu marido pode esperar lá.

Max sorriu para Andy, lançou-lhe um olhar de *boa sorte* e seguiu a enfermeira na direção das salas de exame. Quando

Andy o encontrou lá, três minutos depois, ele estava andando de um lado para o outro do minúsculo aposento.

— Como foi? — indagou ele, passando a mão pelo cabelo.

— Eu mijei na minha mão. Como sempre.

— É realmente tão difícil assim? — Max riu, parecendo aliviado com a distração.

— Você não faz ideia.

Outra enfermeira chegou, uma mulher corpulenta com um sorriso gentil e cabelo grisalho. Depois de mergulhar um palito na urina de Andy e declará-la perfeita, mediu sua pressão arterial (também perfeita) e perguntou quando havia sido sua última menstruação (Andy podia apenas determinar vagamente a época).

— Então é isso, meu bem, a Dra. Kramer vai vir logo. Suba na balança, não se esqueça de descontar meio quilo das roupas, tire toda a roupa da cintura para baixo e se cubra com isto.

Ela lhe entregou uma folha de papel e fez um gesto na direção da mesa de exames. Tanto Max quanto Andy ficaram olhando com fascínio e asco enquanto ela cobria uma sonda ligada à máquina de ultrassom com algo que parecia um preservativo e então espremia uma gota grossa de gel KY na ponta. Então lhes desejou um bom-dia e fechou a porta ao sair.

— Então é assim que isso vai rolar — brincou Max, olhando para a sonda, agora mais fálica do que nunca.

— Devo confessar: achei que essa coisa passaria sobre a barriga. É sempre assim na TV...

A porta se abriu. A Dra. Kramer deve tê-los ouvido, porque sorriu e disse:

— Acho que é um pouco cedo demais para o ultrassom abdominal. Como o seu feto ainda é muito pequeno, só o transvaginal consegue detectar.

A médica se apresentou a Max e começou a preparar o equipamento. Era uma mulher franzina e bonita, de quase 40 anos, e seus movimentos eram rápidos e seguros.

— Como está se sentindo? — perguntou ela, olhando por cima do ombro. — Alguma tontura ou enjoo?

— Os dois.

— Totalmente normal. A maioria das mulheres acha que diminui com 12 ou 14 semanas. Você consegue segurar bebidas sem corante, cream cracker, essas coisas básicas?

— Na maioria das vezes — respondeu Andy.

— Não se preocupe muito com o que está comendo agora. O bebê consegue absorver tudo o que precisa do seu corpo. Só tente fazer refeições pequenas e frequentes e descanse bastante, está bem?

Andy assentiu. A Dra. Kramer subiu um pouco a folha de papel e a instruiu a escorregar mais para baixo na mesa e colocar os pés nos suportes acolchoados. Andy sentiu uma pressãozinha e uma sensação fria e rápida entre as pernas, depois mais nada. Era menos invasivo até que um exame pélvico, pensou ela com alívio.

— Lá vamos nós — falou a Dra. Kramer, mexendo muito ligeiramente a sonda. A tela se encheu com a visão familiar de bolhas brancas e pretas, como eles tinham visto tantas vezes nos filmes. A médica apontou para uma bolha específica bem no meio do que parecia ser um vácuo preto. — Ali. Estão vendo? Aquele tremeluzir bem ali? É o coração do bebê de vocês, batendo.

Max estava de pé, agarrando a mão de Andy.

— Onde? Aquilo ali?

— É, isso mesmo. — Ela pausou e examinou a tela. — E parece uma batida forte e saudável. Esperem, um segundo... ali.

Ela moveu a sonda um pouco e aumentou o volume. O batimento cardíaco parecia um pulso rítmico, subaquático, tão rápido quanto o galope de um cavalo. O som preencheu a sala.

Andy estava deitada de costas, capaz apenas de levantar o pescoço alguns centímetros, mas podia ver perfeitamente a tela e a bolha e seu coraçãozinho tremeluzente: seu bebê. Era de verdade e estava vivo e crescia dentro dela. Suas lágrimas desceram silenciosamente e seu corpo permaneceu imóvel, mas ela não conseguia parar de chorar. Quando olhou para Max, que observava a tela e ainda apertava sua mão a ponto de quase esmagar seus ossos, viu que os olhos dele também estavam marejados.

— Você está com cerca de dez semanas e cinco dias, e tudo parece absolutamente perfeito. — A médica pegou uma roda de plástico com cartões e começou a escorregar os dois discos em volta um do outro. — Vamos continuar a determinar a data da gravidez com ultrassons, já que você não tem certeza do dia, mas de acordo com o que estamos vendo hoje, você deve dar à luz em primeiro de junho. Parabéns!

— Primeiro de junho — sussurrou Max reverentemente, como se fosse o melhor dia no mundo inteiro. — Um bebê que vai nascer na primavera. É perfeito.

Todas as dúvidas, os medos e a raiva por causa da carta não desapareceram de uma hora para outra — Andy achava que talvez jamais desaparecessem —, mas ver aquele feijãozinho vivo dentro dela, saber que ela e Max o haviam feito juntos e que o conheceriam em breve e que seriam, se Deus quisesse, seus pais para sempre fez tudo aquilo recuar para segundo plano. E quando a médica lhes disse para encontrá-la no consultório e os deixou sozinhos, e Max quase pulou em cima da mesa para junto dela, de tanta alegria e felicidade, e gritou "Eu amo você" tão alto que Andy deu uma risada escandalosa, ficou tudo ainda mais irrelevante. Andy se prometeu que faria as coisas darem certo com Max. Ela o perdoaria e superaria quaisquer dúvidas. Era a única forma de seguir em frente. Pelo filho deles.

Mais ou menos famosa
que a Beyoncé?

11 O edifício que abrigava os escritórios da *Plunge* era, ainda bem, diferente em todos os aspectos do Elias-Clark, e até mesmo do prédio sem elevador no West Village que o *Felizes para Sempre* chamava de lar. Originalmente uma madeireira nos anos 1890, o edifício passara por algumas encarnações — frigorífico, moinho de processamento de alimentos, depósito de tecidos e oficina de móveis — antes de se tornar, previsivelmente, um espaço convertido em loft com janelas do teto ao chão, paredes de tijolos aparentes, piso de madeira recuperada e vista muito badalada para o rio Hudson (também conhecida como vista para Jersey City). Andy ainda se lembrava do entusiasmo de Emily, três anos antes, quando o corretor que vinha lhes mostrando espaços para escritórios as levou até a Vigésima Quarta com a Décima Primeira. O prédio, que mais parecia um forte, era impressionante, mas Andy se perguntou: a vizinhança não parecia um pouco... crua demais? Emily desdenhou enquanto passava cautelosamente por cima de um homem desmaiado perto da entrada.

— Crua? Tem personalidade, e é exatamente de personalidade que precisamos!

Personalidade em vez de um bom sistema de aquecimento/ ar-condicionado e garantias razoáveis de que não seriam assassinadas ainda incomodavam Andy, mas ela não podia negar que o interior do escritório era mil vezes mais bonito que qualquer coisa que elas já tinham visto, além de mais barato.

Ela abriu a porta pantográfica de metal do elevador, entrou e fechou-a atrás de si, um movimento que havia aperfeiçoado a ponto de fazê-lo sem erros mesmo carregando vários copos de café quente. Todos os dias Andy jurava que subiria de escada; todos os dias entrava no elevador e pensava: *Amanhã*. Chegando ao quarto andar, ela sorriu para a recepcionista do momento, sempre uma universitária recém-formada e superqualificada que saía logo do emprego, o que fazia com que ela ou Emily continuassem entrevistando novas candidatas eternamente.

Era gostoso chegar tarde de vez em quando.

— Bom dia, Andrea — disse Agatha.

Ela estava usando um vestido azul-marinho com meia-calça creme e sapatos de couro vermelho de saltos grossos. Andy ficou imaginando, como era de hábito, como sua assistente conseguia se manter o tempo todo na moda. Devia ser exaustivo.

— Bom dia! — exclamou Andrea, meio alto demais.

Agatha ficou de pé, esperando como um cão de guarda, enquanto Andy passava por ela e entrava em sua sala, que era apenas uma versão maior (e cercada de vidro) das pequenas baias em volta.

— Venha comigo.

Pensando imediatamente que isso soava duro e autoritário demais, Andy acrescentou, com uma risada forçada:

— Se tiver um minuto.

— Então, Emily está ligando atrás de você a cada, tipo, três segundos. Prometi a ela que mandaria você direto para lá.

— Eu avisei a ela que chegaria tarde hoje. É a primeira manhã em seis meses que ela chega antes de mim e está histérica, é? — falou Andy, pensando que provavelmente fora o telefonema do Elias-Clark que deixara Emily agitada daquele jeito.

— Tudo bem, estou indo até lá agora. Pode por favor passar

qualquer ligação do pessoal do casamento da Harper para a sala dela?

Agatha assentiu. Ela parecia extremamente entediada.

O que a *Plunge* tinha em comum com a *Runway*: garotas de pernas compridas que adoravam salto agulha e usavam roupas de grife. Seguindo o acordo de trabalho que haviam feito, Emily fora responsável pelas contratações do escritório, com exceção de Carmella Tindale — meio editora, meio diretora-executiva —, que ela havia roubado do *Felizes para Sempre* e sem a qual Andy sentia que não podia viver. Coincidentemente, Carmella era um tanto gordinha, com cabelo castanho rebelde e três centímetros de raízes grisalhas. Gostava de usar terninhos disformes com tamancos Merrell no inverno e FitFlops no verão, e sua única tentativa de ter certo estilo era uma mochila Prada verdadeira (de acordo com Emily) que ela própria enfeitara com uma variedade interessante de cola colorida, strass e linhas coloridas. Carmella era um inegável desastre de proporções épicas em termos de moda, e Andy a adorava. As outras funcionárias, porém, eram primas próximas das tagarelas da *Runway*, cada uma mais magra, mais bonita e com pernas mais compridas que a outra. Totalmente deprimente.

— Bom dia, Andy — disse Tal, uma israelense esbelta de pele clara, cabelo pretíssimo e um corpo capaz de fazer parar um tanque de guerra.

Ela estava usando uma calça cargo skinny com um blazer curto e botinhas de camurça de salto alto.

— Bom dia, Tal. Você chegou a entrar em contato com o pessoal da OPI? Precisamos de um sim ou não definitivo até o final da semana.

Tal assentiu.

O celular de Andy tocou.

— Ótimo. Me avise assim que souber. — Ela voltou sua atenção para o telefone. — Max? Está aí?

— Oi, amor. Como está se sentindo?

Até ele falar, ela vinha se sentindo bem, mas no momento em que pensou sobre como se sentia, uma onda de náusea a dominou.

— Estou bem. Entrando na sala da Emily para uma reunião. O que está acontecendo?

— Eu estava pensando. E se convidarmos minha mãe, minha irmã, sua mãe, Jill, Kyle, seu pai e Noreen para jantar lá em casa? Podemos dizer a eles que é para nos ajudar a escolher as fotos para o álbum do casamento. Aí aproveitamos para dar a notícia.

Ela quisera tanto contar à mãe e a Jill quando as vira da última vez, mas agora que Lily e Max sabiam — e Emily também, ia lhe contar naquele exato instante —, de certa forma parecia o bastante.

— Ah, sei lá...

— Vai ser ótimo. Temos aquele exame do primeiro trimestre, como foi que ela chamou?

— A translucência nucal.

— Isso. Então teremos isso no começo da semana que vem para ter certeza que está tudo bem, o que é claro que vai estar, e então vamos fazer de nossas famílias as pessoas mais felizes na face da Terra. Posso pedir para o produtor de eventos da empresa encontrar um bufê. Eles vão trazer tudo, cozinhar, limpar... Você não vai precisar levantar um dedo. O que me diz?

Andy sorriu para uma tagarela do departamento de arte que passou por ela com botas até as coxas e o que devia ser cinco quilos de correntes douradas amarradas e retorcidas com maestria em volta do pescoço.

— Andy?

— Desculpe. Hum... Tudo bem, eu acho. Parece uma boa ideia.

— Vai ser ótimo! No próximo sábado à noite?

— Não, Jill, Kyle e os meninos vão voltar para o Texas no sábado de manhã. Talvez sexta?

— Claro. Vou falar com todo mundo e acertar os detalhes. Andy?

— Hum?

— Vai ser ótimo. Eles vão ficar tão felizes por nós...

Andy imaginava o que Barbara acharia. A temida nora lhe dando um muito esperado neto. Que dilema! Seu rosto cheio de Botox provavelmente não revelaria nada. Mas talvez a notícia de um bebê melhorasse as coisas entre elas...

— Adorei. É uma maneira perfeita de contar a eles.

— Eu amo você, Andy.

Ela hesitou só por um instante, uma fração de segundo, na verdade, e então disse:

— Também amo você.

— Andy? Entre aqui! — ordenou Emily de seu cubículo de vidro. Era uma frase que soava assustadoramente familiar.

— Acho que você está sendo convocada. A gente se fala mais tarde — disse Max, e desligou. Andy quase podia ouvi-lo sorrindo.

Ela entrou na sala de Emily, afundou em uma das cadeiras de couro e tirou os mocassins para enterrar os pés no fofíssimo tapete de pele de carneiro. Desdenhando o orçamento frugal para decoração dos escritórios da revista, Emily gastara uma fortuna pessoal para fazer com que sua sala parecesse saída da *Elle Decor*. A mesa de laca vermelha com cadeiras de couro branco e o tapete eram só o começo. Uma estante elegante e discreta abrigava sua coleção de livros e revistas; cortinas brancas translúcidas adornavam as enormes janelas; e fotos ampliadas de todas as capas da *Plunge* desde a primeiríssima edição cobriam a única parede de tijolos expostos. Nas duas divisórias de vidro que separavam a sala do resto do loft, Emily havia pendurado uma coleção de bibelôs e enfeites de vidro colorido que captavam a luz e jogavam feixes de cor em todas as direções. Uma moderna escultura em tamanho natural de dois dálmatas alegrava o canto, e um frigobar Sub-Zero instalado na lateral de uma estante horizontal mantinha bem gelado seu suprimento de Evian, champanhe rosé e chás da marca Honest. Uma dúzia de fotos pessoais elegantemente emolduradas se empoleiravam em todas as superfícies. Andy lembrou-se que Emily antes sonhara em ser assistente de Miranda desde os 12 anos. Ou talvez sonhasse em ser Miranda?

— Graças a Deus, você finalmente chegou! — disse Emily, erguendo os olhos do computador. — Vou só terminar este e-mail, me dê dois segundos...

Andy reparou em uma pilha de provas de fotografias do próprio casamento, ali ao lado. Pegou a de cima e a observou. Havia adorado quando a vira na tela e a adorava ainda mais agora impressa. Talvez fosse uma das únicas fotos de todo o seu casamento em que ela achava que seu sorriso era inteiramente genuíno. Assim que a música começara a tocar para a primeira dança, Max viera por trás e passara os braços em volta dela. Ele a beijara na lateral do pescoço, o que lhe provocara cócegas, e ela jogara a cabeça para trás por cima do ombro dele, rindo de surpresa e felicidade. A foto era completamente natural, nada posada. Seria uma escolha não tradicional para a capa, mas tanto Andy quanto Emily estavam considerando fazer algo diferente.

— Nem acredito que estamos quase fechando a edição de março — comentou Andy, olhando para a própria foto.

— Hum — murmurou Emily, os olhos grudados na tela.

— Acha mesmo que podemos usar uma foto espontânea para a capa? Não é... desleixado demais?

Emily suspirou.

— Ainda é de St. Germain. Não foi um flagra qualquer tirado por um primo seu.

— Verdade. Eu gosto bastante...

Emily abriu a primeira gaveta de sua mesa, tirou um maço de Marlboro e um isqueiro, pegou um para si mesma e ofereceu a embalagem a Andy.

— Você está no nosso *escritório*, Emily — disse Andy, odiando soar como uma mãe.

Emily tocou a ponta do cigarro com a chama do isqueiro, inalou profundamente e exalou um fluxo longo e contínuo de fumaça.

— Estamos comemorando.

— Já faz seis anos — disse Andy, olhando nostalgicamente para o cigarro. — Por que isso ainda parece tão bom?

Emily estendeu o maço novamente, mas Andy só balançou a cabeça em recusa. Ela sabia que provavelmente devia sair da sala até Emily terminar — tinha que pensar no bebê agora —, mas Emily a mataria.

— O que estamos comemorando? — perguntou Andy, paralisada pelas exalações longas e sensuais de Emily.

— Você nunca vai adivinhar quem me ligou hoje de manhã — disse Emily, dando uma reboladinha estranha na cadeira.

— Beyoncé?

— Não. Por que a Beyoncé?

— Mais ou menos famosa que ela?

— Quem é mais famosa que a Beyoncé?

— Emily, dá para dizer logo?

— Adivinhe. Você *nunca* vai adivinhar, mas tente.

— Isso parece divertido. Vejamos... Jay-Z?

Emily grunhiu.

— Mas que falta de imaginação. Quem seria a última pessoa no universo que ligaria para o nosso escritório pedindo para marcar uma reunião?

Andy soprou nas mãos para aquecê-las.

— Obama?

— Você é inacreditável. Não tem mesmo a menor imaginação!

— Emily...

— Miranda! Mi-ran-da Priest-ly ligou para nós hoje de manhã.

— Duvido. — Andy balançou a cabeça. — Totalmente impossível. A não ser que tenha havido alguma espécie de insurreição popular na *Runway* da qual não ouvimos falar,

Miranda não ligou para cá. Porque Miranda não telefona para lugar nenhum. Porque da última vez que eu verifiquei, Miranda era física, mental e emocionalmente incapaz de discar números em um telefone sem a ajuda de outra pessoa.

Emily inalou rapidamente e esmagou o cigarro em um cinzeiro enfeitado de vidro colorido que mantinha escondido em sua mesa.

— Andy? Você está me escutando?

— O quê?

Ela olhou para Emily, que a encarava com descrença e choque.

— Ouviu alguma coisa do que eu disse?

— É claro. Mas me conte de novo. Estou tendo dificuldades para processar.

Emily suspirou dramaticamente.

— Enfim: não, não foi ela própria que ligou. Foi a assistente sênior, uma garota sul-africana chamada Charla, que perguntou se você e eu poderíamos ir ao escritório dela para uma reunião. Daqui a duas semanas. Ela ressaltou que seria com a própria Miranda.

— Como você sabe que ela era sul-africana? — perguntou Andy, só para irritá-la.

Emily parecia que ia explodir.

— Você não ouviu o que eu acabei de dizer? Nós, você e eu, vamos ter uma reunião com Miranda!

— Ah, eu ouvi. Estou tentando não hiperventilar.

Emily juntou as mãos.

— Só existe um motivo para isso. Só pode ser para discutir uma possível aquisição.

Andy olhou para seu celular e jogou o telefone de volta na bolsa.

— Você está louca se acha que eu vou a essa reunião.

— É claro que vai.

— Não vou não! Meu coração é fraco, não aguenta. Sem falar no meu amor-próprio.

— Andy, aquela mulher é a diretora editorial do Elias-Clark. Ela é o árbitro editorial final de cada revista da empresa. Sabe Deus por que ela solicitou a nossa presença às onze horas da outra sexta. E você, minha amiga e cofundadora, vai estar lá.

— Será que ela sabe que usamos o nome dela para conseguir um espaço na agenda das celebridades?

— Andy, eu duvido que ela se importe com isso.

— Acho que li em algum lugar que ela autorizou aquele historiador famoso, aquele todo intelectual, a escrever uma biografia sua. Talvez ela queira que ele nos entreviste, será?

Emily revirou os olhos.

— Aham. Bem provável. Dos 3 milhões de pessoas com quem ela trabalhou todos esses anos, Miranda vai querer entrevistas de quem ela demitiu na frente de trinta funcionários sem qualquer justificativa e uma outra que a mandou ir se foder quando estavam em Paris. Tente novamente.

— Não faço ideia. Mas sabe de uma coisa? Não tenho o menor problema em nunca vir a saber.

— Como assim, nunca saber?

— É isso mesmo. Acho que posso viver uma vida plena e completa sem saber por que Miranda Priestly de repente quer nos encontrar.

Emily suspirou.

— O que foi?

— Nada. É que eu sabia que você seria difícil e já confirmei nossa presença.

— Você não fez isso.

— Fiz. Acho que é importante.

— Importante? — Andy tinha consciência de que soava vagamente histérica, mas não podia parar. — Caso você não perceba, não somos escravizadas por aquela louca há anos. Graças a muito trabalho e dedicação, construímos nossa própria e bem-sucedida revista, e fizemos isso sem aterrorizar nossa equipe ou destruir a vida de ninguém. Nunca mais eu vou botar os pés no escritório daquela mulher.

Emily fez um gesto de desdém.

— Não é o mesmo escritório, ela mudou de andar. E você pode declarar que nunca vai lá de novo *depois* da nossa reunião. Eu, pelo menos, preciso saber o que ela quer, e não posso ir sozinha.

— Por que não, já que está tão fascinada por ela? Vá sozinha e depois me conte como foi. Ou não conte. Eu realmente não me importo.

— Não estou fascinada por ela, Andy — retrucou Emily, agora ficando claramente exasperada. — Mas quando Miranda a chama para uma reunião, você vai. — Emily esticou o braço por cima da mesa e segurou a mão de Andy. Fez biquinho e olhos pidões. — Por favor, diga que vai.

Andy puxou a mão de volta. Ficou em silêncio.

— Por favor, por favor? Por sua melhor amiga e sócia? Aquela que te apresentou ao seu marido?

— Está apelando, hein?

— Por favor, Andy! Eu levo você ao Shake Shack depois.

— Uau. Jogando pesado.

— Por favor... Por mim! Vou ficar eternamente em dívida.

Andy suspirou profundamente. Visitar Miranda em seu próprio território parecia tão atraente quanto um dia na prisão, mas Andy tinha que admitir para si mesma que também estava curiosa.

Ela pressionou as mãos espalmadas na mesa e fez uma grande cena para ficar de pé.

— Tudo bem, eu vou. Mas quero uma camiseta do Shack além do meu hambúrguer com batatas fritas e milk-shake, e também um macacãozinho para o meu bebê.

— Fechado! — cantarolou Emily, obviamente encantada. — Vou comprar todo o maldito... — Ela parou e olhou para Andy. — O que você acabou de dizer?

— Foi isso mesmo que você ouviu.

— Não, acho que não entendi direito. Achei que você tivesse dito alguma coisa sobre um bebê, mas não faz nem cinco minutos que vocês se casaram, não é possível... — Emily olhou nos olhos de Andy e gemeu. — Ah, meu Deus, não é brincadeira. Você está grávida?

— Isso aí.

— O que há com vocês? Por que diabos essa pressa toda?

— Não é como se tivéssemos planejado...

— O quê? Vocês não sabem de onde vêm os bebês? Você passou os últimos 15 anos da sua vida conseguindo *não* ficar grávida. O que aconteceu?

— Obrigada pelo apoio.

— Bem, comandar uma revista e cuidar de recém-nascidos não são atividades muito compatíveis. Estou pensando em como isso vai *me* afetar.

— Ainda falta muito tempo. Estou só entrando no segundo trimestre.

— Já está usando jargão e tudo. — Emily parecia computar os números. Ela se recostou na cadeira e sorriu diabolicamente. — Uau. Você realmente não planejou isso. — Sua voz baixou para um sussurro encantado: — É do Max?

— É claro que é! Ou você acha que eu voltei depois da minha despedida de solteira no spa e fiz sexo selvagem com um dos instrutores de ioga?

— Você tem que admitir que seria muito legal.

— Não quer me fazer nenhuma pergunta de gente normal? Tipo para quando é ou se é menino ou menina? Ou como estou me sentindo, talvez?

— Tem certeza de que não são gêmeos? Ou trigêmeos? Porque *isso* sim seria uma novidade e tanto.

Andy suspirou.

Emily ergueu as mãos.

— Está bem, está bem, me desculpe. Mas você tem que admitir, isso é meio inacreditável. Você se casou faz o quê? Um mês? E já está grávida de três meses? Não é muito a sua cara, só isso. E o que a sua sogra vai dizer?

O último comentário magoou, provavelmente porque Andy estava imaginando exatamente a mesma coisa.

— Tem razão, não é muito a minha cara. Mas está acontecendo, e nem mesmo Barbara Harrison pode impedir agora. E quando você ignora todas as outras coisas e se concentra só na parte do bebê, é bem legal. Antes do que esperávamos, mas ainda é ótimo.

— Hum.

A falta de entusiasmo de Emily não era surpreendente. Ela nunca chegara a dizer que não queria filhos, mas apesar de ser casada havia quase cinco anos e ser uma tia semicompetente para as sobrinhas de Miles, Andy sempre presumira isso. Crianças eram bagunceiras. Eram grudentas, barulhentas e imprevisíveis e a deixavam gorda e sem estilo, por, no mínimo, longos períodos de tempo. Eram decididamente não Emily.

Houve uma batida na porta, e Agatha entrou.

— Daniel quer saber se você pode correr até o escritório dele por, tipo, dois segundos. Disse que precisa lhe mostrar uma coisa mas está esperando um telefonema.

— Pode ir. A gente conversa mais tarde — falou Andy, aliviada por ter finalmente contado a novidade.

— Com certeza vamos conversar. Mas também continuaremos concentradas na reunião, está bem? Precisamos discutir o que você vai vestir... — Ela deu a volta na mesa e abriu o cardigã de caxemira de Andy. — Nenhuma barriga óbvia per se, mas definitivamente devemos tomar cuidado com isso. Acho que você devia usar aquele seu vestido godê de lã, o das dragonas douradas, sabe? Não é nada muito maravilhoso, mas pelo menos tem um leve drapeado pelo meio...

Andy riu.

— Vou levar isso em consideração.

— Sério, Andy. Grande notícia e tudo mais, porém temos que aparecer para Miranda cem por cento. Você não vai ficar, sei lá, vomitando nem nada, vai?

— Vou estar bem.

— Ótimo. Eu te aviso o que acontecer com o pessoal da Vera. Não se esqueça de entrar em contato com St. Germain, estão esperando o seu telefonema.

Emily pegou sua capa de chuva e sua bolsa no estilo sacola e acenou para Andy por cima do ombro.

— Parabéns de novo! — gritou.

Andy se encolheu, imaginando se Emily sabia que não deveria contar a novidade para o escritório inteiro.

Mas também, que importância tinha? Ela estava grávida e, se tudo corresse bem — Andy pegou-se desejando ardentemente que sim —, em seis meses teria um bebê. Um bebê. A reunião com Miranda, a fofoca, tudo desapareceu quando ela parou por um instante e se imaginou segurando um bebê cheirosinho de pele macia. Levou as mãos à barriga e sorriu para si mesma. Um bebê.

Acusações forjadas de assédio moral mais uma ou duas camisas de força

12

Andy entrou no Starbucks mais perto do Elias-Clark e teve que se segurar no balcão para não cair. Ela não entrava ali fazia dez anos, e os flashbacks eram tão vívidos e desagradáveis que ela pensou que fosse desmaiar. Uma rápida olhada em volta confirmou que nenhum dos rostos atrás do caixa ou fazendo as bebidas lhe eram familiares. Então viu Emily acenando de uma mesa no canto.

— Graças a Deus você chegou, finalmente — disse Emily e tomou um grande gole de seu café gelado, evidentemente agindo com cuidado para não borrar o batom.

Andy olhou o relógio.

— Cheguei quase 15 minutos antes do combinado. Há quanto tempo você está aqui?

— Você nem vai querer saber. Estou trocando de roupa sem parar desde as quatro da manhã.

— Que relaxante.

Emily revirou os olhos.

— Mas valeu a pena — falou Andy, olhando com aprovação para a saia-lápis justa de *bouclé*, o suéter de caxemira colado à pele, com gola alta, e as botas de salto agulha altíssimos. — Você está fantástica.

— Valeu. Você também — disse Emily automaticamente, sem erguer os olhos do telefone.

— É, peguei este vestido. Achei que ficou bem legal. Nada mau para roupa de grávida, não é?

Emily ergueu a cabeça na mesma hora, uma expressão de pânico no rosto.

— Rá, brincadeirinha. Estou usando o vestido que você mandou, e não é de grávida.

— Muito engraçado.

Andy suprimiu um sorriso.

— Quando você acha que devemos ir?

— Em cinco minutos? Ou talvez agora? Você sabe como ela adora quando alguém se atrasa.

Andy pegou o café de Emily e tomou um gole. Estava melado de tanto açúcar, tão espesso que mal dava para puxar pelo canudo.

— Como você bebe esta porcaria?

Emily deu de ombros.

— Está bem, vamos nos lembrar do seguinte: não devemos nada a Miranda. Estamos lá para ouvir e só ouvir. Ela não pode mais arruinar nossas vidas só com um estalar de dedos.

Todas as palavras soavam bem, mas Andy duvidava de que ela própria acreditasse no que dizia.

— Ah, a quem você quer enganar, Andy? Ela é a diretora editorial de todo o Elias-Clark. Continua sendo a mulher mais poderosa tanto na moda quanto no mercado de publicações em geral. Ela pode arruinar as nossas vidas totalmente se estiver a fim, e tenho certeza de que você também está acordada desde as três da manhã.

Andy levantou-se e abotoou seu casaco longo e acolchoado — queria usar algo mais elegante, porém o tempo estava ártico e ela não estava disposta a passar o dia não só apavorada como também congelando. Gastara sua meia hora de sempre se arrumando aquela manhã e colocara o vestido com as dragonas, como Emily aconselhara. Não era nada notável, mas também não era repreensível.

— Venha, vamos. Quanto mais cedo chegarmos lá, mais cedo podemos ir embora.

— Ótima forma de pensar — falou Emily, balançando a cabeça em reprovação. Mas mesmo assim se levantou e fechou o zíper de sua linda jaqueta curta de pele.

Elas não trocaram nenhuma palavra no caminho até o Elias-Clark e Andy sentiu-se razoavelmente bem até entrarem no saguão e irem até o balcão dos visitantes para se identificarem, algo que nenhuma das duas havia feito desde o dia em que foram entrevistadas pela primeira vez.

— Isso é surreal — disse Emily, dando olhadas furtivas em volta. Suas mãos tremiam.

— Nada de Eduardo na catraca. Nada de Ahmed na banca de revistas. Não estou reconhecendo ninguém...

— Ela você reconheceria, não? — falou Emily, indicando com os olhos alguém às suas costas, enquanto enfiava seu crachá de visitante dentro da bolsa.

Andy acompanhou o olhar de Emily e imediatamente viu Jocelyn, a recém-promovida diretora de beleza da *Runway* e queridinha da sociedade, atravessando o saguão. Ela sabia pelos blogs de fofocas que Jocelyn tivera uma década agitada — dois filhos com o marido banqueiro milionário, um divórcio (dele) e um novo casamento (com um bilionário rico há gerações já com dois filhos na bagagem) —, mas ninguém nem imaginaria só de olhar para ela: parecia tão jovem, magra e resplandecente quanto na época em que Andy circulava por aqueles corredores. No máximo havia se ajustado lindamente à faixa dos 30 anos e portava uma realeza calma e confiante que não possuía quando era mais jovem. Andy ficou encarando-a fixamente, não pôde evitar.

— Não vou conseguir fazer isso — murmurou Andy.

Uma onda de ansiedade a invadiu. O que ela estava fazendo pensando que podia simplesmente aparecer ali depois de tudo que havia acontecido e entrar no escritório de Miranda Priestly como se não fosse nada de mais? Isso era uma ideia horrível, uma ideia desastrosa. O ímpeto de fugir era avassalador.

Emily agarrou o braço de Andy e praticamente a puxou pela catraca e para dentro do elevador, onde, sabe-se lá como, ficaram abençoadamente sozinhas. Ela apertou o botão para o 18º andar e virou-se para Andy.

— Nós vamos superar isso, está bem? — falou, a voz tremendo ligeiramente. — Veja pelo lado bom: pelo menos não temos que ir ao andar da *Runway*.

Não houve tempo para responder, pois logo as portas se abriram e elas ficaram cara a cara com a austeridade branca e familiar de todas as áreas de recepção do Elias-Clark. Após sua grande promoção, Miranda havia se mudado para um vasto escritório no andar corporativo, apesar de suas instalações na *Runway* permanecerem perfeitamente intactas. Aparentemente ela podia passar, sem obstáculos, de um escritório para o outro, aterrorizando o dobro de pessoas na metade do tempo.

— Acho que eles não redecoraram — murmurou Andy.

A recepcionista, uma morena ágil com um cabelo curto quase sério demais e um tom vibrante de batom vermelho, forçou um sorriso que mais parecia um esgar de desgosto.

— Andrea Sachs e Emily Charlton? Por aqui.

Antes que qualquer uma das duas pudesse confirmar sua identidade — ou até mesmo tirar as echarpes —, a garota tocou no teclado com seu cartão, abrindo as enormes portas de vidro, e seguiu em frente como um raio, seus saltos de 10 centímetros não diminuindo em nada sua velocidade. Emily e Andy tiveram que correr para acompanhá-la.

Elas trocaram olhares enquanto seguiam a recepcionista por um corredor labiríntico, passando por escritórios palacianos cercados de vidro com vistas deslumbrantes para o Empire State Building e executivos em ternos caros executando diferentes estágios de suas respectivas execuções. Estava acontecendo tão rápido! Não haveria nenhum momento para se sentarem, recuperarem o fôlego, oferecerem palavras de conforto uma à outra. A recepcionista não lhes oferecera água nem pegara seus casacos. Pela primeiríssima vez, Andy entendeu — entendeu real e completamente — qual era a sensação de todos os editores, redatores, modelos, designers, publicitários, fotógrafos e a antiga equipe da *Runway* que deixavam a relativa segurança de seus escritórios para encarar uma visita ao quartel-general de Miranda. Pareciam todos uns zumbis.

Um instante depois, elas chegaram a um escritório semelhante às instalações que Miranda ocupara na *Runway*: uma antessala com duas mesas imaculadas para as assistentes, de frente para portas francesas abertas que revelavam uma sala gigantesca com uma vista arrebatadora, elegantemente decorada em tons suaves de cinza e branco e detalhes ocasionais em amarelo-claro e turquesa, o que dava ao aposento inteiro a sensação de uma casa de praia ensolarada. Molduras de madeira pintadas que conseguiam parecer tanto antigas quanto modernas exibiam fotos de Caroline e Cassidy, agora com 18 anos, ambas bonitas e vagamente hostis, cada uma a sua maneira. O carpete se estendia de uma parede à outra em uma extensão de branco impactante, sua única cor uma solitária faixa turquesa. Andy acabara de notar a enorme tapeçaria na parede mais distante, uma criação bordada em tecido feita para parecer um quadro, quando uma porta dentro do escritório de Miranda se abriu e de lá de dentro surgiu a própria. Sem olhar para Andy ou Emily nem nenhuma das assistentes, ela foi a passos largos na direção de sua mesa e começou a dar suas tão familiares ordens.

— Charla? Está me ouvindo? Alô? Tem alguém aí?

A garota que devia ser Charla ia justamente cumprimentar Andy e Emily, mas então apontou na direção delas com o indicador, pedindo que esperassem, pegou uma prancheta que devia ser o Boletim e voou para dentro do escritório de Miranda.

— Sim, Miranda, estou bem aqui. O que posso...

— Ligue para Cassidy e diga a ela para convidar a professora de tênis para nos acompanhar em nossa viagem este fim de semana, depois ligue para a professora e convide-a você mesma. "Não" não é uma resposta aceitável. Avise meu marido que vamos sair amanhã às cinco em ponto. Informe à garagem e à equipe de Connecticut nossa hora de chegada. Mande um portador levar uma cópia daquele livro novo, o da resenha que saiu no último domingo, ao meu apartamento antes de sairmos e marque para eu conversar por telefone com o autor no meu primeiro horário de segunda-feira. Faça uma reserva para o almoço hoje à uma e informe à equipe de Karl em Nova York. Descubra onde o pessoal da Bulgari está hospedado e mande flores, muitas. Diga a Nigel que estarei pronta para minha prova hoje às três, nem um minuto depois, e faça com que o vestido e todos os acessórios estejam prontos. Sei que vão faltar os sapatos, já que estão sendo feitos sob medida em Milão, mas descubra as dimensões e providencie uma réplica exata para o nosso ensaio. — Nesse ponto ela finalmente tomou fôlego, os olhos no teto em um aparente esforço para se lembrar de uma última ordem. — Ah, sim, e entre em contato com o pessoal da Planned Parenthood, marcando uma reunião para repassarmos os detalhes do evento beneficente de primavera. O pessoal da minha reunião das onze já chegou?

Andy estava tão envolvida na minúcia dos pedidos de Miranda, sua mente se concentrando tão automática e instintivamente em se lembrar e memorizar as informações, que quase nem ouviu a última frase. O cotovelo de Emily na lateral de sua costela a trouxe de volta à realidade.

— Prepare-se — sussurrou ela, tirando o casaco e jogando-o no chão ao lado da mesa de uma assistente.

Andy fez o mesmo.

— Como sugere que eu me prepare? — sussurrou Andy de volta.

— Miranda vai recebê-las agora — anunciou Charla, sua expressão carrancuda certamente um mau presságio.

Ela não as acompanhou até o escritório de Miranda. Talvez achasse que conheciam o protocolo, ou talvez tivesse decidido que não eram importantes o bastante, ou talvez o sistema tivesse mudado nos últimos anos, mas quando Charla fez um gesto para que fossem em frente, Andy respirou fundo exatamente ao mesmo tempo que Emily, e, lado a lado, elas entraram o mais confiantes possível no escritório de Miranda.

Felizmente, miraculosamente, ela não as olhou de alto a baixo. Na verdade, simplesmente não olhou para elas. Não mandou que se sentassem, ou as cumprimentou, ou mesmo demonstrou estar ciente de sua presença. Andy teve que lutar contra o impulso de relatar alguma espécie de progresso ou realização, informar a Miranda que seu almoço fora devidamente marcado ou o professor de reforço providenciado com sucesso. Ela podia sentir a tensão emanando de Emily também. Sem saber bem o que fazer ou dizer, simplesmente ficaram ali de pé. Pelos mais desconfortáveis 45 segundos de silêncio que já se viu em qualquer lugar, por qualquer pessoa, em qualquer situação. Andy olhou para Emily, mas sua amiga parecia congelada de terror e incerteza. Então ali ficaram.

Miranda estava empoleirada em sua cadeira de metal frio, as costas retas como uma vara, o cabelo curto — sua marca registrada — liso como uma peruca. Usava uma saia plissada cor de carvão, de lã ou talvez caxemira, e uma blusa de seda estampada em tons deslumbrantes de vermelho e laranja. Uma delicada pelerine de pelo branco de coelho descansava elegantemente em seus ombros e um único rubi grande, do tamanho de um ovinho de chocolate, pendia de uma corrente em volta de seu pescoço. As unhas e os lábios exibiam a mesma cor de vinho tinto. Andy observou, hipnotizada, enquanto aqueles lábios finos e laqueados envolviam a borda da xícara de café, bebiam, soltavam. Ela passou a língua lenta e deliberadamente pelo lábio superior primeiro e depois pelo inferior. Como ver uma cobra devorar um camundongo.

Finalmente — finalmente! —, Miranda levantou o olhar de seus papéis e olhou na direção delas, apesar de não ter havido a centelha de foco ou reconhecimento. Em vez disso, ela inclinou a cabeça ligeiramente para o lado, olhou de Emily para Andy e de volta para Emily e falou:

— Sim?

Sim? *Sim? Sim* como em *O que posso fazer por vocês, suas invasoras de escritório?* Andy sentiu seu coração bater ainda mais rápido. Será que Miranda não compreendia que fora *ela* quem *as* chamara para ir até ali? Andy quase desmaiou de admiração quando Emily abriu a boca para falar:

— Olá, Miranda. — Sua voz transmitia uma firmeza incompatível com seu semblante, e ela cravara no rosto um sorriso largo e falso. — É bom vê-la novamente.

Por reflexo, Andy ofereceu o próprio sorriso largo e falso e assentiu entusiasmadamente. Lá se fora a calma, fria e controlada. Nada de se lembrarem que aquela mulher não podia machucá-las agora, que não precisavam dela para nada, que seu domínio sobre elas tinha evaporado havia muito tempo. Em vez disso, as duas ficaram de pé ali, sorrindo como chimpanzés.

Miranda olhou para elas sem qualquer sinal de reconhecimento. Nem pareceu entender que ela mesma marcara o compromisso.

Emily tentou de novo:

— Ficamos muito felizes quando você solicitou esse encontro. Podemos ajudá-la em alguma coisa?

Andy ouviu Charla inspirar profundamente da antessala. Aquilo não ia dar certo, não mesmo.

Mas Miranda pareceu apenas confusa.

— Sim, é claro, eu as chamei aqui para discutir sua revista, *The Plunge.* O grupo Elias-Clark está interessado em adquiri-la. Mas o que quis dizer com me ver *novamente*?

Andy virou a cabeça de súbito para olhar para Emily, mas sua amiga encarava Miranda fixamente, imóvel. Quando Andy arriscou olhar para Miranda, viu a mulher lançando adagas sobre Emily com o olhar.

Ela não teve escolha:

— Ah, acho que Emily só quis dizer que faz muito tempo desde que trabalhamos aqui juntas. Quase dez anos! Emily foi sua assistente sênior por dois anos e eu...

— Dois e meio! — rugiu Emily.

— E eu fiquei aqui por um ano.

Miranda tocou uma unha vermelha na boca desconfortavelmente úmida. Seus olhos se estreitaram em concentração. Depois de mais um silêncio constrangedor, ela falou:

— Não me lembro. É claro, vocês devem imaginar quantas assistentes eu tive desde então.

Emily parecia tomada por uma fúria assassina.

Apavorada com o que sua amiga poderia dizer, Andy tomou a dianteira. Forçou uma risadinha, que soou metálica e amarga até mesmo para seus próprios ouvidos, e disse:

— Sim, fico aliviada por não se lembrar, já que meu... hum... período aqui não terminou da melhor maneira. Eu era tão jovem, e Paris, apesar de maravilhosa, foi realmente avassaladora...

Andy podia sentir Emily olhando fixo para ela agora, fazendo força mental para obrigá-la a calar a boca, mas foi Miranda quem a interrompeu:

— Alguma de vocês duas é a menina que ficou completamente catatônica e precisou ser arrastada para um hospital psiquiátrico?

Ambas balançaram a cabeça.

— E nenhuma das duas é aquela maluca que ameaçou repetidamente botar fogo no meu apartamento...

Isso ela falou mais como uma afirmação do que como uma pergunta, apesar de observá-las para ver se causava alguma reação.

Mais uma vez, elas balançaram a cabeça em negativa.

As sobrancelhas de Miranda se franziram.

— Teve também aquela mocinha sem graça dos sapatos terrivelmente baratos que tentou me denunciar inventando alguma acusação de assédio moral, mas ela era loura.

— Não fomos nós — disse Andy, apesar de poder sentir o olhar de Miranda queimando em suas botas, não ofensivamente baratas mas tampouco de grife.

— Bem, então vocês não devem ter sido tão interessantes.

Andy sorriu, desta vez de verdade. *Acho que você tem razão*, pensou. *Mandar você se foder em uma esquina parisiense e abandoná-la no meio dos desfiles não vale nem a pena lembrar. Anotado.*

O choque de Andy foi interrompido pela voz estridente de Miranda, imutável depois de todo aquele tempo, ainda exatamente com o mesmo tom e teor que em suas piores lembranças e pesadelos.

— Charla! Oláááá! Tem alguém aí fora? Oláááá!

Uma garota jovem que obviamente não era Charla, e sim uma versão ainda mais jovem, mais bonita e mais nervosa dela, se materializou à porta.

— Sim, Miranda?

— Charla, mande Rinaldo aqui. Preciso de alguém para repassar os números.

Esse pedido deixou a garota claramente em pânico.

— Ah, hum, bem, acho que Rinaldo está fora hoje. De férias. Posso ligar para outra pessoa?

Miranda suspirou tão profundamente e com tamanha decepção que Andy logo imaginou a Charla Light sendo sumariamente demitida. Deu outra olhada furtiva para Emily, desesperada por alguma espécie de conexão, mas Emily parecia quase em coma, ali de pé ao lado dela, as mãos unidas em uma espécie de aperto da morte.

— Stanley, então. Chame-o aqui imediatamente. É só.

Não Charla saiu apressada do escritório, sua expressão retorcida de ansiedade e medo. Andy quis abraçá-la. Em vez disso, porém, pensou no seu Stanley, seguro e aconchegado naquele momento, provavelmente mascando um bifinho de couro, e sentiu uma saudade terrível dele. Ou talvez só sentisse saudade de qualquer lugar menos daquele ali.

Momentos depois, um homem de meia-idade com um terno surpreendentemente cafona se materializou no escritório de Miranda e, sem ser cumprimentado ou convidado, passou por elas para sentar-se à mesa redonda de Miranda.

— Miranda? Não quer me apresentar às suas convidadas?

Emily ficou de queixo caído; Andy, tão surpresa que quase deu uma gargalhada. Quem era aquela alma corajosa de terno horrendo que falava com Miranda como se ela fosse uma reles mortal?

Miranda pareceu momentaneamente irritada, mas fez um gesto para que Andy e Emily a seguissem até a mesa. Todos se sentaram.

— Stanley, estas são Andrea Sachs e Emily Charlton, editora e diretora da *Plunge*, a mais nova integrante do mercado de revistas para noivas, como comentei com você há algumas semanas. Senhoras, este é Stanley Grogin.

Andy esperou por uma explicação sobre o que Stanley Grogin fazia, mas nenhuma foi oferecida.

Stanley remexeu em algumas pastas, resmungou para si mesmo e puxou três pacotes grampeados de papéis de uma pasta de couro e escorregou um para cada uma.

— Nossa oferta — falou.

— Oferta? — guinchou Emily, sua primeiríssima palavra em vários minutos, e que soou mais como um pedido de socorro.

Stanley olhou de relance para Miranda.

— Você repassou o básico com elas?

Miranda apenas lhe lançou um olhar hostil.

— Miranda mencionou que ela, hum, vocês... O Elias-Clark, eu acho, tem interesse em nos comprar — disse Emily.

— A *Plunge* tem mostrado um crescimento sólido, tanto em assinaturas quanto em anunciantes, desde sua fundação, há três anos. Estou impressionada com seu nível de elegância e sofisticação, duas qualidades que dificilmente são associadas a revistas para noivas. A matéria sobre celebridades todos os meses é especialmente atraente. Vocês devem ser elogiadas pelo que realizaram. — Miranda juntou as mãos por cima de sua papelada e olhou para Andy.

— Obrigada — coaxou Andy, sua voz mal saindo. Ela não podia nem arriscar olhar para Emily.

— Por favor, pensem na oferta — falou Stanley. — Vocês devem querer que o seu pessoal dê uma olhada, é claro.

Foi então que Andy percebeu como deviam parecer amadoras, chegando *sans* "pessoal". Ela pegou seu pacote e começou a folhear. Ao seu lado, Emily fez o mesmo. Enquanto algumas frases chamavam sua atenção — *equipe editorial atual, transição, mudança de endereço,* blá-blá-blá —, seu foco diminuiu e todas as palavras começaram a se juntar em um borrão. Só na penúltima página seu olhar mirou no preço da aquisição, um número tão impressionantemente alto que ela voltou imediatamente à realidade. Milhões. Era difícil deixar *milhões* de lado.

Stanley esclareceu alguns pontos que Andy não havia entendido completamente, deu-lhes cópias da proposta para passarem para sua equipe jurídica (*Lembrete para mim mesma,* pensou Andy, *arrumar uma equipe jurídica*) e sugeriu que talvez eles pudessem marcar uma segunda reunião dentro de algumas semanas para discutir qualquer pergunta pendente que elas pudessem ter. A frase foi montada para expressar que toda a negociação era um *fait accompli*, que as garotas seriam completamente loucas se não aceitassem uma oferta tão generosa de uma editora de tamanho prestígio. Só faltava saber quando.

Não Charla apareceu na porta do escritório e anunciou que o carro para levar Miranda ao almoço havia chegado e esperava lá embaixo. Andy estava desesperada para perguntar se Igor ainda era seu motorista e, se era, como ele estava, mas forçou-se a ficar de boca fechada. Miranda ordenou que a garota lhe trouxesse uma Pellegrino gelada com limão, sem dar qualquer indicação se havia ou não escutado sobre o carro, e se levantou.

— Emily, Ahn-dre-ah — anunciou Miranda.

Andy esperou por um "prazer em conhecê-las" ou um "foi bom vê-las novamente" ou um "tenham uma ótima tarde" ou "vamos aguardar ansiosos por notícias suas", mas alguns segundos de silêncio logo indicaram que nada mais viria. Miranda acenou com a cabeça para as duas, murmurou alguma coisa sobre não ficar esperando sentada pela resposta delas e saiu a passos largos. Andy ficou observando enquanto Não Charla entregava a Miranda um casaco exuberante de marta e uma taça de cristal com Pellegrino, ambos os quais Miranda pegou sem nem reduzir a velocidade. Só depois que ela havia desaparecido pelo corredor foi que Andy percebeu que não respirava fazia pelo menos sessenta segundos.

— Bem, é sempre uma aventura, não é? — disse Stanley, reunindo seus papéis. Ele entregou a cada uma das garotas seu cartão de visita. — Estamos ansiosos para ouvir suas ideias assim que possível. Liguem se tiverem qualquer pergunta. Vai ser mais fácil me encontrar do que encontrar Miranda. Mas é claro que já sabem disso.

Ele estendeu a mão, apertou superficialmente as delas e desapareceu pelo corredor sem mais uma palavra sequer.

— Ele é realmente uma grande personalidade — resmungou Emily, baixinho.

— Acha que ele sabe quem somos? — perguntou Andy.

— É claro que sabe. Ele sabe até o nosso signo, aposto. Trabalha para Miranda.

— Bem, os dois juntos formam um time campeão — sussurrou Andy. — Quanto tempo a reunião toda durou? Sete minutos? Nove? Isso é que é ser econômico.

Emily agarrou o pulso de Andy e o apertou com tanta força que até a machucou.

— Você *acredita* no que acabou de acontecer? Vamos sair daqui, nós *precisamos* conversar.

Elas agradeceram a Charla e a Não Charla e Andy pensou por um instante como era incrível Miranda tê-la chamado por seu próprio nome durante a reunião inteira. Ela queria se sentar com aquelas duas jovens com ar infeliz (Charla parecia só ligeiramente oprimida, como se seu espírito tivesse sido apertado, mas não destruído; Não Charla tinha os olhos sem vida e a expressão apática dos clinicamente deprimidos) e garantir a elas que havia vida após Miranda Priestly, só bastava querer. Queria lhes dizer que um dia elas olhariam para seu ano de escravidão e, apesar dos flashbacks ocasionais de transtorno de estresse pós-traumático, ficariam orgulhosas de terem sobrevivido ao emprego de assistente mais difícil do mundo. Em vez disso, apenas sorriu bondosamente, agradeceu às duas pela ajuda, pegou seu casaco que uma delas lhe ofereceu e fugiu atrás de Emily o mais rápido que podiam sem perder o fiapo de dignidade que lhes restava.

— Vamos ao Shake Shack do norte da cidade ou ao original? — indagou Andy no instante em que chegaram à calçada, subitamente faminta.

— Sério, Andy. — Emily suspirou. — Está pensando em hambúrgueres neste momento?

— Temos um acordo! Hambúrgueres do Shack, batatas fritas e milk-shakes. Um macacãozinho de bebê. Era a condição para este encontro!

Emily foi correndo para o mesmo Starbucks onde haviam se encontrado apenas uma hora antes.

— Pode se concentrar em algo além de comida por um segundo? Eu te devo uma, está bem? Tome, beba isto.

Ela pediu um chá gelado para Andy e uma xícara de café puro para si mesma. Elas pegaram suas bebidas e Andy, irritada mas sem querer fazer um escândalo, seguiu-a até uma mesa no canto mais distante.

Os olhos de Emily estavam brilhando de entusiasmo, suas mãos tremiam.

— Não acredito no que acabou de acontecer — guinchou ela. — Quero dizer, eu tinha *esperanças*. Miles tinha certeza de que era isso, mas eu ainda tinha minhas dúvidas. Eles querem nos comprar! Miranda Priestly está *impressionada* com a nossa revista. O Elias-Clark quer adquirir a *Plunge*. Será que você entende isso?

Andy assentiu.

— Você acredita que ela nem nos reconheceu? Estávamos tão preocupadas com o que ela iria dizer, e ela não fazia a mínima ideia de que já fomos...

— Andy! Miranda Priestly quer comprar a nossa revista, cacete! A *nossa* revista! Comprar! Ainda não captou isso?

Andy percebeu que as próprias mãos estavam tremendo enquanto bebericava seu chá.

— Ah, estou captando. É a coisa mais louca que já ouvi. Lisonjeiro, é claro, mas fora isso só louco.

Emily deixou o queixo cair de uma forma nada atraente. Ela ficou sentada olhando fixamente para Andy, o maxilar quase em cima da mesa, pelo que pareceu uma eternidade, antes de balançar lentamente a cabeça.

— Meu Deus, isso nunca nem me ocorreu...

— O quê?

— Mas é claro, faz todo sentido.

— O quê?

Emily curvou a boca para baixo e sua testa se enrugou de... o quê? Decepção? Desespero? Raiva?

— Emily?

— Você não quer vender para o Elias-Clark, não é? Você tem suas ressalvas.

Andy podia sentir a garganta ficar apertada. Aquilo não estava indo bem. Parte dela sentia uma onda de orgulho. Elas eram bem-sucedidas o bastante para ter chamado a atenção do grupo de mídia mais proeminente do mundo. O Elias-Clark queria acrescentá-las ao seu portfólio. Será que poderia haver um aval maior para seu produto? Mas... Elias-Clark era sinônimo de Miranda Priestly. Seria possível que Emily *quisesse* vender a *Plunge* para o Elias-Clark? Em poucas palavras o clima entre elas havia mudado instantaneamente.

— Ressalvas? — Andy tossiu. — É, pode-se dizer que sim.

— Andy, você não percebe que foi para isso que trabalhamos desde o momento em que começamos? Para vender a revista? E que agora temos uma oferta *anos* antes do que jamais imaginamos ser possível, uma ótima oferta da editora de revistas de *maior* prestígio do planeta? O que você pode não gostar nisso?

— Eu gosto de tudo — disse Andy, falando devagar. Calculadamente.

Emily abriu um sorriso largo.

— Estou tão lisonjeada quanto você, Em. O fato de o Elias-Clark querer comprar nossa pequena revista é totalmente alucinante. É inacreditável em todos os sentidos. E você viu o valor que eles ofereceram? — Andy bateu na própria testa. — Nunca achei que veria tanto dinheiro em toda a minha vida.

— Então por que você está com essa cara de meu cachorro acabou de morrer?

Ela apertou "ignorar" em seu telefone quando a foto de Miles apareceu.

— Você sabe por quê. Você também viu.

Emily se fez de desentendida.

— Não tive a chance de examinar cada palavra, mas na maior parte é...

Andy puxou da bolsa seu pacote e abriu na página 7.

— Sabe esta pequena cláusula bem aqui? Esta que diz que toda a equipe de coordenação editorial deve permanecer por pelo menos um ano para ajudar com a transição?

Emily fez um gesto de desdém com a mão.

— É só um ano.

— *Só um ano?* Nossa, não lembro quando foi que ouvi isso antes.

— Ah, por favor, Andy. Você pode fazer qualquer coisa por um ano.

Andy ficou olhando para a amiga.

— Isso é factualmente falso, na verdade. A única coisa que eu não posso fazer por um ano é trabalhar para Miranda Priestly. Acho que já provei isso.

Emily olhou fixamente para ela.

— Isso não envolve só você. Nós somos sócias, e isto é um sonho que se torna realidade.

A oferta em si era gratificante, sem dúvida, mas como ela poderia concordar em vender o bebê delas logo para o Elias-Clark, e ainda por cima aceitar trabalhar lá de novo por mais um ano? Era inconcebível, e elas nem haviam chegado a curtir um pouco da fofoca de comemoração ou repassar o que tinham acabado de testemunhar — Miranda Renascida das Cinzas, seu escritório, suas assistentes em estado de choque, aquela atmosfera toda.

Andy esfregou os olhos.

— Talvez a gente esteja exagerando, nós duas. Por que não procuramos um advogado especialista nessa área e pedimos a ele para negociar em nosso nome? Talvez possamos nos livrar dessa cláusula de transição de um ano. Ou talvez outra pessoa queira nos comprar, agora que recebemos uma oferta. Se o Elias-Clark está tão entusiasmado, é bem provável que outros grupos também fiquem.

Emily só sabia balançar a cabeça.

— É o Elias-Clark. É Miranda Priestly, pelo amor de Deus. É como se eles estivessem nos ungindo.

— Eu estou tentando, Em.

— Tentando? Não posso acreditar que você não está *agarrando* essa oportunidade.

Andy ficou em silêncio.

— Por que a pressa? — perguntou ela. — Esta é a nossa primeira oferta, um ano antes do que imaginávamos. Por que apressar as coisas? Vamos esperar um pouco, pensar direito e tomar a melhor decisão para nós duas.

— Sério, Andy? Seríamos loucas de pedra se não aceitássemos essa oferta. Nós duas sabemos disso.

— Eu adoro a *Plunge* — disse Andy, baixinho. — Adoro o que construímos juntas. Adoro nosso escritório e nossa equipe e adoro estar com *você* todos os dias. Adoro que ninguém nos diga o que fazer ou como fazer. Não sei se quero abrir mão disso por enquanto.

— Eu sei que você adora. E eu também adoro. Mas esta é uma oportunidade única, o maior sonho para um milhão de pessoas. Para todo mundo que já criou um negócio do zero, no mínimo. Você precisa ver a situação como um todo, Andy.

Andy se levantou, pegou suas coisas e apertou o braço de Emily.

— Não faz nem cinco segundos que soubemos. Vamos esperar um tempinho para poder pensar direito, está bem? Vamos pensar em uma solução.

Emily instintivamente bateu a mão na mesa em frustração. Não com força, mas foi o bastante para fazer Andy parar na mesma hora.

— Espero que sim, Andy. Estou disposta a falar mais sobre isso, mas já vou lhe dizendo que não podemos desperdiçar esta oportunidade. Não vou deixar que a gente atrapalhe nosso próprio sucesso.

Andy passou a alça da bolsa por cima do ombro.

— Você quer dizer eu. Não vai deixar que *eu* atrapalhe o *seu* sucesso.

— Não foi isso o que eu disse.

— Mas definitivamente foi o que quis dizer.

Emily deu de ombros.

— Você pode odiá-los, mas eles são os melhores e estão propondo nos deixar ricas graças aos nossos próprios méritos. Não dá para você pensar a longo prazo, para variar?

— O que, quer dizer pensar com a adoração que você sempre teve pelo Elias-Clark? E, vamos ser sinceros, por Miranda?

Emily fuzilou-a com o olhar. Andy sabia que devia parar ali, mas não conseguiu se conter:

— O que foi? Aposto qualquer coisa que você ainda culpa a si mesma por ter sido demitida. Que apesar de ter sido a melhor assistente que ela já teve, ainda acha que Miranda de alguma forma teve motivos para te chutar porta afora como se fosse uma qualquer.

Andy viu a raiva cruzar o rosto de Emily, e soube que tinha ido longe demais. Mas Emily disse apenas:

— Não vamos começar isso agora, está bem?

— Tudo bem. Vou resolver algumas coisas durante o horário de almoço. Vejo você no escritório — disse Andy, e saiu sem mais uma palavra.

Aquele seria um longo dia.

Eu posso muito bem estar morta até lá

13

Andy recostou a cabeça no banco do táxi e inalou o aroma de baunilha — que nem era tão desagradável — do aromatizante pendurado no retrovisor. Pelo que ela se lembrava, fazia semanas que não podia sentir o cheiro de nada sem ter vontade de vomitar. Estava respirando fundo quando seu celular tocou.

— Oi — atendeu, torcendo para que Max não perguntasse sobre a reunião; ansiosa como estava com a perspectiva de juntar as duas famílias à noite para contar sobre a gravidez, Andy não queria pensar em Miranda.

— Por onde você andou? Devo ter deixado uns mil recados com Agatha. Como foi a reunião? — O tom dele era de urgência.

— Eu? Ah, eu estou bem, obrigada por perguntar. Você devia estar preocupado!

Ela praticamente não deixara Max dormir aquela noite, debatendo-se de nervosismo por causa da reunião.

— Sério, Andy, como foi? Eles querem comprar a revista, não é?

Isso a fez empertigar-se no banco.

— É, querem. Como você soube?

— O que mais eles podiam querer? — exultou ele, triunfante. — Eu sabia, *sabia*! E o valor que estão oferecendo? Miles e eu fizemos uma aposta. Vocês devem estar muito empolgadas.

— Não sei se eu usaria a palavra *empolgada*. Talvez *apavorada* chegasse mais perto.

— Devem estar tão orgulhosas! Vocês conseguiram. Você e Emily, contra todas as probabilidades, construíram esse negócio do zero e agora a editora de revistas de maior renome do planeta quer comprá-lo de vocês. Não tem nada melhor que isso.

— É uma honra — falou Andy. — Mas certamente tem alguns detalhes preocupantes.

— Nada que vocês não possam resolver, tenho certeza. Posso recomendar um ótimo advogado, de uma empresa que nós usamos e que é especializada em entretenimento. Eles podem acertar tudo.

Andy retorceu as mãos. Do jeito que Max falava, parecia até que o negócio já estava fechado, quando na verdade elas haviam acabado de receber a proposta, naquela mesma manhã.

— Mas então, a que horas o pessoal vai chegar aí? — perguntou ela, tentando mudar de assunto. — Você acha que eles suspeitam de alguma coisa?

— Já falei, está tudo sob controle. Tem um casal de chefs aqui, os dois estão preparando um banquete daqueles. O pessoal deve chegar em uma hora. Eles vão ficar loucos quando souberem do bebê, e agora ainda por cima temos essa outra notícia incrível.

— Não, eu não quero mencionar nada sobre...

— Andy? Está me ouvindo? Olhe, tenho que fazer umas ligações. A gente se vê daqui a pouco, ok?

Ela ouviu o clique do telefone e mais uma vez recostou a cabeça no banco. É claro, seu marido era um investidor, um investidor substancial. Era perfeitamente compreensível que ele ficasse felicíssimo: fazia-o parecer um gênio, sem falar que ajudava a forrar os cofres dos Harrison. Mas ela ainda não estava pronta para divulgar aquela novidade. O bebê era uma coisa — era exatamente o tipo de notícia que se divide com futuros avós, mesmo com as Barbara Harrisons do mundo —, mas gastar uma noite inteira discutindo Miranda Priestly? Não, obrigada.

Apesar de suas reservas iniciais, às dez da noite Andy teve que admitir que as coisas foram um sucesso. Todo mundo ainda estava bem animado. Nada surpreendente para a família dela, que interpretava "hora de ir embora" como "hora de começar a se despedir, abraçar todo mundo, abraçar todo mundo de novo, fazer perguntas de último minuto, ir ao banheiro, oferecer-se mais uma vez para lavar a louça e dar beijinhos em cada pessoa que estiver no aposento", mas isso era muito incomum para Barbara, que estava sempre elegantemente atrasada, sem chegar a ser grosseira, era uma convidada comportada, sensata e rápida em agradecer a sua anfitriã e se despedir. À exceção de Eliza, que fora embora uma hora antes para encontrar alguns amigos, todos os membros de sua família em primeiro grau ainda estavam plantados na sala de estar, conversando entusiasmados, bebendo vorazmente e rindo como adolescentes.

— Estou tão contente por vocês dois — falou a Sra. Harrison, sem dar a menor pista sobre seus verdadeiros sentimentos. Mas talvez ela estivesse sendo sincera, não? Talvez um bebê, a promessa de um novo Harrison, fosse o suficiente para garantir um pouco de respeito e aceitação a Andy. Será? As duas estavam sentadas lado a lado na espreguiçadeira sem encosto. — Um neto, ora ora. Naturalmente, sempre foi um desejo meu, mas tão cedo! É uma surpresa e tanto.

Andy tentou ignorar a parte do "tão cedo". Max havia insistido para que deixassem de fora o detalhe de que o bebê não havia sido planejado — ele não queria todo mundo pensando que fora uma espécie de engano —, mas Andy tinha certeza de que a ideia de ela e Max terem deliberadamente concebido aquela criança dois meses antes de se casarem não era uma fonte de empolgação para Barbara. Não seria a cara da nora desclassificada?

— É claro que se for um menino você vai batizá-lo em homenagem a Robert, não? — disse a Sra. Harrison, claramente fazendo uma afirmação e não uma pergunta. Mais enfurecedor ainda foi o comentário ter sido dirigido a Max, como se ele fosse o único a decidir o nome.

— É claro — respondeu ele, sem nem olhar na direção de Andy.

Ela não tinha dúvidas de que iriam homenagear o pai de Max se fosse um menininho, e provavelmente até uma menininha — também era sua vontade —, mas ainda assim ela se arrepiou diante daquela presunção.

Jill atraiu o olhar de Andy e tossiu. Alto.

— Nunca se sabe, tenho a sensação de que esses dois vão ter uma menina. Uma menina pequenininha, e perfeita e fofa. Toda meiga e delicada e tudo que os meus três meninos não são. Pelo menos é o que eu espero.

— Uma menina seria adorável — concordou a Sra. Harrison. — Mas vamos querer um menino em algum momento para levar adiante os negócios da família.

Andy se conteve para não mencionar que ela, uma mulher, era perfeitamente capaz de comandar um negócio e que qualquer filha sua seria igualmente capaz. Nem iria mencionar que o pai de Max, mesmo sendo homem, não havia demonstrado muita perspicácia para os negócios nas decisões que tomara em nome da Harrison Media Holdings.

Com um olhar, Max lhe agradeceu em silêncio.

A avó de Andy manifestou-se, sentada no sofá de frente para ela:

— Essa criança só vai nascer daqui a seis meses. Eu posso muito bem estar morta até lá, e nesse caso insisto que deem meu nome a essa criança. Ida está voltando à moda, não está? Todos os nomes antigos estão na moda de novo.

— Vovó, a senhora tem só 88 anos e é forte como um touro. A senhora não vai a lugar algum — falou Andy.

— Que Deus a ouça — replicou sua avó, e então cuspiu três vezes em rápida sucessão.

— Chega de falar em nomes — disse Jill, juntando as mãos.
— Alguém quer mais café descafeinado? Se não, acho que devemos ir e deixar os futuros papais descansarem um pouco.

Andy lançou um sorriso de gratidão para a irmã.

— É, estou bem cansada, então...

— Ninguém na nossa família passou dos 80 anos — gritou sua avó para Andy. — Você está louca se não acha que eu vou morrer a qualquer momento.

— Mamãe, pare com isso. Você é perfeitamente saudável. Venha, vamos pegar nossas coisas.

A avó de Andy acenou com a mão em desdém.

— Vivi tempo o bastante para ver esta aqui casada, coisa que nunca achei que fosse acontecer. E agora não só casada como grávida. Não sei o que mais pode acontecer.

Houve um momento de silêncio desconfortável, e então Andy caiu na gargalhada. Era tão a cara de sua avó. Ela a abraçou, depois foi até Jill e sussurrou:

— Obrigada por tirá-los daqui.

— Antes que todo mundo vá embora, temos outro anúncio emocionante... — começou Max, levantando-se para chamar a atenção dos convidados.

— Ah, Jesus, são gêmeos — gemeu a avó de Andy. — Duas criancinhas idênticas ao mesmo tempo.

— Gêmeos? — indagou a Sra. Harrison, sua voz subindo pelo menos três oitavas. — Ó, céus.

Andy sentiu Jill virando-se para ela interrogativamente, mas estava ocupada demais lançando um olhar de alerta para Max para responder. Ele não notou seu olhar.

— Não, não, não são gêmeos. É sobre a *Plunge*. Parece que Andy e Emily receberam...

— Max, por favor, não — disse Andy, baixinho, com o máximo de firmeza e rigor que era possível sem causar uma cena.

Ele ou não a ouviu ou não lhe deu importância.

— ... uma oferta incrível do Elias-Clark para adquirir a *Plunge*. Uma oferta escandalosamente generosa, para ser mais exato. Essas duas basicamente conseguiram o impossível ao fazer com que uma empresa tão nova chamasse atenção e fosse cortejada dessa forma em tão pouco tempo. Vamos todos fazer um brinde a todo o trabalho da Andy.

Ninguém ergueu o copo. Todos começaram a falar ao mesmo tempo.

O pai dela:

— Elias-Clark? Isso quer dizer você-sabe-quem de novo?

Barbara:

— Bem, não poderia ter vindo em melhor hora! Você vai poder se desfazer daquele projetinho egocêntrico e se dedicar a coisas mais compensadoras, como passar um tempo com o bebê. E talvez eu possa fazê-la se envolver com alguns comitês beneficentes...

Jill:

— Uau, parabéns! Mesmo que você não queira vender, a oferta em si já é uma honra.

A mãe dela:

— Não suporto a ideia de você trabalhando com... com... ah, qual é mesmo o nome dela? Aquela que a atormentou durante um ano?

Vovó:

— O que, você gasta um tempão para construir aquela porcaria toda para agora virar e vender? Não entendo vocês, jovens de hoje.

Andy ficou olhando fixamente para Max até ele atravessar a sala em sua direção e a envolver em um abraço de urso.

— Maravilhoso, não é? Estou tão orgulhoso dela.

Jill deve ter visto a cara de Andy, porque se levantou de um pulo e anunciou a todo mundo que eles já haviam tido emoções suficientes por uma noite e deveriam ir embora imediatamente para que o casal pudesse dormir.

— Ligo para você do aeroporto amanhã, viu? — disse Jill, ficando na ponta dos pés para poder abraçar a irmã. — Estou muito animada por vocês dois. É realmente a melhor coisa do mundo. Nem vou encher o seu saco por me contar ao mesmo tempo que contou para sua sogra. Não estou ofendida, não se preocupe.

— Ótimo — falou Andy, com um sorriso largo. — Porque grávidas não fazem nada errado, como estou descobrindo rapidinho.

Jill vestiu seu casaco acolchoado — estava um frio revigorante, mesmo para novembro —, dizendo:

— Aproveite enquanto durar. As pessoas só se importam quando é o primeiro. Você pode estar com nove meses e prestes a parir o segundo filho que ninguém vai nem lhe oferecer o lugar. E o terceiro? — Ela fungou. — Perguntam de cara se foi planejado ou não. Como se não pudessem imaginar alguém fazendo isso voluntariamente...

Andy riu.

— Não que no nosso caso tenha sido voluntário...

— Detalhes.

Andy pegou uma mecha de cabelo de Jill e a colocou atrás da orelha da irmã. Quase havia esquecido como era passar alguns momentos tranquilos com ela. Morando do outro lado do país, elas se viam muito raramente, e quando se viam, as crianças e Kyle e Max e a mãe das duas quase sempre estavam lá também. Elas não tinham sido tão amigas durante a infância — com uma diferença de nove anos, Jill fora para a faculdade quando Andy era apenas uma garotinha —, mas nos últimos cinco ou seis anos haviam começado a conversar regularmente por telefone e vinham tentando se ver com mais frequência. Com o noivado, Andy até passara a ter mais sobre o que conversar com a irmã, desde os planos para a festa de casamento até todos os muitos motivos que faziam dos maridos e noivos as criaturas mais enlouquecedoras e difíceis de entender, e Jill se saíra uma madrinha muito amorosa, apoiando-a bastante. Nada poderia colocá-las no mesmo estado de espírito tão rapidamente quanto se Andy engravidasse, percebeu ela enquanto observava a irmã calçar suas botas de montaria marrons. Durante a última década, a vida de Jill girara em torno da criação de seus meninos, algo que Andy entendia em termos abstratos, mas com o qual não conseguia se identificar de forma concreta. Agora, prestes a virar mãe, ficava claro que ela e Jill estavam prontas a ter mais em comum do que em qualquer outro momento de suas vidas, e de repente ela mal podia esperar para dividir a experiência com sua irmã.

Todo mundo levou mais vinte minutos para pegar seus sapatos e casacos e dar abraços de despedida e dizer parabéns uma última vez. Quando a porta finalmente se fechou, Andy se sentia preparada para desabar.

— Cansada? — perguntou Max, massageando os ombros dela.

— Sim. Mas feliz.

— Todo mundo parecia realmente feliz. E sua avó estava inspirada hoje.

— Até demais. Mas é, eles ficaram muito felizes. — Ela se virou de frente para Max, que estava de pé atrás do sofá. Tomou a decisão consciente de não falar nada sobre o anúncio a respeito do Elias-Clark. Ele tivera tanto trabalho para planejar a noite perfeita e obviamente só mencionara aquilo porque estava entusiasmado por ela. Andy forçou-se a se concentrar nos pontos positivos. — Obrigada por esta noite. Foi realmente especial contar a todos ao mesmo tempo.

— Você gostou? Mesmo? — perguntou Max, com tanta surpresa que a deixou inexplicavelmente triste.

— Mesmo.

— Eu também. E eles ficaram muito felizes com a notícia sobre a *Plunge*. Sabe, é mesmo incrível. Vocês mal completaram três anos e já têm uma oferta de...

Andy ergueu a mão.

— Vamos conversar sobre isso uma outra hora, está bem? Eu só quero curtir esta noite.

Max se aproximou para beijá-la, pressionando-a contra a ilha da cozinha, e Andy sentiu um surto familiar de excitação. Levou um momento para perceber que, pela primeira vez desde que se casara, ela não se sentia exausta ou enjoada. Max mordiscou seu lábio inferior, suavemente no começo, e então apertou seu corpo contra o dela com mais urgência. Ela olhou para o casal de chefs, que agora arrumava a cozinha. Ele seguiu seu olhar.

— Me siga — falou asperamente, fechando a mão em volta do pulso dela.

— Você não tem que pagar a eles? — Ela riu, deixando-se levar meio correndo até o quarto. — Não devemos pelo menos nos despedir?

Max a puxou para dentro do quarto e fechou silenciosamente a porta. Sem dizer mais nada, ele a despiu e a abraçou. Eles caíram juntos, aos beijos, na cama, Andy por cima. Ela segurou as mãos dele perto das orelhas, beijou seu pescoço.

— Eu me lembro disso — falou ela.

Max então a virou, jogando-a de costas no colchão, e a cobriu com seu corpo. A sensação era maravilhosa — sentir o peso dele, o cheiro de sua pele, o toque de suas mãos. Eles fizeram amor lenta e carinhosamente. Quando terminaram, Andy descansou a cabeça no peito dele e ficou escutando sua respiração acalmar, tornando-se regular e rítmica. Ela ouviu Stanley latir quando os chefs saíram de fininho, e deve ter adormecido, porque, quando abriu os olhos, estava tremendo de frio em cima das cobertas e Stanley havia se enfiado entre eles dois.

Andy se aninhou embaixo do edredom e ficou deitada ali por dez minutos, 15. O sono não veio novamente, apesar de ela estar tão cansada que mal tinha forças para se virar. Mais um novo mistério induzido pela gravidez: a profunda exaustão, combinada a uma insônia inexplicável. Ao seu lado, a respiração de Max ficou mais lenta e então se estabilizou, seu peito subindo e descendo com uma previsibilidade estável. Pois por mais intenso e ativo que fosse durante o dia, à noite ele dormia profundamente, deitado de costas com as mãos dobradas no peito como um cadáver, raramente se mexendo ou reajustando a posição. Um 747 podia aterrissar bem ali no quarto que ele se limitaria a suspirar, virar a cabeça alguns centímetros e retomar sua respiração forte e estável. Era enlouquecedor em todos os níveis.

Saindo discretamente da cama, Andy vestiu seu roupão de Sra. Harrison e as grossas meias de viagem que havia adquirido em uma banca do aeroporto JFK. Pegou um Stanley gemendo nos braços e foi na ponta dos pés pelo corredor até o sofá, onde desabou em um amontoado nada gracioso. O DVR deles era decepcionante: na maior parte jogos de futebol antigos que Max havia gravado mas acabara vendo on-line; alguns programas de debates sobre a NFL; um episódio pré-histórico de *Private Practice*; um de *60 Minutes* que ela já vira; um de *Modern Family* que ela havia prometido a Max verem juntos; e a última hora do episódio especial sobre casamentos do *Today* de duas semanas antes, quando tanto Andy quanto Emily verificaram todos os fornecedores e tendências que Hoda e Kathie Lee discutiram. A programação da TV não era muito melhor: os programas de sempre da madrugada, alguns infomerciais, uma reprise de *Design Star* na HGTV. Andy estava prestes a desistir quando algo no horário da meia-noite chamou sua atenção: *A sacerdotisa-mor da moda: vida e época de Miranda Priestly*.

Ah, merda, pensou consigo mesma. *Eu tenho mesmo que ver isso?* Ao contrário de todo mundo que ela conhecia, incluindo Emily, Andy se recusara a assistir ao documentário quando ele foi lançado no cinema, um ano antes. Quem precisava de tantos flashbacks? A voz, o rosto, o tom de eterna decepção, as palavras de repreensão. Andy se lembrava disso tudo como se tivesse sido ontem — por que assistir ao vivo e a cores? Mas ali, na segurança de sua sala, a curiosidade a dominou. *Eu tenho que ver.* Seu polegar hesitou apenas por um momento antes de selecionar o programa. Uma Miranda com cara de zangada, adornada com um vestido Prada creme, lindos saltos com uma discreta fivela dourada e, é claro, a sempre presente pulseira Hermès, a encarou de volta com um olhar hostil.

— Acho que não é a hora nem o lugar — falou gelidamente para a pobre alma que segurava a câmera.

— Desculpe, Miranda — respondeu uma voz desencarnada pouco antes de a tela ficar temporariamente preta.

E então, um segundo depois, ainda em seu escritório, mas agora em um tailleur de lã, provavelmente Chanel, com botas de cano curto. Aparentemente não muito mais satisfeita do que na última cena.

— Aliyah? Está me ouvindo?

A câmera girou para uma garota alta e excessivamente magra, nem um dia mais velha que 21 anos, em uma calça legging branca, botas de cano curto estranhamente parecidas com as de Miranda e um lindo colete de caxemira por cima de uma camisa de seda de corte masculino. Seu cabelo ondulado tinha aquele estilo sexy da Gisele, levemente bagunçado e emaranhado, que Andy jamais conseguia imitar, e seus olhos apareciam borrados de kohl. Sua expressão parecia a de quem foi interrompido por Miranda enquanto transava bem em cima da mesa de assistente na antessala — sedutora, tórrida, safada. E, é claro, apavorada.

— Avise a todos que estou pronta para a prova. Foi marcada para esta tarde, mas vou sair do escritório em vinte minutos. Assegure-se de que o carro estará me esperando. Ligue para o celular da Caroline para lembrá-la de seu compromisso esta tarde. O que aconteceu com aquela bolsa que você ia mandar consertar? Preciso dela até as três horas. Assim como o vestido que usei no evento da Biblioteca Pública de Nova York no ano passado ou retrasado. Ou será que foi no jantar beneficente para crianças com Aids? Ou naquela festa naquele loft pavoroso em Varick, depois dos desfiles de outono no ano passado? Não lembro, mas você sabe de qual estou falando. Quero que esteja na minha casa até as cinco horas, com as sandálias certas. E algumas opções de brincos. Faça uma reserva para hoje à noite, um jantar cedo, no Nobu, e amanhã, café da manhã no Four Seasons. Garanta que eles tenham um suprimento adequado de suco de *toranja* rosa desta vez, não só da branca, que é terrível. Diga a Nigel para me encontrar no estúdio de James Holt às duas da tarde hoje; cancele minha hora no cabeleireiro mas confirme a manicure e o pedicure. — Aqui ela parou só por um instante para recuperar o fôlego. — E vou precisar do Livro esta noite depois das onze, mas antes da meia-noite. Não deixe, eu repito, não deixe com o porteiro idiota e não o traga para o meu apartamento se eu não estiver lá. Nós temos... *visitas* que vão ficar conosco esta noite e não tenho confiança em deixá-lo com eles. É só.

A garota assentiu de uma forma que não inspirava confiança. Andy pôde ver instantaneamente que ela era nova e estava a horas, senão minutos, de ser demitida. Não tinha papel ou caneta, nenhuma habilidade para se lembrar de todos os pedidos ou desencavar todas as respostas. A própria Andy estava, por reflexo, fazendo perguntas mentalmente. *Quem eram exatamente "todos" que precisavam saber sobre a prova? Onde estava o motorista naquele momento e será que ele podia voltar a tempo? Aonde ela vai? Que compromisso Caroline tem esta tarde e será que ela já sabe disso? Qual bolsa? Será que vai estar pronta às três, e, se estiver, como vou buscá-la? A essa hora Miranda vai estar no escritório ou já terá chegado em casa? Qual vestido? Eu sei comprovadamente que ela usou vestidos diferentes para cada um daqueles eventos, então como diabos vou saber a qual ela se refere? Ela me deu alguma dica de cor/designer/corte para limitar as opções? Quais sandálias? Há alguma editora de moda na empresa neste momento e será que ela pode arrumar brincos a tempo? Que tipo vai ficar melhor com o vestido misterioso? A que horas exatamente eu devo marcar a reserva no Nobu? No de Tribeca ou no da rua 57? E café da manhã no Four Seasons? Às sete? Oito? Às dez? Lembrar de mandar um presente de agradecimento ao gerente por atender o pedido do suco de* toranja *rosa. Encontrar Nigel, retransmitir as informações felizmente especí-*

ficas e confirmar/cancelar os devidos horários do salão. Fazer reservas preventivas de suítes no Peninsula para quando Miranda inevitavelmente me ligar no meio da noite reclamando de seus convidados (amigos do marido, sem dúvida) e exigir uma fuga imediata. Alertar motorista sobre um provável transporte tarde da noite do apartamento de Miranda para o hotel. Suprir a suíte do hotel com Pellegrino, o Livro e uma roupa de trabalho adequada para amanhã, incluindo todos os acessórios, sapatos e artigos de higiene pessoal. Planejar não dormir nenhum segundo enquanto ajudo Miranda a atravessar esses tempos difíceis. Repetir.

Deixando Miranda, a câmera seguiu a garota de volta a sua mesa — a mesma mesa à qual Andy havia se sentado dez anos antes — e a observou rabiscar anotações freneticamente em minúsculos Post-its. Um zoom em uma única lágrima escorrendo por sua aveludada bochecha. Andy sentiu a garganta se fechar e apertou "pause". *Segure a onda!*, sussurrou para si mesma, percebendo que tinha as unhas enterradas na palma da mão, que agarrava o controle remoto com força e que seus ombros estavam praticamente grudados nas orelhas. Tinha medo de olhar para cima novamente, apesar de a imagem estar congelada na televisão, seu terror quase igual a quando ela assistia a filmes com mocinhas correndo sozinhas em áreas densamente arborizadas, fones nos ouvidos, beatificamente sem ter noção de que um assassino em série demente estava pronto a surgir de trás de uma árvore. Havia sido por isso que ela se recusara a ver o filme quando ele fora lançado, apesar das provocações e zombarias de todo mundo. Ela se sentira daquele jeito 24 horas por dia durante um ano inteiro. Por que precisava se submeter a isso novamente?

Stanley latiu para o próprio reflexo na janela; Andy o puxou para perto.

— Que tal uma xícara de chá, rapazinho? Vai querer de quê? Hortelã?

Ele olhou para ela estupidamente.

Andy se levantou, alongou-se e amarrou novamente o cinto do roupão. Sem querer esperar que a água fervesse, vasculhou na tigela gigantesca de cápsulas e saquinhos de café e chá que Max mantinha na bancada até encontrar um de chá de ervas. Enfiou-o na máquina, acrescentou um saquinho de açúcar de verdade (chega de adoçantes artificiais!) durante a infusão e um pouco de leite, e então estava de volta ao sofá em menos de um minuto.

Emily ainda mantinha contato com algumas pessoas da *Runway*, portanto estava por dentro de inúmeros pedidos ridículos de Miranda, demissões ultrajantes e humilhações públicas recentes. Parecia que a idade não havia deixado aquela mulher nem um pouco mais humilde ou mesmo a obrigado a diminuir o ritmo. Ela ainda demorava menos tempo dispensando assistentes do que levava para almoçar. Ainda pontuava quase todas as ordens com *é só*. Ainda ligava para sua equipe noite e dia, repreendendo-os por não lerem sua mente ou adivinharem suas necessidades, para então desligar na cara deles e logo depois ligar de novo. Andy certamente nem precisara assistir àquele trecho do filme para sentir tudo mais uma vez — até hoje, o toque antiquado de um certo celular Nokia, quando ouvido dentro do ônibus ou mesmo do outro lado de um bar lotado, podia lançá-la a paroxismos de pânico. Agora a tela à sua frente a fazia reviver tudo em cores vívidas.

Apenas meses depois daquela fatídica tarde em Paris é que Andy conseguira voltar a dormir uma noite inteira. Acordava arfando, imaginando alguma tarefa que não conseguira cumprir — perdera o Boletim de novo ou mandara Miranda para um almoço de negócios no restaurante errado. Ela nunca mais pegara outro exemplar da *Runway* desde que fora embora, mas é claro que a revista a provocava em bancas de jornal, salões de beleza, salas de espera de médicos, manicures, em todos os cantos. Com a oferta de trabalho no *Felizes Para Sempre* que Andy recebera de uma jovem apenas alguns anos mais velha que ela, sob a promessa de que teria "total independência para escrever", desde que abordasse assuntos geralmente aceitos e entregasse as matérias no prazo, ela teve a esperança de um recomeço. Lily estava se mudando para Boulder. Alex havia terminado com ela. Seus pais tinham anunciado a separação. Andy fizera 24 anos alguns meses antes e estava morando sozinha no que parecia ser, pela primeira vez em quase dois anos, uma cidade avassaladoramente enorme. Como companhia, tinha sua televisão e um ou outro amigo da faculdade, se os procurasse. E então, felizmente, Emily.

O som da voz estridente de Miranda a trouxe de volta à realidade. O tempo de pausa para programas no ar havia acabado e o documentário retornou à tela. Andy assistiu só mais um pouco, vendo a futura ex-assistente de Miranda tentar infrutiferamente se lembrar da lista de coisas que haviam acabado de aterrissar em seu colo. Viu as expressões de surpresa e pânico, seguidas por resignação e sensação de derrota, e teve dó da garota. Sua demissão seria uma surpresa apenas para ela, convencida como certamente estava de que aquele emprego era sua entrada para um mundo maior e melhor. A garota não poderia entender que dentro de oito ou dez anos estaria sentada em sua sala de estar, talvez com um marido para chamar de seu e um bebê a caminho, e ainda iria querer vomitar ou assassinar alguém toda vez que ouvisse certo toque de celular ou visse uma echarpe branca ou acidentalmente passasse por certo programa na TV.

Como se acompanhando seus pensamentos, o texto na parte inferior da tela anunciou que um dia havia se passado desde a última cena. Agora, Miranda era vista em uma deslumbrante capa de chuva Burberry, com uma bolsa Yves Saint Laurent no ombro, atravessando a antessala a caminho do almoço ou de uma reunião.

Ela ficou olhando para a assistente sênior, outra garota que Andy não reconheceu, mas cujo cargo identificou por ela estar sentada no lugar de Emily, até a garota ousar erguer os olhos.

— Dispense-a — falou Miranda, sem se dar ao trabalho de baixar a voz um decibel sequer.

— Perdão? — perguntou a assistente-Emily, mais por choque do que por não ouvir direito.

— Ela — explicou Miranda, fazendo um gesto com a cabeça na direção da assistente júnior. — É uma idiota. Quero que esteja fora daqui quando eu voltar. Comece as entrevistas imediatamente. Espero que você faça um trabalho melhor desta vez.

Miranda apertou a capa de chuva em volta de sua cintura microscópica e saiu a passos largos do escritório. A câmera girou para a mesa da assistente júnior, cujo rosto exibia o mesmo choque que exibiria se ela tivesse apanhado. Antes que os olhos doces e imensos da garota pudessem se dissolver em lágrimas, Andy balançou a cabeça e desligou a TV. Ela já vira o suficiente.

Miranda Priestly só faltou chamar você de linda

14

Andy riu ao ver Emily segurar com força os braços da cadeira e abaixar o corpo com cuidado no assento da primeira fileira, ao lado da quadra.

Emily lhe dirigiu um olhar.

— Não sei do que você está rindo. Pelo menos eu só estou machucada, não enorme.

Andy olhou para a própria barriga, agora solidamente arredondada e inquestionavelmente óbvia aos cinco meses de gravidez, e assentiu, sorrindo.

— Estou enorme.

— Esses lugares são meio Jay-Z — disse Emily, olhando em volta. Max e Miles estavam sentados ao lado da quadra, no banco dos jogadores, observando o aquecimento, no paraíso masculino. Viravam a cabeça a cada vez que um jogador de mais de 2 metros corria, arremessava, driblava e encestava. — De vez em quando Miles realmente me aparece com algo bom.

— Eu queria me importar só um pouquinho com os Knicks ou com basquete em geral — disse Andy, esfregando a barriga. — Sinto que não damos muito valor.

A multidão atrás delas urrou quando Carmelo Anthony surgiu correndo na quadra para fazer seu aquecimento.

— Por favor — falou Emily, revirando os olhos. — Estou aqui pela experiência de ser VIP na primeira fila e você está aqui pela comida. Desde que isso fique claro, está tudo bem.

Andy enfiou uma garfada de macarrão trufado com queijo na boca.

— Você realmente devia experimentar isto...

Emily empalideceu.

— O que foi? O médico mandou ganhar 13 quilos...

— Isso se referia aos nove meses inteiros e não só à primeira metade — informou Emily, olhando com nojo para a alta pilha de comida no prato da amiga. — Quero dizer, eu não sou nenhuma especialista em gravidez, mas você parece bem a caminho de virar uma Jessica Simpson.

Andy sorriu. Ela vinha curtindo ocasionalmente cupcakes e pedaços de pizza extras agora que a náusea havia diminuído, sim. E, com certeza, não era só sua barriga que estava parecendo maior — tanto seu rosto quanto seu traseiro tinham ficado cheios e redondos —, mas ela sabia que não era nada fora do comum. Só quando estava conversando com Emily, que ainda se referia às grávidas como "gordas" ou "cheias", era que ela pensava a respeito. Andy aceitara que seu único prazer verdadeiro atualmente vinha da comida e que ninguém jamais olhava para uma mulher grávida e pensava que ela era grande ou pequena, gorda ou magra, nem mesmo alta ou baixa; ela estava só grávida.

Os rapazes se viraram e acenaram; Emily se retraiu ao acenar de volta, tocando o abdome.

— Meu Deus, como isso dói. E não tem nenhum analgésico decente! Só porque alguns idiotas ficam viciados em Oxy temos que passar a vida inteira nos satisfazendo com Advil.

— Eu falei que era maluquice vir hoje à noite. Quem é que vai ao Madison Square Garden na semana em que recebe alta do hospital?

— O que você queria que eu fizesse? — indagou Emily, genuinamente intrigada. — Ficasse em casa de pijama vendo um filme no Lifetime enquanto vocês estão todos aqui? Além do mais — ela fez um gesto com a cabeça na direção da primeira fila do outro lado da quadra —, eu não veria Bradley Cooper em casa.

— E ele não teria a chance de admirar o seu bronzeado.

Emily passou as pontas dos dedos pelas maçãs do rosto.

— Exatamente.

A viagem de Ano-Novo para a ilha de Vieques com Emily e Miles fora nada menos que fabulosa: uma vila deslumbrante à beira-mar com duas suítes de casal, uma piscina particular, um barman que parecia especializado em drinques de frutas com rum, e ainda muito mar, jogos de tênis e horas se refestelando na praia. Não só eles não se arrumaram nenhuma vez para ir a lugar algum, como em algumas noites nem se davam ao trabalho de trocar as roupas de banho e saídas de praia por roupas para jantar. As duas haviam concordado em não discutir a oferta do Elias-Clark ou qualquer outro assunto profissional nas férias, e, à exceção de uma menção durante um jantar sobre investir em imóveis na praia com a grande quantidade de dinheiro que receberiam, elas mantiveram o pacto. Andy sabia que estavam retardando o inevitável e que tinham uma conferência por telefone com Stanley marcada para a primeira segunda-feira depois que voltassem. Mas durante aquela semana? Elas dormiram até tarde, beberam muito (Andy se permitiu uma taça de champanhe de vez em quando e várias piñas coladas sem álcool carregadas de calorias; a gravidez finalmente a fizera perceber como Max devia se sentir, pois, mesmo agora, após tantos anos, ele nunca ingeria uma única gota de álcool), leram revistas cafonas e tomaram sol oito horas por dia. Foram as férias mais relaxantes de que Andy podia se lembrar, até Emily aparecer com apendicite.

— Tenho certeza de que é só intoxicação alimentar — anunciou ela na oitava manhã, quando apareceu pálida, suada e debilitada à mesa do café. — E nem por um segundo pense que eu estou grávida, porque não estou.

— Como sabe? Se está vomitando, provavelmente...

— Se a pílula e o DIU juntos não são capazes de prevenir uma gravidez, então eu deveria fazer um tour mundial como uma espécie de aberração fértil. — Emily se dobrou e tentou recuperar o fôlego. — Eu *não* estou grávida.

Miles olhou-a em solidariedade, mas não parou de enfiar pedaços de rabanada na boca.

— Eu falei que aqueles mexilhões não eram uma boa ideia...

— É, mas eu também comi e não tive nada — observou Max, servindo xícaras de café descafeinado de uma jarra de inox para si e para Andy.

— Basta um estragado que já dá isso — falou Miles, dando uma olhada no *Times* em seu iPad.

Andy observou enquanto Emily se levantava cuidadosamente, segurando o abdome, e voltava o mais rápido que podia para o quarto.

— Estou preocupada com ela — disse para os rapazes.

— À noite já vai ter melhorado — falou Miles, sem erguer o olhar. — Você sabe como ela é.

Max e Andy trocaram um olhar.

— Por que você não vai ver como ela está? — disse Max baixinho a Andy. Ela assentiu.

Encontrou Emily se contorcendo em cima das cobertas, em posição fetal, o rosto contraído de dor.

— Acho que isso não é intoxicação alimentar — sussurrou Emily.

Andy ligou para a recepção do resort e eles lhe mandaram a enfermeira de plantão imediatamente. A mulher deu uma olhada em Emily, apertou sua barriga algumas vezes e anunciou ser apendicite. Ela digitou alguma coisa em seu celular e minutos depois uma van do hotel apareceu para levar Emily à clínica local.

Deixando-a sozinha no banco do meio para poder deitar, todos se amontoaram nos lugares restantes. Estavam em Vieques fazia mais de uma semana e, à exceção de um rápido passeio a outro hotel para almoçar, nenhum deles tinha saído dos limites do resort. A viagem até o hospital foi curta mas sacolejante — só as lamúrias de Emily pontuando o silêncio enquanto os três olhavam pela janela. Quando finalmente pararam em um estacionamento, Max foi o primeiro a dizer o que todos estavam pensando.

— Este é o hospital?

A estrutura dilapidada parecia uma mistura de supermercado inacabado com hangar militar. As palavras *Centro de Salud de Familia* apareciam em néon na frente, apesar de mais da metade das letras estar queimadas.

— Não vou entrar aí — disse Emily, aparentemente prestes a desmaiar com o esforço de balançar a cabeça em horror.

— Você não tem escolha — falou Miles. Ele passou um dos braços de Emily por cima de seus ombros e, com um gesto, pediu que Max fizesse o mesmo. — Precisamos de ajuda médica.

Levaram-na carregada para dentro, mas foram recebidos por um silêncio absoluto. À exceção de um adolescente solitário assistindo ao que parecia ser um episódio de *General Hospital* do começo dos anos 1980 em um televisor em preto e branco no alto, o lugar estava completamente deserto.

Emily gemeu.

— Vocês me tirem daqui. Se eu não morrer primeiro, eles vão me matar.

Miles massageou os ombros dela enquanto Max e Andy iam procurar ajuda. O balcão mais ao fundo também estava vazio, mas a enfermeira do resort, que os havia acompanhado até ali, sentiu-se à vontade para entrar, abrir uma porta lateral e gritar para dentro. Uma mulher de jaleco, com uma expressão de surpresa, apareceu.

— Estou aqui com uma moça com uma provável apendicite. Preciso de uma radiografia do abdome e um exame de sangue agora mesmo — disse ela autoritariamente.

A mulher de jaleco deu uma olhada no crachá de identificação da enfermeira e assentiu com um ar de cansaço.

— Podem trazê-la — disse, e fez um gesto para que o grupo a seguisse. — Vamos fazer o exame de sangue, mas a máquina de raios X não está funcionando hoje.

Ao longo do corredor, as luzes piscavam, acendendo e apagando, em intervalos imprevisíveis. Andy ouviu Emily começar a chorar e percebeu que era a primeira vez em uma década de amizade que ela via Emily perdendo a calma.

— É só um exame de sangue — falou Andy, da maneira mais tranquilizadora que podia.

A mulher largou-os na sala de exames, deixou em cima da mesa uma camisola hospitalar de limpeza questionável e saiu sem uma palavra.

— Eles já vão voltar para tirar seu sangue. Não precisa trocar de roupa — disse a enfermeira do hotel.

— Ah, que bom, porque não tinha mesmo a menor chance de eu vestir isso aí — falou Emily, apertando a barriga.

Outra mulher de jaleco apareceu e, olhando para uma prancheta, perguntou:

— Vocês são o grupo da doença de Lyme?

— Não — respondeu Miles, parecendo preocupado.

— Ah. Está certo, eu vou...

A enfermeira do hotel a interrompeu:

— Suspeita de apendicite. Só preciso de uma contagem de glóbulos brancos e uma radiografia para confirmar. O nome dela é Emily Charlton.

Após mais cinco minutos, em que cada um deles verificou duas, três vezes para ter certeza de que a agulha que a mulher ia usar era nova e estava em um pacote lacrado, Emily ofereceu o braço esquerdo e se encolheu quando a mulher tirou uma amostra. A enfermeira do hotel levou-a a outra sala para a radiografia, onde a máquina supostamente havia acabado de ser consertada, e voltou com a notícia: era apendicite, como ela suspeitara. Emily teria que passar por uma cirurgia imediatamente.

Ao ouvir a palavra *cirurgia*, Emily só faltou desmaiar, quase desabando em cima da mesa.

— Nem fodendo. Não vai rolar.

Max virou-se para a enfermeira do hotel.

— Tem algum hospital aqui na ilha? Talvez algum lugar.. um pouco mais moderno?

A enfermeira balançou a cabeça em negativa.

— Isto aqui é apenas um posto de saúde. Eles não estão equipados para cirurgia, e, mesmo que estivessem, eu não recomendaria.

Emily começou a chorar de novo; Miles também estava com cara de quem ia desmaiar.

— Bem, tenho certeza de que outros hóspedes do resort já precisaram se submeter a cirurgias simples antes, certo? O que podemos fazer agora?

— Precisamos transferi-la de helicóptero para San Juan.

— Ok. Quanto tempo leva? Foi o que seus outros hóspedes fizeram?

— Não, acho que não. Tivemos uma mulher que entrou em trabalho de parto prematuro uma vez e outra com um caso horrível de pedras nos rins. Ah, e teve aquele senhor que sofreu um leve ataque cardíaco, mas não, nenhum deles foi para San Juan. Eles sempre pegam um avião para Miami.

— Em quanto tempo ela deve fazer a cirurgia? — continuou Max.

— Depende. Quanto antes, melhor, é claro, para evitar que o apêndice se rompa. Mas considerando que ela não está sentindo dor há muito tempo e que o nível dos glóbulos brancos não está alarmante, eu diria que deve dar tempo.

Era só o que Andy precisava ouvir antes de entrar no modo planejamento ao estilo *Runway*. Usando seu celular e o de Max simultaneamente e gritando ordens para Miles, conseguiu alugar um pequeno avião em menos de uma hora — o tempo todo já seguindo de carro pelas estradas esburacadas até o aeroporto. Ela providenciou para que uma ambulância os encontrasse no Miami International e falou com um cirurgião geral no Mount Sinai de Miami — um colega de faculdade de Alex — para conseguir alguém que pudesse operar Emily imediatamente. Andy e Max levariam Miles e Emily ao aeroporto local e então voltariam ao hotel para fazer as malas de todos. Depois, pegariam o primeiro voo comercial para Miami que conseguissem encontrar.

Andy estava se despedindo deles no avião quando Max disse:

— Você é incrível. É uma profissional em dar um jeito nas coisas. Nunca vi ninguém assim.

— Essa é a minha garota — falou Emily, com um sorriso débil. — Fui eu que a treinei.

— É, bem, por mais que você seja uma megera maluca, ainda não chega aos pés de Miranda — disse Andy, dando um tapinha de leve na testa da amiga. — Da próxima vez quero um desafio.

A cirurgia correu tranquilamente, considerando tudo que já haviam passado até ali. Como o apêndice de Emily chegou a se romper, mesmo que parcialmente, ela teve que ficar quase uma semana no hospital, mas não houve grandes complicações. Andy e Max ficaram por um ou dois dias em Miami, tempo suficiente para testemunhar a chegada de um extravagante arranjo de flores com um bilhete que dizia apenas "Da parte de Miranda Priestly". Com a convalescença de Emily, elas teriam que adiar a conferência, a data ainda a ser marcada. Andy voltou alegremente à tarefa de editar a *Plunge*, sem o fantasma de uma segunda conversa com o Elias-Clark, por uma maravilhosa semana inteira. Ela deu uma olhada em algumas lojas de artigos para bebês perto de casa, fez test-drive em alguns carrinhos e escolheu um conjunto de roupa de cama de gênero neutro que era perfeito, verde-limão com uma fofíssima estampa de elefantes em branco. Quando Emily telefonou para Andy dois minutos depois de ter aterrissado no JFK para anunciar que Miles arranjara uns "ingressos sinistros" para o jogo dos Knicks daquela noite, Andy apenas balançara a cabeça. Quem mais desembarcaria de um avião — com uma aparência absolutamente fabulosa, aliás — e iria direto para um jogo de basquete apenas alguns dias depois de ter um órgão removido?

Elas ficaram vendo o time se aquecer por mais algum tempo e então, por insistência de Andy, foram visitar a sala privativa do clube para recarregar o estoque de comida. Andy encheu o prato, pegando camarão com molho rosé, patas de caranguejo com manteiga, frango assado ao molho barbecue, milho verde cozido e uma quantidade de deliciosos salgadinhos suficiente para alimentar quatro pessoas. Largou tudo em uma mesa no canto para ir pegar um copo enorme de Coca (ah, uma vez só não faz mal!) e um pedaço imenso de bolo-mousse de chocolate.

— Você vai acabar explodindo — falou Emily, enquanto mordiscava um aipo de seu pratinho minúsculo de vegetais crus.

— Estou grávida de cinco meses e a ponto de ficar um bujão. Vou viver um pouco — retrucou Andy, e mordeu a ponta de um camarão.

Emily estava concentrada demais em tentar vislumbrar celebridades na sala VIP para prestar muita atenção. Seus olhos se moviam lenta e sutilmente pelo aposento; ela investigava cada rosto, cada bolsa, cada par de sapatos, até que seus olhos se arregalaram.

Andy seguiu o olhar da amiga e inspirou com tanta força que o pedaço de camarão ficou preso em sua garganta. Ela ainda conseguia respirar, mas tossindo daquele jeito não conseguia movê-lo nem para cima nem para baixo.

Emily lançou-lhe um olhar de reprovação.

— Pode ser mais discreta, por favor? Miranda está aqui!

Andy sugou o máximo de oxigênio que conseguia e tossiu com força. Finalmente, após mais algumas tossidas em pânico, o camarão voou para fora de sua boca, indo aterrissar em suas mãos, já a postos. Ela o embrulhou em um guardanapo e o jogou em cima da mesa.

— Isso é a coisa mais nojenta que eu já vi — sussurrou Emily, rispidamente. — Por que não vomita pela sala toda de uma vez?

— Eu estou bem, obrigada por perguntar. Agradeço sua preocupação.

— Mas o que ela está fazendo em um jogo dos Knicks? Miranda não é nem um pouco fã de basquete.

Emily deu outra olhada furtiva.

— Ah, entendi. Ela veio com o namorado. Ele deve gostar de basquete.

Andy franziu os olhos para o outro lado da sala e viu que Rafael Nadal estava sentado ao lado de Miranda. Os dois tomavam café, ela rindo de cada palavra que ele proferia. Os dentes dela eram perfeitamente alinhados e de tamanho normal — não havia absolutamente nada de notável na arcada dentária dela, nem positiva nem negativamente —, mas nas pouquíssimas vezes que Andy vira Miranda sorrir, ficara arrepiada. A pele pálida esticada no rosto; aqueles lábios finos e desbotados ainda mais repuxados; e os dentes que pareciam prestes a sair para morder quem chegasse perto demais... Andy estremeceu só de pensar.

— Meu Deus, ele é lindo.

Emily suspirou, dessa vez sem nem se dar ao trabalho de olhar com discrição.

— Será que eles estão dormindo juntos? — perguntou Andy.

Emily olhou para ela, as sobrancelhas erguidas até o teto.

— Você só pode estar brincando. Ela idolatra Nadal. É a paixonite de Miranda. Ela o comeria vivo.

Andy mergulhou uma pata de caranguejo na manteiga.

— Vamos encontrar Max e Miles. Não quero me arriscar a dar de cara com Miranda. Já tive emoções suficientes nos últimos dias, e você também.

— Não seja ridícula — falou Emily, levantando-se com um estremecimento óbvio. Ela passou a mão no cabelo e puxou um fiapo imaginário de seu suéter de caxemira. — É claro que vamos lá cumprimentar Miranda. Ela me mandou flores no hospital! Seria de uma grosseria extrema não agradecer.

— Não foi *ela* quem enviou as flores, Emily. Você deve se lembrar de...

Porém era tarde demais. Emily já a puxava, erguendo-a da mesa de tal maneira que parecia estar ajudando uma grávida gorda a se levantar. Agarrando Andy pelo pulso, ela saiu arrastando-a atrás de si.

— É só fazer o que eu fizer — falou, enquanto atravessavam rapidamente a sala acarpetada. Em menos de dez segundos as duas se viram de pé diante da mesa de Miranda.

Andy olhou para seu pulso, onde a mão de Emily continuava a apertar como se fosse uma garra. Ela rezou para que um incêndio de grandes proporções irrompesse espontaneamente e forçasse todos a sair correndo. Mas houve apenas um silêncio estupefato por parte de todos os quatro, até que o tenista ainda-mais-lindo-pessoalmente pigarreou.

— Vocês querem um autógrafo? Neste guardanapo mesmo? — indagou ele, olhando para Emily, pois os olhos de Andy estavam apontados para o chão.

— Ah, não. Não, não, não — disse Emily, toda afobada, coisa que não era nem um pouco típico dela.

Nadal riu.

— Que bobagem a minha. Olhe só para vocês duas. Não estão aqui pelo meu autógrafo, não é? Vocês querem o da Srta. Priestly. — Ele se virou para Miranda. — Quem me dera ter tantas fãs bonitas assim quanto você.

— Ah, Rafa! — Miranda riu, sua pele se repuxando por cima dos dentes daquela forma vampiresca. — Você me lisonjeia.

A mim também, pensou Andy. Rafael Nadal havia acabado de chamá-la de bonita?

Miranda chegou mais perto dele e tocou seu braço. Riu de novo.

Emily e Andy trocaram olhares. Miranda estava jogando charme para ele!

Felizmente Emily se recuperou de sua mudez antes que as coisas ficassem ainda mais constrangedoras.

— Na verdade, eu sou Emily Charlton e esta é Andy... quer dizer, Andrea Sachs. Da revista *The Plunge*, lembra?

Sem mencionar os vários períodos de trabalho escravo, pensou Andy.

— Muito obrigada pelas flores! Eram lindas, e foi muito gentil da sua parte.

Miranda avaliou as duas friamente, apesar de Andy *saber* que ela as reconhecia. Mas não importava; não impediu que suas bochechas queimassem quando ela passou lentamente os olhos por Andy da cabeça aos pés. Ainda fez Andy querer amputar os dois pés quando pousou os olhos em seu tênis (um All Star sujo que ela desencavara do fundo do armário. Afinal, merecia ficar confortável). Mas foi quando o olhar de Miranda subiu de novo e parou na sua barriga que ela realmente quis sair correndo.

— Ora, ora — falou Miranda, seus olhos fixos na barriga dela como se fosse uma tela de IMAX. — Pois não temos uma novidade?

— Ah é... hã... meu marido e eu vamos ter um filho — Andy se apressou em dizer, alguma força inexplicável impelindo-a a citar a existência de Max. — Estou de cinco meses.

Andy se preparou para o inevitável — muito provavelmente um erguer de sobrancelha e um comentário do tipo "Só cinco meses, hum?" —, e ninguém ficou mais surpresa quando Miranda abriu outro sorriso. E este, de alguma forma, não era assustador.

— Isso é ótimo — falou ela, com aparente sinceridade. — Eu simplesmente adoro bebês. É o seu primeiro? Você está se saindo uma bela gestante.

Andy ficou tão chocada que foi incapaz de responder. Simplesmente olhou para Miranda, assentindo, e esfregou a barriga como se tentasse proteger o bebê. Não tinha certeza se ouvira direito.

— Sim, é o primeiro e eles fazem questão de não saber antes se é menino ou menina. Mas não se preocupe, Miranda. Só deve nascer no fim da primavera, o que nos dá tempo suficiente para resolver os detalhes do...

Os olhos de Miranda se tornaram subitamente frios e seus lábios se curvaram em linhas finas e sibilantes.

— Nunca ensinei a você que é grosseria falar de negócios em situações sociais? — rosnou ela, toda a postura mudando em um segundo.

Ensinei.

Emily recuou como se tivesse levado um tapa.

— Sinto muito, eu não estava...

— Miranda, pegue leve com elas — disse Rafael, rindo. Ele viu um amigo ou um fã perto do bar e pediu licença. — Foi um prazer conhecer vocês duas. Boa sorte com... tudo. — Andy não pôde deixar de notar o alerta em sua voz.

— Sinto muito, Miranda, só achei qu-que...

Mas Miranda interrompeu a gagueira de Emily:

— Podem ligar para Stanley segunda-feira de manhã se quiserem falar sobre isso.

Emily assentiu. Andy estava prestes a anunciar uma necessidade de ir ao banheiro ou um desejo urgente de encontrar seus respectivos maridos, qualquer coisa para tirá-las dali, mas Miranda mais uma vez voltou sua atenção para ela.

— E você, Ahn-dre-ah. Minha assistente vai lhe mandar uma cópia da minha lista de enxoval. Creio que você vai achar muito útil.

Andy tossiu.

— Ah, obrigada — falou, sem saber mais o que dizer. — É uma boa ideia.

— Hum. E me avise se precisar de alguma recomendação de agências de babás, creches, essas coisas. Tenho indicações maravilhosas.

Andy fez um tremendo esforço para não cair dura. Aquela certamente era a conversa mais longa que ela já tivera com Miranda Priestly sem ser repreendida, humilhada ou receber ordens. Por um instante, ela até se sentiu culpada por pensar: *É claro que Miranda é expert em contratar outras pessoas para criar seus filhos.*

Em vez disso, sorriu e agradeceu.

— Foi um prazer vê-la, Miranda — disse Emily, um tom de desespero aparente em sua voz. — Espero falar novamente com você em breve.

Miranda a ignorou inteiramente. Apenas acenou com a cabeça para Andy e foi buscar Rafael.

— Só eu estou achando que essa foi a conversa mais estranha do mundo? — comentou Andy depois que Miranda e Nadal deixaram a sala VIP.

— O quê? Eu achei que correu perfeitamente.

Mas Andy via que ela estava chateada. Ficou olhando para a amiga, um tanto incrédula.

— Ela nem perguntou se você estava se recuperando bem.

— E daí? É o jeito dela, não tem nada de pessoal. Ela foi uma fofa falando sobre a sua gravidez. Disse que você é uma bela gestante! Isso é praticamente uma declaração de amor no mundo Priestly.

— E aí ela quase arrancou a sua cabeça! Então até Satã tem uma queda por bebês por nascer. Ótimo. Mas eu não posso ficar grávida para sempre, Em. Se vendermos a revista para o Elias-Clark, você vai ter que dar um jeito de engravidar também.

A cor sumiu do rosto de Emily.

— Pode parar.

Andy riu.

— Estou falando sério! A única forma de Miranda Priestly agir como um ser humano é ter grávidas por perto. Senão ela é um monstro. Sei que estamos pisando em ovos quanto a esse assunto, mas por favor: você não pode ainda estar pensando em vender a revista.

Os grandes olhos de Emily se arregalaram ainda mais.

— Pensando? Ora essa, sim, eu estou *pensando*. Por mim já tinha vendido! E se você tivesse um mínimo de tino para os negócios, também venderia.

— E se você tivesse um mínimo de autopreservação, estaria exatamente onde eu estou: correndo para salvar sua vida.

— Você é tão dramática! — Emily suspirou pateticamente.

— Você chama dez anos de análise e pesadelos e flashbacks repentinos de ser dramática? Se você e ela quiserem cobrir o custo do meu analista e acrescentar um suprimento ilimitado de pílulas para dormir e massagens quinzenais, eu penso no caso. Qualquer coisa menos que isso e eu não sobreviveria.

Os maridos se materializaram na frente delas.

— Vocês não vão acreditar em quem acabamos de ver — disse Max com tanto entusiasmo que não era possível ele ter visto Miranda Priestly.

— Uma certa editora de moda famosa? — indagou Emily, a sério.

Max a olhou, confuso.

— Não. Megan Fox com o marido, aquele cara de *Barrados no baile*. Estão sentados bem ao nosso lado.

— E ela é ainda mais gata pessoalmente — foi o comentário útil de Miles.

Quando nenhuma das duas esboçou qualquer reação, eles trocaram um olhar.

— O que está acontecendo aqui? — perguntou Miles.

— Encontramos Miranda — disse Andy, olhando para Max em busca de solidariedade, e ficou surpresa em ver o quanto ele ficou animado.

— Miranda Priestly? Sério? Ela mencionou a aquisição? Não reclamou por ter se passado tanto tempo desde a oferta inicial?

Andy o olhou com raiva.

— Não é "tanto tempo". O primeiro telefonema veio depois do nosso casamento, e eles queriam ver nossa projeção financeira para o último trimestre. Foi Miranda quem praticamente tirou folga do Dia de Ação de Graças até o Ano-Novo. E aqui estamos nós, uma semana depois do réveillon. Não estamos enrolando. — Andy sabia que soava na defensiva, mas não conseguia evitar.

Miles cutucou Max nas costas.

— Vamos pegar uma bebida. O clima aqui está tenso.

Max assentiu.

— Só acho que, se vocês vão mesmo vender, deviam realmente agilizar as coisas, para que ela não pense que...

— Pode deixar — cortou-o Andy, com mais irritação do que pretendia.

Max ergueu a mão em rendição.

— É só uma opinião.

Toda vez que discutiam sobre o assunto, Max não parava de falar no prestígio de ser comprado pelo Elias-Clark, a honra de receber uma oferta tão impressionante depois de tão pouco tempo no mercado e sobre como isso libertaria Andy para experimentar outra coisa que ela realmente adorasse — depois de um ano de inferno, é claro. Andy não podia deixar de suspeitar que ele estava pensando no próprio bolso, além de querer se vangloriar tanto do investimento inteligente que fizera quanto de sua esposa bem-sucedida. Ela sabia que a Harrison Media Holdings andava aos tropeços naquele ano, ainda mais que no anterior, e a renda de Andy era de Max e vice-versa: ele insistira em que ambos entrassem no casamento sem um acordo pré-nupcial, em termos iguais — um arranjo no qual Andy saía muito mais favorecida, o que enfurecia a Sra. Harrison —, portanto Andy estava feliz que tanto ela quanto Max se beneficiassem financeiramente com a venda. O que não a deixava muito satisfeita era a constante pressão que ele colocava, sutil mas continuamente, sobre ela. Andy não se achava no direito de dar opiniões sobre as decisões nos negócios dele.

— Estaremos no bar quando vocês duas terminarem. Nada de brigas, viu? O jogo já vai começar — disse Miles.

Emily virou-se para ela, mas Andy não conseguia olhar nos olhos da amiga.

Até que enfim ela ergueu o olhar.

— O que foi?

— Você realmente não vai concordar com isso, não é? Nem agora nem nunca.

Emily entrelaçou os dedos e parecia fazer um esforço intenso para manter as mãos no colo. Tinha a antecipação nervosa de um tigre prestes a pular.

Andy abriu a boca para tentar se explicar de novo, mas a fechou novamente antes de dizer uma única palavra.

— É só que eu não posso lidar com isso agora, Em. Sei que você pode entender. Estou tentando manter tudo sob controle no trabalho, perdi várias semanas vomitando e me sentindo exausta e este bebê vai chegar como um furacão daqui a alguns meses. São muitas coisas para me preparar. Seria um péssimo momento para vender para qualquer um, ainda mais para *ela*...

— Então é não. Você está dizendo não, certo? — A desolação de Emily era palpável.

É claro que Andy estava dizendo não, e, se tivesse coragem, diria o que realmente queria dizer, que era: *Prefiro morrer ou falir ou não trabalhar em nenhum lugar a passar nem que seja mais um único dia trabalhando para aquela mulher.* Mas como ela era Andy e odiava conflito e detestava decepcionar as pessoas, falou:

— Não estou dizendo não para sempre, só por enquanto.

Uma centelha de esperança passou pelo rosto de Emily.

— Está bem, eu posso entender isso. É um pouco demais agora. Obviamente teremos uma temporada de casamentos de primavera incrível. Stanley mencionou até fazer uma sessão de brainstorm para ver como trabalharíamos conceitualmente com o Elias-Clark...

— É, vamos voltar ao assunto depois que eu tiver o bebê.

Andy sentia-se culpada por enganar a amiga, mas ao mesmo tempo se perguntou quando foi que Emily havia falado com Stanley sozinha.

— Isso se eles ainda estiverem interessados — acrescentou Emily, amuada.

— Tenho certeza de que ainda vão estar interessados. Vamos ter ainda mais edições até lá, mais assinantes e, como você faz o seu trabalho tão bem, ainda mais anunciantes. Nós crescemos a cada trimestre desde o início e não há razão para esperar que este vá ser diferente. Além do mais, ninguém sabe melhor do que você que bancar a difícil só faz com que eles a queiram mais, certo?

— Não sei se é assim que funciona com Miranda Priestly. Ela realmente não é do tipo que faz joguinho. Mas se é isso ou nada, acho que eu não tenho escolha — falou Emily, com uma resignação incomum.

— Você está pegando o espírito da coisa! — disse Andy, tentando fazer sua amiga rir.

A expressão de derrota de Emily só durou um instante.

— Espero que esse bebê amoleça você. Vou ligar para Stanley esta semana e dizer a ele que vamos fazer um breve recesso nas negociações. Só até você ter esse filho.

Andy assentiu.

— Venha, vamos pegar uma bebida e fazer um brinde a nós mesmas.

Emily ajudou-a a se levantar da cadeira, e ambas fizeram careta de dor e desconforto.

— A que exatamente estamos brindando? — perguntou Andy.

— Eu sobrevivi a um hospital de fim de mundo. Miranda Priestly só faltou chamar você de linda. E provavelmente vamos vender nossa corajosa revista para o maior grupo editorial de todos. Se isso não merece um mojito sem álcool, eu não sei o que merece.

Andy observou Emily abrir caminho até os rapazes, novamente com ar de satisfeita e fabulosamente elegante. Ela sabia que havia acabado de cometer um erro enorme — só adiara o inevitável —, mas jurou tirar aquilo da cabeça. Pelo máximo de tempo que pudesse.

Estou aqui para lhe dizer que deixar de não tentar já é tentar

15

Quando acordou de um sono intenso e pesado, a primeira coisa que Andy percebeu foi o cheiro característico de lavanda e o som de ondas do mar.

— Fico feliz por ver que você conseguiu relaxar — disse baixinho a massagista, enquanto arrumava a bancada com seus frascos sortidos de óleos e toalhas quentes. — Quer ajuda para descer?

Andy tentou fazer os olhos adquirirem foco, mas suas lentes de contato pareciam feitas de vidro.

— Não precisa, obrigada.

Ela enviou um agradecimento telepático para Olive Chase por ter escolhido fazer sua despedida de solteira no spa do hotel Surrey e por insistir em que Andy participasse da festa. Quando Andy protestara dizendo que precisava apenas de uma hora, mais ou menos, para entrevistá-la, a atriz dera sua risada de 1 milhão de dólares e dissera que marcaria para ela um tratamento pré-natal de luxo que incluía uma esfoliação de sal, banho de leite e uma massagem de corpo inteiro usando uma almofada vazada projetada especialmente para que grávidas pudessem se deitar de barriga para baixo. Se houve algum momento em que ela amou seu trabalho, foi aquele. Que os redatores da *New Yorker* defendessem a integridade jornalística. Ela teria uma tarde de êxtase.

Andy sentou-se, erguendo o corpo com a ajuda dos braços, e deixou que o lençol caísse até a cintura. Sua barriga estava oficialmente enorme, esticada como a superfície de um tambor e em um formato que tornava desconfortável tanto deitar quanto sentar e ficar de pé. O único momento em que ela sentia algum alívio da pressão e do peso era quando estava inteiramente submersa na água, então passara a ficar o máximo de tempo possível na banheira. Aos oito meses e meio de gravidez, ela não ia mais ao escritório todos os dias. Mas quando Olive convidara a *Plunge* para cobrir sua despedida de solteira, Andy agarrara a oportunidade com unhas e dentes: o casamento da atriz seria depois que ela desse à luz, e Andy não queria perder todo o agito.

Baixando cuidadosamente os pés até o chão, juntou suas roupas e começou a tediosa tarefa de se vestir: uma legging para gestante que ia até o alto da barriga, depois um sutiã extremamente feio no estilo amamentação/esportivo e, para finalizar, uma bata larguinha em um tom pavoroso de beringela. Simplesmente não havia nada bonitinho ou estiloso àquela altura do campeonato. Ela escorregou os pés inchados para dentro de Birkenstocks (não conseguia mais se abaixar o suficiente para fechar a fivela ou amarrar o cadarço de qualquer sapato de verdade) e agradeceu mentalmente por Emily não estar ali para testemunhar aqueles trajes.

Andy pensou sobre o drama do dia de trabalho anterior. Do nada, elas haviam recebido uma ligação do Elias-Clark — a primeira desde janeiro, quando Emily os dispensara. Andy estava na obstetra, fazendo um checkup de rotina — um dos últimos, ela mal podia acreditar —, quando Emily lhe telefonou, histérica.

— Stanley deixou uma mensagem de voz — disse Emily, sem fôlego. — Disse que é importante e que temos que ligar de volta *imediatamente*. A que horas você chega hoje?

— Não sei — respondeu Andy sinceramente. — Já devia ter acabado, mas a médica está preocupada porque o bebê não está se mexendo muito. Acho que preciso fazer outros exames.

— Então tipo às onze? Meio-dia? Você *vem*, né?

Andy tentou ignorar a completa falta de interesse de Emily pela saúde de seu filho por nascer.

— Eu vou — disse ela, os dentes cerrados. — Estarei aí assim que puder.

A Dra. Kramer estava preocupada com o "excesso de sonolência" do Bebê Harrison. Já haviam feito um exame, seguido por um ultrassom e, finalmente, um teste de estresse — todos com resultados inconclusivos. Andy e Max foram instruídos a ir almoçar, incluindo um refrigerante ou sobremesa açucarada para dar uma pequena sacudidela no bebê, e voltarem uma hora depois para repetir o teste de estresse. A Dra. Kramer disse casualmente:

— Isso não é uma emergência, portanto, não se preocupem. Você já está bastante adiantada agora para que, mesmo que tenhamos que induzir o parto hoje, tudo corra perfeitamente bem.

Max e Andy trocaram olhares: induzir *hoje*? Felizmente todos os testes deram normal da segunda vez e Andy sentiu que podia respirar novamente. Emily não foi nada compreensiva.

— Aqui, vamos ligar para Stanley neste segundo — disse ela, seguindo Andy para dentro de sua sala. — Nem tire o casaco.

— Eu estou bem, assim como o bebê. Obrigada por perguntar.

— É claro que está tudo bem, senão você não estaria aqui. O que não está bem é ignorar Miranda Priestly.

A secretária passou a ligação e Emily se desdobrou para tentar explicar por que elas haviam demorado tanto.

Stanley fingiu que não ouviu. Ou talvez realmente não tenha ouvido. Em vez disso, falou:

— Em nome do Elias-Clark, nós gostaríamos de aumentar o valor de nossa proposta de compra em 12 por cento. Miranda gostaria, é claro, de uma resposta imediatamente.

Emily olhou para Andy, que balançou a cabeça violenta-
mente.

— Agora não! — fez com a boca, apontando para sua barriga enorme. — Nós concordamos que não falaríamos sobre
isso agora.

Emily parecia pronta a ter um ataque cardíaco. Ela agarrou
o telefone como se pudesse enfatizar melhor sua opinião.

— Nós vamos retornar para vocês *muito* em breve — disse. — Andy está prestes a parir. Quero dizer, assim que o bebê
nascer estaremos em melhores condições de...

A resposta de Stanley não foi encorajadora:

— Vou notificar Miranda. Sei que não preciso dizer a vocês
duas quanta paciência ela tem com atrasos.

— Andy não vai ficar de licença por muito tempo — disse
Emily, os nós de seus dedos ficando brancos. — Quero dizer,
talvez tenhamos que deixar a conversa de lado por alguns meses, mas isso não vai mudar...

— Miranda não dá a mínima para licença-maternidade —
falou Stanley. — Ela mesma só faltou por 72 horas quando teve
as gêmeas.

— É, realmente notável — murmurou Andy no viva voz,
girando o dedo perto da testa para indicar a loucura daquilo.

Stanley pigarreou.

— Eu só quero ser transparente; esperar não é o forte dela.
Mas vocês deixaram claro qual é o cronograma que pretendem
seguir. Até logo.

Depois que ele desligou, Emily olhou ensandecidamente
para Andy.

— Podemos acabar perdendo essa chance, Andy!

Andy ficou olhando para ela.

— Nós fizemos um acordo. Nenhuma conversa até depois
do bebê.

— Talvez seja uma boa ideia mandarmos nosso advogado
ir lá conversar. Acalmar os ânimos. Para ganharmos um pouco
de tempo.

— Isso não é uma solução. Sério, Em, eles acabaram de aumentar a oferta. Estão loucos para comprar a *Plunge*. Esperar só melhorou a proposta deles. Mais alguns meses não vão atrapalhar nada.

— Essa gravidez está virando desculpa para tudo.

Emily disse isso baixinho, mas Andy podia sentir a frustração da amiga.

Naquela mesma tarde, duas típicas caixas cor de laranja com fitas marrons chegaram da Hermès via mensageiro: três pulseiras por caixa, cada uma diferente da outra e ricamente trabalhada. Emily só faltou engolir as suas de tanta avidez para colocá-las. Andy olhou para as suas com um sorriso. Talvez Miranda *fosse* de entrar em um joguinho.

Agora, só de se lembrar disso, Andy tinha calafrios. A massagista a levou à sala de relaxamento e a ajudou a se acomodar em uma espreguiçadeira envolta em tecido atoalhado. Um minuto depois apareceu uma Olive de roupão, a cútis já perfeita agora literalmente brilhando após uma limpeza de pele. Nada de vermelhidão ou irritação para ela.

— Como foi? — perguntou ela a Andy, servindo-se de um pratinho de damascos secos e amêndoas.

— Foi o paraíso. Puro paraíso — respondeu Andy, como se falasse com uma amiga.

Era surreal conversar tão casualmente com a mulher que talvez fosse a mais famosa do planeta. Os filmes de Olive Chase haviam arrecadado 950 milhões de dólares em todo o mundo. Ela era reconhecida em todos os lugares, das areias beduínas do Egito passando pelas planícies geladas da Sibéria até as aldeias mais remotas da Amazônia. Sua vida amorosa e suas provações românticas foram o tema de infinitas coberturas e análises, todos os seus relacionamentos fracassados enfileirados atrás dela como animais atropelados. O mundo tinha desistido de acreditar que ela pudesse encontrar um homem ou amar um homem ou manter um homem, cimentando seu status como A Solteira Mais Linda de Todos os Tempos — para grande desalento de centenas de milhares de caras normais, todos os quais juravam ser perfeitos para ela. Então eis que ela pisa no tapete vermelho exatamente com um cara desses: totalmente normal. Nenhuma maquiagem de fatos ou textos fantasiosos podiam tornar Clint Sever, engenheiro por formação, mas web designer por paixão, em nada além que um cara comum. Quando eles se conheceram, no ano anterior, sob circunstâncias vagas (o objetivo primordial de Andy naquela entrevista era desencavar mais detalhes sobre o primeiro encontro), Clint estava morando em Louisville, Kentucky, a um universo de distância do brilho de Hollywood, e supostamente o único filme de Olive Chase que ele já tinha visto era um especial de Natal de vinte anos antes. Ele tinha 29 anos, características medianas em altura, peso e aparência, e em todas as entrevistas às quais Andy havia assistido, parecia completamente imperturbável com sua nova vida e sua noiva superstar. Ele assinara de bom grado um acordo pré-nupcial que não lhe daria nada se algum dia eles se divorciassem, por mais tempo que durasse o casamento, por mais filhos que tivessem ou por mais dinheiro que Olive ganhasse durante o período. Submetia-se a entrevistas, andava por tapetes vermelhos e comparecia a festas dos chiques e famosos quando requisitado, mas não parecia impressionado, intimidado, sobrepujado, nem mesmo tão interessado em nada daquilo. Olive, por outro lado, não conseguia parar de falar em seu "novo amor", "o novo bonitão" em sua vida, descrevendo-o como "a pessoa que me faz mais feliz do que jamais sonhei ser possível". Apesar de ser dez anos mais velha que Clint e ter dividido a cama com quase todos os atores, atletas e músicos famosos que existiam (ela não fazia distinção entre homens e mulheres, diziam as más línguas), Olive estava supostamente caidinha por seu zé-ninguém e só queria falar sobre isso.

— Que bom! Eu simplesmente adoro isto aqui. — Olive enroscou suas belas pernas embaixo de si e se acomodou na espreguiçadeira ao lado da de Andy. — Estão todas entretidas em algum tratamento, então pensei que podíamos conversar agora.

— Ótimo — falou Andy, puxando seu bloquinho, mas Olive obviamente não estava com pressa para começar a entrevista.

Ela fez um gesto para uma atendente, que estava discretamente perto da porta, e disse:

— Querida, você acha que pode quebrar as regras e nos trazer uns drinques de verdade? Acho que chá não vai bastar hoje.

A mulher abriu um largo sorriso.

— É claro, Srta. Chase. O que posso lhe trazer?

— Eu adoraria uma margarita de Patrón, sem sal. — Ela fez uma pausa e balançou a cabeça. — Na verdade, com muito sal. Que se dane o inchaço. — Olive virou-se para Andy. — Quer um Shirley Temple? Acho que não, com todos aqueles corantes vermelhos artificiais e produtos químicos... Cerejas ao marasquino não são, tipo, câncer automático? Acho que uma Pellegrino é uma boa pedida para você!

Andy ficou instantaneamente encantada.

— Eu dei um perdido na Daphne, minha RP — falou Olive, inclinando-se conspiratoriamente para perto dela. — A garota vai ficar irada! Mas, meu Deus, o que pode acontecer? Você escreve para uma revista de casamentos! Tipo, não é uma entrevista para o *60 Minutes*.

— Com certeza.

Andy estava aliviada por ter alguns minutos de total liberdade, a sós, com sua entrevistada. Se ela conseguisse fazer com que Olive continuasse bebendo daquele jeito, poderia perguntar o que quisesse. A *US Magazine* já havia comprado os direitos das primeiras fotos do casamento, mas Andy pensava em conseguir a matéria mais completa e acompanhá-la com dezenas de fotos adicionais e variadas em oposição às míseras quatro páginas que a *US* teria que correr para publicar 36 horas depois do evento.

— E então, para quando é o bebê? Pelo visto, ele pode chegar a qualquer segundo.

Andy riu.

— É o que eu sinto. Mas na verdade ainda tenho mais algumas semanas.

Olive olhava ansiosamente para a barriga dela.

— Mal posso esperar para ficar grávida. É menino ou menina?

— Ainda não sei. Gosto da ideia de uma surpresa ao final de todo esse trabalho.

Um olhar diferente cruzou o rosto de Olive, uma expressão que Andy não conseguiu identificar direito. Algo lhe disse para mudar de assunto imediatamente, porém Olive foi mais rápida:

— E aí, por onde começamos? Você quer, sei lá, ouvir sobre a minha infância inteira? Devo começar pela concepção?

Andy riu. Olive era diferente de qualquer outra celebridade que ela já havia entrevistado. Harper Hallow e Mack havia estabelecido um novo padrão (pelo menos para Andy) em termos de fama. Ela conversara também com a famosa estilista que tinha um programa de TV próprio; com a chef de cozinha infame que repreendia seus funcionários com uma saraivada de palavrões e insultos; a jovem cantora country que se casara com um cantor pop muito mais velho; a tenista número um do mundo; a estrela de reality show que se tornara um nome conhecido mundialmente; a atriz latina ganhadora do Oscar, de corpo simplesmente estonteante. Muitas delas eram nomes conhecidos. A maioria era louca de pedra. Todas eram atraentes e intrigantes, cada uma a sua maneira (não raro de maneiras esquisitas). E ali estava Olive Chase, sem dúvida a mais famosa e bem-sucedida de todas elas, e parecia tão... normal. Corpo escultural, cabelo lindo, pele ótima, risada viciante... confere, confere, confere. Mas desconcertantemente doce? Disposta a discutir qualquer assunto (e sem uma assessora de imprensa!)? O tipo de pessoa que parece imediatamente uma melhor amiga em potencial? Não era o que Andy estava esperando.

— Que tal começarmos falando sobre como vocês se conheceram? — disse Andy, caneta a postos acima do papel, rezando por dentro para que Olive oferecesse algo mais que banalidades vagas.

— Ah, essa é fácil. Foi como todo mundo se conhece hoje em dia: pela internet!

Andy tentou controlar seu entusiasmo: ela não lera sobre um suposto namoro virtual de Olive em nenhum lugar.

— Sim, mas imagino que não sejam muitas as celebridades que conhecem pessoas pela internet. Você não ficou preocupada com sua privacidade?

Mais um longo gole em sua margarita e uma passada de mãos no cabelo sedoso. Olive pareceu pensar na pergunta. E assentiu.

— É claro que fiquei preocupada com isso. Mas eu tinha que dar um jeito! Já perdi a conta de quantos encontros com atores e atletas e modelos masculinos e músicos e empresários, e basicamente imbecis completos, me arrumaram durante anos. Acho que saí com cada idiota dos Estados Unidos, mais um número razoável da Europa. Mas aí eu ficava sentada em casa tarde da noite, sozinha como sempre e navegando pelos sites das pessoas normais. Tinha tantos caras ótimos lá fora! Homens engraçados, charmosos, maravilhosos. Homens que escreviam poesia ou adoravam pescar ou construíam casas do zero ou davam aula em colégios de ensino médio. Eu conversei por e-mail com um cara em Tampa que estava criando sozinho três filhos depois que a mulher morreu de câncer no ovário. Já imaginou?

Andy balançou a cabeça em negativa.

— Nem eu! Nunca tinha conhecido ninguém assim, só homens que eram os primeiros a dizer como eram talentosos ou lindos ou ricos ou poderosos. E, sabe, eu estava de saco cheio deles. Criei um perfil e fui completamente sincera a respeito da minha personalidade, muito franca, mas não coloquei foto nem qualquer menção à minha profissão. Achei que sem foto ninguém fosse me procurar, mas que nada. Você ficaria surpresa. Clint foi um dos primeiros com quem comecei a me corresponder, e nos demos bem logo de cara. Às vezes trocávamos dez, 12 e-mails por dia. Começamos a conversar por telefone depois de duas semanas. Passamos a nos conhecer, tipo, da forma mais orgânica que se pode imaginar, porque não envolvia aparência ou dinheiro ou status.

— Que bacana — comentou Andy, sem falsa sinceridade.

— Ele se apaixonou pela verdadeira Olive, não pela Olive criada pela mídia.

— Como foi o primeiro encontro de vocês?

Mais uma vez, Andy lembrou a si mesma que não podia parecer ávida demais. Ela não fazia ideia de por que Olive estava lhe confidenciando detalhes que não havia dividido com mais ninguém, entretanto queria desesperadamente que não acabasse tão cedo.

— Vejamos, deve ter sido depois de umas cinco ou seis semanas em que a gente se falava todos os dias. A essa altura ele sabia que eu morava em Los Angeles e era aspirante a atriz e se ofereceu para vir me visitar, mas eu não podia me arriscar a ser perseguida por fotógrafos o tempo inteiro. Sem falar que a minha casa poderia ser um pouco intimidante. Então fui a Louisville.

Olive disse o nome como uma nativa, *Lu-ah-ville*.

— Você foi a Louisville?

Andy tentou reproduzir, mas saiu mais como *Lu-i-ville*.

— Fui a Louisville. Peguei um voo comercial, com conexão em Denver, aquela coisa toda. Não deixei que ele me buscasse no aeroporto, pois podia ter algum paparazzo de tocaia. Ele foi me encontrar no hotel.

— Não tem um ótimo hotel bem famoso e antigo em Louisville que eles recentemente...

— Ah, eu fiquei no Marriott. — Olive riu. — Nada de cobertura, nada de suíte presidencial ou atendimento VIP, nada de tratamento especial. Só um pseudônimo e um quarto normal no Marriott.

— E?

— E foi fantástico! Quero dizer, não me entenda mal, o banheiro era meio nojento, mas nosso primeiro encontro foi incrível. Pedi que subisse direto para o meu quarto, porque não queria ser reconhecida no saguão, e ele brincou pelo telefone que eu estava sendo bem direta, mas quando ele bateu na porta, eu simplesmente soube que ia dar tudo certo.

Andy tomou um gole d'água.

— E deu?

Olive só faltou dar um gritinho.

—Deu mais do que certo, foi perfeito! É claro que ele soube quem eu era no instante em que me viu — de alguma forma, e Andy não sabia bem como, Olive conseguiu não parecer detestável dizendo isso —, mas eu só expliquei que ainda era a pessoa com quem ele havia se correspondido por e-mail e conversado durante todas aquelas semanas. Ele ficou surpreso, quero dizer, bastante chocado, acho que tinha tido uns pesadelos de que eu era um homem de 200 quilos, sei lá. Mas abrimos uma garrafa de vinho e continuamos conversando sobre todas as coisas de antes: lugares que queríamos visitar, nossos cachorros, o relacionamento dele com a irmã e o meu com meu irmão. A gente, tipo, se abriu totalmente um com o outro, como pessoas de verdade. Eu soube naquele momento que iria me casar com ele.

— Sério? Naquele momento? Isso é incrível.

Olive inclinou-se conspiratoriamente para mais perto.

— Bem, não naquele momento, mas definitivamente algumas horas depois, quando tivemos a melhor transa que você pode imaginar. — Olive assentiu, como se estivesse concordando consigo mesma. — É, foi aí que eu soube.

— Hum — murmurou Andy, olhando para suas anotações.

Ela rezou para que seu telefone estivesse gravando tudo direitinho, porque ninguém nunca ia acreditar naquilo. Dando uma olhada na margarita quase cheia de sua entrevistada, Andy ficou imaginando se ela estava bebendo desde cedo, mas Olive parecia sóbria. Então seu celular tocou. Ela tirou o som e pediu desculpas.

— Atenda! — insistiu Olive. — Estou tagarelando sem parar esse tempo todo. Deixe que outra pessoa tenha uma chance.

— Ah, não, não tem problema. Não deve ser nada.

— Atenda!

Andy olhou para Olive, que havia acionado seu resplandecente sorriso hollywoodiano, e soube que tinha que obedecer. Apertou "atender" e disse alô, mas já tinham desligado.

— Desistiram — disse ela, voltando o telefone para o modo de gravação.

— E então, você é casada? Engravidou sem querer? Garota solteira usando banco de esperma? Eu cheguei muito perto de fazer isso.

Andy sorriu, sua mente indo direto para a avó.

— Não, só casada mesmo. Apesar de que, sim, pode-se dizer que eu engravidei sem querer.

— O que, você não estava usando proteção nenhuma mas ainda dizia para todo mundo que não estavam tentando? Essa é a melhor. Eu sempre digo, tipo, querida, se você não está jogando na defesa, está jogando no ataque. Deixar de não tentar já é *tentar*, sabe?

— Até alguns meses atrás eu teria concordado com você — disse Andy, rindo.

A atendente apareceu para perguntar se elas gostariam de beber mais alguma coisa.

— Sei que muita gente acha que sete meses não é tempo suficiente para conhecer alguém *de verdade*, mas no nosso caso é. Parece que nos conhecemos desde que nascemos. Não dá para explicar, sério. É que rolou uma ligação e não tem nada a ver com o meu trabalho ou com o dele. Sabe?

— Sei — concordou Andy, apesar de não saber.

Andy era da turma que dizia que se comprometer para o resto da vida com uma pessoa que você conhece há apenas sete meses era loucura.

Desta vez foi o telefone de Olive que tocou.

— Alô? Ah, oi, querido. — Ela continuou a assentir e murmurar e a certa altura riu como uma adolescente. — Não seja safado, Clint! Estou aqui com uma repórter. Não, não pode. É o dia das meninas! Está bem. Também amo você.

Olive fechou o celular e virou-se para Andy.

— Desculpe, meu bem, o que você estava dizendo? — Mas seu telefone tocou de novo, e desta vez era uma mensagem de texto. — Parece que as outras estão terminando. Você conseguiu tudo de que precisava? Pode vir conhecer todo mundo, se quiser...

Olive disse isso docemente, mas Andy podia ver que a atriz preferia que ela não aceitasse.

— Hum, está bem. Eu, hum, só queria repassar alguns detalhes do casamento. Não vou poder comparecer por causa da licença-maternidade, mas minha sócia, Emily, estará lá.

Olive fez beicinho.

— Queria que você fosse.

Andy quase desmaiou.

— Eu adoraria, acredite. Santa Barbara é simplesmente linda, mas acho que não posso deixar o bebê. Talvez você possa me adiantar alguns detalhes sobre o vestido, as flores, como escolheu a comida, a decoração, esse tipo de coisa?

— Ah, você pode falar com a minha personal stylist sobre essas coisas. Ela escolheu tudo.

— Tudo? Ela escolheu o seu vestido?

Olive assentiu e se levantou.

— O vestido, a comida, as flores, a música com a qual vamos entrar, tudinho. Ela me conhece tão bem! Eu falei para ela escolher o que achasse melhor.

Em tantos anos cobrindo casamentos, Andy nunca escutara algo assim. Olive Chase não queria dar nenhuma opinião no dia mais importante de sua vida? Sério?

A expressão de Andy deve ter transparecido sua descrença, porque Olive riu.

— Eu encontrei o *marido*! Depois de mais de vinte anos sendo solteira e manipulada e traída e me sentindo sozinha, encontrei minha alma gêmea. *Flores?* Perdoe meu linguajar, mas estou cagando para as *flores*!

Andy também se levantou, menos graciosamente que Olive, e sorriu. Ela podia simplesmente creditar esse ponto de vista inusitado à diferença que há entre uma noiva de 39 anos e uma de 25, mas parte dela acreditava que era porque Olive Chase, famosa por seus peitos fantásticos e por sua habilidade de chorar quando queria, havia sacado algo que o restante delas não sacara.

— Faz sentido — falou Andy, embora quisesse dizer muito mais.

— Certo, bem, obrigada pelo drinque e pelo papo. É melhor eu ir encontrar minhas amigas. Foi muito bom conhecê-la. — Olive sorria.

— Obrigada — disse Andy, acenando debilmente para Olive, que já se virara para ir embora. — Boa sorte com tudo.

Olive já estava pegando o celular da bolsa e rindo alegremente para a tela. Andy afundou de novo na cadeira e suspirou. Tinha uma infindável munição de fofocas sobre a maior celebridade do mundo e só conseguia pensar nas palavras de despedida de Olive. *Encontrei a minha alma gêmea... estou cagando para as* flores!

Ela esticou as pernas e ficou olhando para o topo dos prédios vizinhos. Tomou mais um gole de água com limão e respirou fundo, torcendo para que a atendente a deixasse sozinha por mais alguns minutos. Queria só mais um tempinho antes de sair correndo de volta para o frenesi da cidade, para todas as providências que ainda precisava tomar para a chegada do bebê, para os telefonemas de trabalho e o pânico implacável de Emily; queria ficar ali sentada e refletir sobre tudo o que Olive acabara de dizer. No fundo ela se lembrava do próprio casamento, de como ficara obcecada com cada mínimo detalhe, quanta atenção e tempo e esforço havia investido para que tudo saísse perfeito. Atravessara resolutamente três anos de namoro e noivado com Max porque ele era lindo e bem-sucedido e charmoso e era fácil e sua família e seus amigos aprovavam e porque, é claro, também o amava. Estava seguindo o fluxo — fazendo o que esperavam que fizesse. E com um cara mais próximo da perfeição que podia imaginar: rico, bonito, gentil, que queria filhos. Mas será que ela havia esquecido algo no meio do caminho? Será que esse casamento não tinha uma sensação de inevitabilidade? Ela amava Max, é claro que amava, mas será que ele realmente era sua *alma gêmea*? Será que amava Max tanto quanto Olive amava Clint?

Ela suspirou e deixou o copo de lado. Por que insistia em se torturar assim? Max era perfeito — como marido e como futuro pai, e sim, como alma gêmea. Era natural se sentir ansiosa e inquieta logo antes de dar à luz, certo? Todas as grávidas se sentiam assim. Andy olhou em volta para ter certeza de que estava sozinha e então ligou para Max. Ele não atendeu, mas o som de sua voz na gravação a tranquilizou.

— Oi, lindo — sussurrou ela. — Só queria dizer oi. Vou chegar em casa daqui a pouco e mal posso esperar para te ver. Amo você.

Ela desligou e sorriu. Acariciou a barriga. Faltava pouco agora.

Faça um test-drive com ele

16
— Ahmeudeus, ela é linda! Venha cá, benzinho, sua tia Lily quer conhecê-la há tanto tempo... Uau, você é *igualzinha* ao seu pai!

— É, é quase esquisito, não é? — disse Andy. Ela entregou o bebê a Lily. — Lily, por favor, conheça Clementine Rose. Clem, esta é sua tia Lily.

— Que olhos são esses! São verdes? E todo esse cabelo preto! Que bebê sortudo, nascer com tanto cabelo, hein? É como olhar para uma versão fofíssima, minúscula e feminina de Max.

— Eu sei — falou Andy, observando a filha analisar sua amiga mais antiga. — Disseram que ela também se parece com o pai do Max. Rose é por causa de Robert. É como se eu tivesse sido só um recipiente para produzir clones dos Harrison.

Lily riu.

Ela sentia mais saudades de Lily do que nunca desde que tivera Clementine. Conhecera algumas mulheres no grupo de apoio para mães de primeira viagem para o qual entrara um mês antes, mas na maior parte do tempo se sentia só. Não estando acostumada aos intermináveis períodos de tempo sem compromissos da licença-maternidade, ela titubeava entre suas obrigações em um atordoamento de falta de sono, cada dia se mesclando ao seguinte com um repertório quase idêntico de amamentar, tirar leite, trocar fralda, dar banho, vestir, ninar, cantar, passear, cozinhar e limpar. Atividades que Andy costumava enfiar em pequenos fragmentos de tempo de seu dia atarefado — lavar roupa, fazer supermercado, uma ida aos correios ou à farmácia — agora consumiam horas, às vezes dias inteiros, pois Clementine e suas necessidades intermináveis sempre tinham precedência. Ela adorava passar um tempo com a filha, mas, ainda que não abrisse mão daqueles momentos abraçados juntos na cama ou comendo um sanduíche no High Line em um dia quente de verão enquanto Clem tomava mamadeira, ou dançando juntinho ao som dos *Greatest Hits* do Chicago na privacidade de sua sala, a labuta diária era mais difícil do que ela imaginara.

A Sra. Harrison ficou horrorizada por Andy se recusar a contratar uma babá para recém-nascidos — nunca houvera um bebê Harrison na história que não tivesse passado pelos cuidados especializados de uma profissional —, mas Andy bateu o pé.

— Sua mãe contrataria uma ama de leite para Clem se eu deixasse — dissera ela a Max depois de uma visita especialmente desagradável de sua sogra, mas ele apenas rira.

A mãe dela vinha uma vez por semana para fazer companhia e ajudar, e Andy vivia para esses dias, mas, tirando isso, não havia muita interação com o mundo exterior. Jill estava de volta ao Texas. Emily sempre se lembrava de perguntar por Clementine quando telefonava, mas Andy sabia, e compreendia, que ela não estava telefonando para saber quantas vezes Clem fizera cocô aquela manhã ou se gostava ou não de carinho na barriga. Emily só queria uma coisa: retomar as negociações com o Elias-Clark. Miranda e Stanley estavam rondando como tubarões; Emily estava literalmente contando os dias da licença-maternidade de Andy. A única pessoa que queria e podia falar incansavelmente a respeito de mamadas às quatro da manhã e os prós e contras da chupeta era Lily, e ela estava a milhares de quilômetros, ocupada com uma criança e esperando outra.

Andy podia ver Lily observando-a enquanto se sentava cautelosamente no sofá. Era uma da tarde, mas ela ainda estava com uma calça de moletom de Max, pantufas felpudas que pareciam Uggs para se usar em casa e um suéter de moletom com capuz tão volumosamente enorme que devia ter pertencido a um jogador de futebol americano algum dia.

— Ainda não está se sentindo normal aí embaixo? — perguntou Lily, com solidariedade.

— Nem perto disso.

Andy apontou com a cabeça para a limonada que botara na frente de Lily.

Lily sorriu e tomou um gole.

— Dizem que você se esquece de tudo, coisa que eu nunca acreditei que fosse possível, mas juro que não me lembro de nada. A não ser da dor dos pontos depois. Disso eu me lembro.

— Ainda não sei se posso perdoá-la por não me preparar melhor. Você não é a minha melhor amiga? Já passou por isso antes e não me contou nada.

Lily revirou os olhos.

— É claro que eu não contei! É a regra das mulheres em qualquer lugar, e tem que ser seguida. É ainda mais importante que não dormir com os ex das suas amigas.

— É cascata, isso sim. Eu vou contar a qualquer uma que queira saber dos detalhes sangrentos. As mulheres merecem saber o que esperar. Esse negócio de sociedade secreta das mães parideiras é ridículo.

— Andy! O que você queria que tivessem lhe dito com riqueza de detalhes? Que fazer força parece que vai partir você ao meio? Realmente a teria ajudado a passar por isso?

— Teria! Talvez aí eu não tivesse pensado que estava morrendo. Vejamos, teria sido legal saber que é normal se esvair em sangue na primeira vez que uma enfermeira ajuda você a fazer xixi, que você leva pontos em lugares que nem sabia que existiam, que amamentar na verdade é como se tivesse uma piranha mordendo seus mamilos e mastigando.

Lily abriu um sorriso largo.

— E que a peridural, tipo, quase nunca funciona dos dois lados do corpo? Ou que você vai realmente considerar a possibilidade de passar o resto da vida usando aquelas calçolas descartáveis que roubou do hospital? É isso?

— É! Exatamente.

— Aham. Claro. Você teria tido um colapso nervoso se eu te contasse qualquer coisa dessas, sem contar que não teria tido a alegria de descobrir por si mesma.

— É tudo tão errado — disse Andy, balançando a cabeça.

— É como tem que ser.

Andy ainda se lembrava de seu choque — sua completa descrença — quando a Dra. Kramer enfiara a mão no meio de suas pernas, retirara um neném berrando e coberto de sangue depois de 16 horas de trabalho de parto e declarara "A bebezinha Harrison parece ótima!". Foi preciso dezenas de trocas de fraldas e infinitos macacõezinhos, cobertores, ursinhos e lacinhos cor-de-rosa para que a realidade finalmente a alcançasse. Andy tinha uma filha. Uma menininha. Uma bebezinha perfeita, fofa e incrível.

Como se para sublinhar esse ponto, Clementine deu um grito que mais parecia um miado. Andy a pegou dos braços de Lily e a levou de volta para o quarto de bebê.

— Oi, meu amor — cantarolou ela, apoiando gentilmente o bebê no trocador. Ela tirou o cueiro, o macacãozinho roxo e a fralda encharcada, limpou a bundinha, passou Bepantol, colocou uma fralda nova e vestiu a filha com uma camiseta listrada de cor-de-rosa e cinza com uma calça da mesma cor e um chapéu listrado também cor-de-rosa. — Prontinho, minha linda. Bem melhor, não é?

Andy a pegou no colo e, embalando-a habilmente nos braços, voltou à sala, onde Lily estava juntando suas coisas.

— Não vá — falou Andy, à beira das lágrimas.

Os surtos imprevisíveis de choro haviam se nivelado, mas o nó que ela sentia na garganta não tinha como disfarçar.

— Não é que eu queira — disse Lily. — Vou morrer de saudade de vocês duas. Mas preciso encontrar meu antigo supervisor do outro lado da cidade. Se não sair agora, vou chegar atrasada.

— Quando vou ver você de novo?

Andy já estava fazendo os cálculos de cabeça.

— Você vai ter que ir me visitar quando este bebê nascer — falou Lily, passando um suéter em volta dos ombros.

Ao se abraçarem, Andy sentiu a barriga dura de Lily. Ela colocou as mãos em volta do ventre da amiga, abaixou-se e disse:

— Pegue leve com a sua mãe, viu? Nada de cambalhotas aí dentro.

— Tarde demais.

Elas se abraçaram novamente e Andy observou enquanto sua amiga desaparecia pelo corredor. Enxugou algumas lágrimas, garantiu a si mesma que eram só os hormônios e começou a arrumar a bolsa de fraldas; se ela e Clem não saíssem imediatamente, também iam chegar atrasadas.

Andou o mais rápido que as dores e o carrinho permitiam, Clem chorando o tempo todo.

— Estamos quase lá, pintinha. Pode aguentar só mais um pouquinho?

Felizmente, a caminhada até o playground infantil, onde o grupo de apoio semanal para mães se encontrava, era curta, pois o choro de Clementine havia aumentado de mera reclamação para uma berraria desenfreada. As outras mães a receberam com olhares solidários ao verem Andy pegar Clem do carrinho, desabar com ela no chão acolchoado e tranquilamente puxar para fora o seio esquerdo. Apesar de os olhos da menina estarem fechados e seu corpo estar rígido pelo choro, ela encontrou o mamilo como se por sonar e engatou a mamar com toda a sua vontade. Andy deu um suspiro de alívio. Uma rápida olhada em volta confirmou que não era só ela: três outras mães encontravam-se em estágios variados de seios à mostra, mais duas trocando fralda e três largadas no chão, parecendo ora entorpecidas ora à beira das lágrimas, debruçadas sobre bebês infelizes a se debater insistentemente. Só uma mulher parecia ter tomado banho e estar adequadamente vestida com roupas de verdade, não de grávida: a tia de um dos bebês.

A líder do grupo, uma mulher de cabelo cacheado chamada Lori, que se autodefinia profissionalmente como uma "coach de vida", sentou-se no círculo de mães atormentadas e, depois de tirar um momento para sorrir de um jeito meio bizarro para cada um dos bebês, cumprimentou o grupo lendo uma citação:

— "Maternidade: todo o amor começa e acaba aqui." Um lindo pensamento de Robert Browning, não acham? Alguém gostaria de fazer algum comentário sobre isso?

A mãe de Theo, uma negra alta e elegante, que estava em crise tentando decidir se largava ou não sua carreira como advogada a fim de criá-lo em tempo integral, suspirou profundamente e falou:

— Ele dormiu seis horas direto todas as noites esta semana, mas aí, nas últimas duas noites, ficou acordando a cada 45 minutos, inconsolável. Meu marido tentou assumir um pouco, mas começou a pegar no sono no trabalho. O que está acontecendo? Por que estamos regredindo?

Cabeças assentiram por toda a sala. Era sempre assim que as sessões começavam. A coach de vida riponga lia uma citação linda e inspiradora. Nenhuma mãe ali nem sequer fingia interesse e algumas chegavam a recorrer à hostilidade declarada. Inevitavelmente, uma delas fazia a pergunta que vinha atormentando sua mente, ignorando completa e inteiramente a contribuição de Lori, e as outras mães logo se juntavam à discussão. Era um acordo tácito e imutável de reconquistar o grupo para elas, e fazia Andy sorrir todas as vezes.

Andy não podia deixar de imaginar Emily assistindo a uma sessão. Ela olharia para todas com pena, sem dúvida: mulheres em frangalhos, sem maquiagem, cobertas de baba e cocô, vivendo sem banho e sexo e exercício e sono, ali, sentadas em um semicírculo, ouvindo a coach de vida ler histórias inspiradoras para elas. E ainda assim algo naquela cena toda era um alívio incrível para Andy: aquelas mulheres podiam não ser suas amigas mais íntimas, porém naquele momento da sua vida a entendiam de uma forma que ninguém mais entendia. Ela mal podia acreditar que conseguia criar laços tão rápido com um grupo de completas estranhas, mas no fundo adorava as reuniões do grupo.

— Eu entendo. Estamos no mesmo barco — disse Stacy, fechando sua blusa própria para amamentação. Sua filha, Sylvie, um bebê de 8 semanas com mais cabelo que muita criança de 2 anos, soltou um arroto de homem adulto. — Sei que é cedo demais até para pensar em treinamento de sono, mas estou enlouquecendo aqui. Ela ficou acordada da uma às três essa madrugada e estava feliz com isso! Sorrindo, arrulhando, agarrando meu dedo. Mas no segundo em que eu a largava, ela surtava.

Bethany, uma diretora de marketing em uma empresa de cosméticos que, como ela própria admitira, não sabia nem usar brilho labial, falou:

— Sei como se sente em relação a dormir junto, Stacy, sei mesmo, mas acho que neste caso você devia pensar nessa possibilidade. É infinitamente mais fácil ter Micah bem ao nosso lado, a noite inteira. Você só vira de lado, bota um peito para fora e volta a dormir. Que se dane aquele papo de desenvolvimento e ligação entre mãe e filho, que é o que costumam falar sobre isso; eu faço por pura preguiça.

Stacy prendeu o cobertor de Sylvie debaixo dos braços.

— Mas eu sinto que não posso fazer isso com Mark. Sylvie já toma 99,9 por cento do meu tempo e da minha energia. Não posso pelo menos fingir que ainda tenho um casamento?

— Casamento? Com um bebê de 2 meses? — guinchou Melinda, mãe de Tucker, que acabara de fazer uma cirurgia para algum problema no olho. — O que foi, sua vida sexual é tão animada assim que ter um bebê na cama seria impensável?

Todo mundo riu. Andy assentiu em concordância: ela e Max ainda não haviam conseguido transar, e ela não tinha problema nenhum com isso.

Rachel, a mãe mais recente do grupo, uma loura mignon com pele vermelha manchada e uma cicatriz longa serpenteando pela mão direita, inclinou-se para a frente.

— Acabei de fazer meu exame pós-parto de seis semanas — disse ela, quase sussurrando.

— Ah, meu Deus. Eles a liberaram? — indagou Sandrine, com seu leve sotaque francês. Sua filha, uma menina adotada de 4 meses, com dupla cidadania, começou a chorar.

Rachel assentiu. Uma expressão de terror abjeto passou por seu rosto e ela começou a soluçar.

— Ethan só fala nisso. Ele tem um calendário de contagem regressiva na geladeira há semanas, mas só de pensar eu fico em pânico. Ainda não estou pronta!

— É claro que não está pronta — disse Bethany. — Eu só consegui começar a *pensar* em sexo depois de três meses. E uma amiga minha disse que ficou em abstinência até seis meses depois de dar à luz.

— Max vem para cima de mim com aquele olhar e simplesmente não entende — comentou Andy. — Juro, até minha obstetra ficou horrorizada com a cena lá embaixo no meu checkup de seis semanas. Como eu posso deixar meu marido ver?

— Simples. Não deixe — intrometeu-se Anita, uma garota calada que normalmente se abria muito pouco.

— Minha irmã, que tem três filhos, jura que melhora. Você se recupera pelo menos o bastante para conceber o seguinte — acrescentou Andy.

— Que delícia. Mal posso esperar — disse Rachel, com um sorriso.

— Vocês me desculpem, mas estão me apavorando — comentou Sophie, a única não mãe na sala. — Todas as minhas amigas com filhos juram que não é tão ruim.

— Elas estão mentindo.

— Descaradamente.

— O que vão continuar a fazer até você ter seu próprio filho e puder desmascará-las. É assim que acontece.

Sophie balançou seu grosso cabelo castanho-avermelhado, recém-cortado em camadas perfeitas que emolduravam o rosto, e riu. Ela era a única ali que não estava de legging, vestido modelo império ou moletom. Suas unhas estavam feitas. Sua pele parecia saudável e bronzeada. Andy apostaria qualquer coisa como suas pernas e sua virilha estavam depiladas e que debaixo daquela gola em V justa havia um sutiã de renda em vez de lycra. Talvez até uma calcinha fio dental. Era quase demais para se suportar.

Até sua criança estava lindamente vestida. A Bebê Lola, do alto de suas 9 semanas, estava vestida de xadrez Burberry da cabeça aos pés: vestido tipo bata, meia-calça, faixa na cabeça e botinhas. Ela raramente chorava nas reuniões, parecia nunca babar e, de acordo com a tia Sophie, dormia a noite inteira desde que completara 7 semanas. Sophie trazia a menina toda semana enquanto a mãe de Lola, cunhada de Sophie, trabalhava longas horas entre seu consultório particular de pediatria e o hospital Mount Sinai. A mãe de Lola devia achar que o grupo de apoio para mães de primeira viagem era na verdade uma espécie de parquinho para os pequeninos — embora nenhum deles tivesse idade suficiente nem para ficar sentado —, e pedira a Sophie que a levasse em seu lugar. Então, toda semana, a magra e linda Sophie, com sua vagina indubitavelmente intacta, trazia uma Lola adoravelmente vestida para ouvir Andy e suas novas amigas mamães reclamarem, chorarem e implorarem por conselhos. A pior parte era que Andy queria odiá-la, mas a maldita conseguia ser um doce.

— Não sei se aguento ouvir sobre uma vida sexual normal neste momento — disse Rachel, levantando seu bebê até o ombro.

— Não se preocupe, eu não tenho nada nem parecido com uma vida sexual normal — falou Sophie, olhando para o chão.

— Por que não? — perguntou Andy. — Achei que você morasse com seu namorado, que adorasse ele. Problemas no paraíso?

Ao ouvir isso, Sophie começou a chorar. Andy talvez ficasse menos chocada se a garota tivesse se levantado e começado a fazer um striptease.

— Sinto muito — choramingou ela, toda graciosa e doce mesmo chorando. — Este não é o lugar.

— Por que não nos conta o que está acontecendo? — disse a líder do grupo, Lori, com uma voz irritantemente reconfortante, claramente feliz por ter a chance de dar alguma contribuição. — Nós todas nos sentimos livres para desabafar. Tenho certeza de que falo em nome de todas quando digo que este é um lugar seguro e que você deve se sentir bem-vinda aqui.

Parecia que Sophie não a havia escutado, ou simplesmente escolhera, como as outras, ignorar Lori, mas um instante depois, após assoar delicadamente o nariz e dar um beijo em Lola, ela confessou:

— Eu ando traindo meu namorado.

Houve alguns segundos de silêncio na sala acolchoada, em que nem mesmo os bebês guincharam. Andy tentava esconder seu choque. Por tudo que Sophie havia dito, ela adorava seu namorado. Aparentemente, Xander era doce e solícito, um cara sensível que perguntava sobre seus sentimentos mas que também passava seis horas consecutivas vendo futebol no domingo. Eles namoravam fazia anos e tinham ido morar juntos havia pouco, e a convivência, pelo menos até algumas semanas antes, estava indo muito bem. O casal não falava muito sobre isso diretamente, mas Sophie achava natural que acabassem se casando e tendo filhos, e, apesar de ela ser seis anos mais nova que ele, estava começando a se sentir pronta para isso.

— Defina *traindo* — disse Bethany.

Andy ficou aliviada por alguém ter quebrado o silêncio.

— Bem, nenhuma loucura muito grande — disse Sophie, olhando para as próprias mãos. — A gente, tipo, a gente não dormiu junto nem nada.

— Então você não está traindo — declarou Sandrine. — Vocês, americanos, se prendem tanto às nuances... Em tudo, na verdade. Mas se você ama o seu namorado e ele a ama, esse romancezinho é coisa passageira.

— Eu também achei isso, mas não está passando! — disse Sophie, sua voz quase um gemido. — Ele é meu aluno de fotografia, então eu o vejo três vezes por semana. Começou com muita paquera, na maioria da parte dele, apesar de eu admitir que fiquei lisonjeada. Ter alguém prestando atenção em mim daquele jeito...

— Xander não presta atenção em você? — perguntou Rachel.

Sophie retorceu as mãos.

— Muito pouco hoje em dia. Desde que fomos morar juntos... não sei o que é, mas eu me sinto como um móvel da casa.

— Olhe, muitas de nós *queriam* que nossos maridos nos olhassem como se fôssemos móveis — falou Andy.

O grupo riu, todas confirmando.

Mas Sophie não deu nem um sorriso.

— É, mas não temos um filho juntos. Não somos casados. Não estamos nem noivos! Vocês não acham que é um pouco prematuro estarmos vivendo como irmãos?

— Então, o que aconteceu? Só uma paquerinha? Acredite, Xander não fica consumido pela culpa toda vez que faz alguma piadinha maliciosa para alguma garota do trabalho, e você também não devia ficar — disse Anita.

— Ontem à noite fomos jantar depois da aula. Junto com algumas outras pessoas. — Sophie se apressou em acrescentar. — Mas aí todos foram embora e ele insistiu em me acompanhar até em casa. No começo eu não deixei que ele chegasse muito perto, porque sabia que Xander estava lá, mas acabamos dando uns amassos no meu quarteirão. O que é a coisa mais louca do mundo, porque Xander podia ter passado ali. Meu Deus, onde eu estava com a cabeça?

— Então foi bom, não? — indagou Stacy.

Sophie ergueu os olhos para o teto e gemeu.

— Bom? Foi *fantástico*.

Algumas das garotas aplaudiram. Sophie deu um ligeiro sorrisinho antes de bater na testa um tanto agressivamente com a palma da mão.

— Nunca mais vai acontecer de novo. Vocês concordam que seria pior contar a ele só para aliviar minha consciência, em vez de fingir que nunca aconteceu?

— É claro que você não deve contar a ele! — anunciou Sandrine, regiamente. — Não seja tão pudica.

Algumas das outras mulheres assentiram em concordância, apesar de não ficar claro se concordavam com Sandrine porque ela estava certa ou porque era francesa.

— Mas é que eu me sinto tão culpada... Eu amo Xander, de verdade. Porém estou começando a pensar no que isso significa...

— Bem, já decidiu o que vai acontecer da próxima vez que você vir... como é o nome dele? — perguntou Anita, sempre prática.

— Tomás. Amanhã na aula. É claro que eu disse a ele que foi um erro e que não poderia nunca mais acontecer, mas não consigo parar de pensar nele. E... — Nesse ponto ela fez uma pausa, olhando nervosamente em volta. — Ele me mandou um e-mail. Disse que mal pode esperar para me ver. Eu sou a pior pessoa do mundo?

Um dos bebês começou a chorar incontrolavelmente e mais um seio foi libertado de seu moletom com zíper. O choro diminuiu.

— Dê um desconto para si mesma, Soph — disse Andy, passando Clementine pelos joelhos e batendo ritmicamente em suas costas, de levinho. — Você não é casada, não tem filhos, é uma gata. Viva um pouco! Vocês todas podem me odiar por dizer isso, mas eu acho que você devia ir em frente e fazer um test-drive com Tomás. E aí na semana que vem nos conta todos os detalhes.

Mais uma vez, todo mundo riu. O que havia em não trocar votos com alguém ou criar um rebento juntos que sugeria que o relacionamento de Sophie com Xander não era tão sério quanto o delas? Andy não sabia ao certo. Ela se sentia um pouco culpada encorajando Sophie a trair, mas não tanto quanto provavelmente deveria. O rápido amasso de Sophie com Tomás (que soava sexy apenas pelo nome, só isso) parecia excitante, uma aventura, exatamente o tipo de diversão que se deveria ter antes que conversas sobre bombas de leite e almofadas pós-parto e pomadas para assaduras tomassem sua vida. Sophie ia dar um jeito — ou voltaria para Xander mais confiante a respeito do que tinham ou não. Talvez Tomás fosse o cara certo para ela, talvez fosse um outro homem que ela ainda nem conhecia. Andy sabia que eram dois pesos e duas medidas, estava profundamente consciente de que alguém — no caso, Xander — corria o risco de se machucar muito, mas ainda assim não podia deixar de pensar que não havia tanta coisa em jogo.

Mais alguns bebês começaram a se inquietar conforme o relógio se aproximava das três horas, e Lori anunciou que a sessão da semana havia acabado.

— Algumas coisas interessantes para pensarmos — disse ela, enquanto todo mundo começava a guardar mamadeiras, chupetas, mordedores, fraldas de pano, cobertores, babadores e bichinhos de pelúcia. — No próximo encontro teremos uma especialista para nos ensinar como e quando botar os pequeninos em um controle do ciclo do sono. Por favor, me avisem por e-mail se não puderem comparecer. Como sempre, vocês me inspiram! Tenham uma ótima semana.

E com isso ela saiu da sala para dar às mamães alguns momentos para conversarem entre si.

No momento em que a porta se fechou, Andy ouviu uma das mulheres ao seu lado gemer audivelmente.

Bethany resmungou.

— Ela realmente acha tão inspirador que a gente fique sentada de moletom o dia inteiro coberta de vômito e cocô de neném? Sério.

— Você viu a cara dela quando eu falei que tínhamos dado uns amassos? Ela obviamente ficou procurando uma citação inspiradora para o assunto — falou Sophie.

Andy juntou as coisas de Clementine e se despediu. As outras mulheres já estavam começando a parecer amigas.

Ela só percebeu que Max estava em casa quando entrou na sala empurrando o carrinho e começou a tirar as coisas da bolsa.

— Ora ora, quem é que temos aqui? — disse ele, dando um beijinho na bochecha de Andy e voltando sua atenção imediatamente para Clementine. Em resposta, Clem abriu um sorriso largo e banguela para o pai, e Andy sentiu-se instintivamente sorrindo de volta. — Olhe só que menininha feliz — disse ele, tirando Clementine do carrinho e aconchegando-a na dobra do braço. Ele beijou de leve seu nariz e a entregou de volta a Andy.

— Quer ficar com ela um pouquinho? Tenho certeza de que ela iria adorar passar um tempo com o papai.

— Preciso realmente deitar um pouco — disse Max, dirigindo-se para o quarto. — Foi uma semana muito longa. Muito estressante.

Andy o seguiu e depositou Clem na cama.

— Sinto muito. Mas eu realmente preciso de meia hora para tomar um banho e comer alguma coisa.

Ela beijou a filha e a deitou no travesseiro de Max.

— Andy — disse Max, com aquele tom que ele às vezes usava com ela. Um tom que transmitia em uma única palavra que ele estava *muito perto* de perder a paciência. — Estou sob muita pressão neste momento.

— Pois então: não tem nada melhor que um bebezinho feliz para curar isso. Curta a sua filha.

Ela saiu e fechou a porta do quarto.

Lavou-se rapidamente no banheiro social e vestiu de novo a calça de ginástica e o moletom. Não havia leite na geladeira, mas ela fez um sanduíche de manteiga de amendoim com banana, pegou uma Coca Diet e desabou no sofá. Quanto tempo fazia desde que assistira a um programa de TV sem um bebê agarrado ao peito? Ou fizera uma refeição sem ser interrompida? Era o paraíso. Ela deve ter cochilado, porque acordou com Max e Clementine ao seu lado no sofá. Max abrira o pijama de Clem e fazia cócegas na barriga dela. Como recompensa, Clem estava dando os melhores e mais lindos sorrisos do mundo.

— Você está bem? — perguntou Max enquanto fazia cócegas debaixo dos braços de Clem.

— Agora estou — disse ela, sentindo-se infinitamente mais relaxada que antes. Era como tudo parecia ser naqueles dias, com tantas mudanças de humor: altos e baixos.

Clem sublinhou seu sorriso banguela com uma espécie de guincho de deleite.

— Isso foi uma risada? — indagou Max. — Achei que ela fosse pequena demais para rir.

Andy apertou o braço dele.

— Com certeza pareceu uma risada.

Ela sempre se imaginara completamente apaixonada por seu bebê, mas nunca pensara que seu marido também ficaria encantado. Max era um pai maravilhoso — empenhado, envolvido, carinhoso e divertido —, e havia pouca coisa que ela adorasse mais do que assistir a seu marido e sua filha interagirem. Andy sabia que não havia nada errado, apesar de pequenos conflitos territoriais como o que acabara de acontecer. Estava tudo certo, na verdade; pela primeira vez em muitos meses as coisas estavam perfeitas. Sua filha era saudável e feliz, seu marido era doce e, na maior parte do tempo, solícito, e ela estava curtindo esses poucos meses exaustivos mas valiosos de estar com seu bebê recém-nascido. A carta de sua sogra, o fato de que Max encontrara Katherine e escondera o ocorrido — tudo isso eram lembranças distantes. Qualquer ansiedade prolongada que ela sentisse era por causa dos hormônios ou pela falta de sono, ou os dois. Ela voltou sua atenção para sua família, cansada mas feliz, curtindo seu novo bebê, e ia saborear cada segundo.

Uma mistura de James Bond com *Uma linda mulher*, mais uma pitadinha de *Mary Poppins*

17

— Você está pronta? — gritou Max da sala, onde (Andy sabia) saboreava calmamente uma latinha de refrigerante.

Ela podia imaginá-lo deitado no sofá, em seu terno de corte europeu e com seus caros mocassins italianos, bebendo devagarzinho o refrigerante e preguiçosamente dando uma olhada em seu iPhone. Max tinha cortado o cabelo fazia pouco tempo e fizera a barba; ele estaria cheirando a xampu, a menta da loção pós-barba e, inexplicavelmente, a chocolate. Estaria entusiasmado com a festa, ansioso para chegar lá e começar a circular entre as pessoas que conhecia e de que gostava. Talvez estivesse batendo o pé com impaciência. Enquanto isso, do outro lado do corredor, Clementine era alimentada por Isla, a baby-sitter australiana de 22 anos que Andy havia contratado baseada na recomendação de uma das mães do grupo e em uma verificação do seu nome no Google. Em outras palavras, uma completa estranha.

A campainha tocou. Por um instante ela pensou que fosse a TV, mas quando Stanley começou a latir, e após uma rápida olhada no monitor do bebê que mostrava Clem e Isla aconchegadas juntas no balanço, achou que fosse alguma entrega de comida. Para Isla, provavelmente. O interfone então tocou também; Andy tirou o fone do gancho e falou, apressada:

— Pode mandar subir.

— Hã... Andrea? Desculpe. Só queria avisar...

Do hall do apartamento, uma voz estridente interrompeu o aviso do porteiro:

— Olá! Alguém em casa? Olá...

— ... que a Sra. Harrison está subindo. Ela disse que a estavam esperando.

— Sim, é claro. Obrigada.

Andy baixou os olhos para o próprio corpo, totalmente nu. Ouviu Max cumprimentando a mãe no corredor. Um momento depois, ele enfiou a cabeça pela porta.

— Ei, minha mãe está aqui — falou, quase como uma pergunta. — Ela vai à inauguração de uma galeria hoje à noite que é bem ali na esquina, então resolveu dar uma passadinha e dizer oi para Clem.

Andy ficou olhando para ele, notando seu sorriso tímido.

— É mesmo?

Eu preciso da sua mãe como preciso de duas pernas quebradas, pensou Andy.

— Desculpe, amor. Ela estava literalmente na esquina. E ela tem outro evento daqui a tipo meia hora, então é mesmo só um oi rápido. Podíamos tomar um drinque juntos antes de cada um ir para sua festa, que tal?

— Eu nem estou vestida, Max — disse Andy, indicando com um gesto o bolo de toalhas, vestidos pretos e cintas em cima da cama.

— Não se preocupe, ela veio ver Clem. Não tenha pressa. Vou pegar uma taça de champanhe para você. Apareça quando estiver pronta.

Ela queria gritar com o marido por jogar no seu colo aquela surpresa nada bem-vinda, mas em vez disso só assentiu e, com um gesto, mandou que ele fechasse a porta. Ela ouviu Max apresentar Barbara a Isla — "Ah, Austrália, você disse? Que lugar *interessante*" —, e então as vozes foram diminuindo enquanto os dois iam para a sala. Andy voltou sua atenção para o short modelador tamanho pequeno. Vestiu-o com esforço, puxando-o pelas coxas, e ele resistiu por todo o caminho. Passar pela parte mais grossa de suas pernas era motivo de celebração, mas não por muito tempo: ainda faltava o bumbum e a barriga. Toda a parte inferior de seu corpo foi esmagada e beliscada, e, quando ela finalmente conseguiu colocar o short no lugar, gotas de suor escorriam desconfortavelmente por suas costas e por entre os seios. Seu cabelo, escovado no salão pela primeira vez desde o nascimento de Clementine, agora estava grudado em seu rosto e pescoço. Pegando uma revista para se abanar e vestida apenas com o short modelador apertado demais e um reforçado sutiã de amamentação cor de pele, seu corpo saltando para fora de ambos, Andy começou a rir. Se aquilo não era sexy, ela não sabia o que era.

Seu celular tocou na mesinha de cabeceira. Ela rolou pela cama como um leitão besuntado de gordura e o alcançou.

— Péssima hora — falou de modo automático, como só as mães que tiveram bebês recentemente podem fazer.

— Só estou ligando para desejar boa sorte a você esta noite.

Calorosa e familiar, a voz de Jill fez Andy se sentir um pouquinho mais calma na mesma hora.

— Boa sorte em ser uma vaca parida vazando, lactando e gorda no meio de um mar de gente linda ou boa sorte em deixar minha bebezinha com uma estranha que eu simplesmente achei na internet?

— As duas coisas! — respondeu Jill, animada.

— Como é que eu vou fazer isso? — gemeu Andy, muito consciente de que já estava atrasada.

— Como todo mundo faz: use preto da cabeça aos pés, olhe seu celular a cada quatro ou cinco segundos e beba o máximo que a situação permitir.

— Bom conselho. Beber: confere. Celular: confere. Agora só preciso enfiar minha bunda dentro do vestido preto de manga comprida. Aquele com o decote nas costas, lembra? Que eu usava o tempo todo antes de engravidar?

Jill riu. Não de uma forma agradável.

— Não faz nem quatro meses, Andy. Não espere um milagre.

Andy ficou olhando para o vestido estendido ao seu lado sobre a cama. Dependendo do manequim que ela estivesse vestindo (38 ou 40), ele ou tinha um caimento elegante ou ficava sensualmente justo, e, dependendo apenas dos acessórios certos, era perfeito para tudo, desde um encontro rápido para um drinque a um casamento. Naquela noite, no entanto, parecia mais adequado a uma boneca, ou talvez a uma pré-adolescente.

— Não vai rolar, vai? — perguntou ela, a voz quase um sussurro.

— Provavelmente não. Mas quem se importa? Você vai voltar a entrar nele daqui a alguns meses, então qual é a diferença?

— A diferença é que eu não tenho nada para usar!

Andy não queria parecer histérica, mas a transpiração só piorava e o tempo estava passando. Em termos de vestido, não havia Plano B.

— É claro que tem — falou Jill, no mesmo tom que ela usava com Jonah quando ele estava tendo um ataque de malcriação. — E aquele vestido preto de manga três-quartos? Que você usou para o brunch da vovó em março?

— Aquele é para grávidas! — guinchou Andy. — Sem contar que só ficou ótimo porque era para uma festa de aniversário de 89 anos.

— Pense em como você vai parecer muito mais magra nele agora.

Andy suspirou.

— Tenho que me apressar. Desculpe por não poder perguntar nada sobre a sua vida agora. Além do mais, Barbara está aqui para ver Clementine. Eu juro que é de propósito, ela aparece na única noite em que não posso me dar ao luxo de ficar chateada porque já estou um caco... — Andy se deteve. — Está tudo bem com você?

— Está tudo ótimo. Livre-se da Barbara e vá se divertir. É a sua primeira saída à noite em séculos, sem falar que é um evento profissional muito emocionante, e você merece.

— Obrigada.

— Mas lembre-se: beba.

— Entendi. Preto, celular, álcool. Tchau.

Ela desligou e sorriu para o telefone. Às vezes sentia uma saudade desesperada da irmã, principalmente em noites como aquela.

Max apareceu à porta.

— Ainda não está pronta? Andy, qual é o problema?

Andy pegou às pressas uma toalha úmida do chão e a ergueu na frente dos seios.

— Não olhe para mim!

Max foi até ela e acariciou seu cabelo suado.

— O que está acontecendo? Eu vejo você nua todos os dias.

Quando Andy não disse nada, ele apontou para o vestido ao seu lado.

— Este me parece corporativo demais — falou de forma carinhosa, apesar de ela saber que ele devia ter ouvido pelo menos parte de sua conversa e provavelmente dissera *corporativo* quando queria dizer *pequeno*. Ele abriu o armário dela e vasculhou a parte com vestidos. Puxou o mesmo que Jill havia sugerido. — Aqui — disse ele, segurando-o no alto. — Você fica ótima neste.

Andy fungou, à beira das lágrimas, e apertou ainda mais a toalha contra o corpo.

Max tirou o cabide e estendeu a roupa na cama.

— Por que não veste isto e retoca a maquiagem? O carro está esperando lá embaixo, mas ainda é cedo. Venha dar um oi rápido para a minha mãe e depois saímos.

— Parece ótimo — balbuciou Andy, enquanto ele passava um tiquinho de pomada para modelar no cabelo e arrumava um fio rebelde imperceptível.

Ela se enfiou no vestido para grávida. Jill e Max tinham razão, era a única opção possível, e não ficava horroroso. Elegante? Não. Sexy? Não. Mas conseguia conter o gigantesco sutiã de amamentação e cobrir sua barriga flácida, além de disfarçar seu traseiro, que ainda não voltara inteiramente ao normal; sinceramente, isso era mais do que ela podia esperar. Para completar, uma meia-calça supertransparente, do tipo com a costura atrás, e sapatos Chloé com saltos grossos de 10 centímetros — que já machucavam bastante mesmo antes da gravidez e agora pareciam aqueles sapatos chineses de atrofiamento dos pés. Ignorando a dor surda nas panturrilhas, que com certeza se tornaria uma dor lancinante antes do fim da noite, Andy passou um novo batom vermelho-escuro que havia comprado especialmente para a ocasião, ajeitou o cabelo o melhor que pôde e jogou os ombros para trás. Ela estava de volta ao seu eu pré-gravidez? Não exatamente. Mas, pelo menos para alguém que acabara de ter um filho, não era de se jogar fora.

Atrás dela, Max deu um assobio de aprovação, olhando-a pelo espelho.

— Isso é que é uma mamãe gostosa — falou ele, abraçando-a por trás.

Por um instante ela o deixou tocar sua barriga flácida, dizendo:

— Esses pneuzinhos aqui deixam você excitado, não é? Vamos lá, admita.

Max riu.

— Você está fantástica. — Ele esticou a mão e segurou um seio de leve. — Isto aqui é incrível.

Andy sorriu.

— Só os peitos já quase fazem valer a pena, não é?

— E Clem. Somando os peitos e o bebê, estou achando o máximo.

Ele a guiou para o corredor, ajudou-a com a echarpe de seda e apertou sua mão com força quando Isla emergiu do quarto do bebê segurando uma Clementine de pálpebras pesadas. Barbara vinha atrás da babá, absolutamente deslumbrante em um tubinho sob medida com um blazer combinando e escarpins nude de couro.

— Olá, Barbara — disse Andy, sentindo-se de repente um enorme e desajeitado bujão ao lado da sogra elegante e bem-penteada. — Que gentileza a sua dar uma passada aqui.

— Pois é, querida. Bem, espero que não seja uma intrusão, mas percebi que fazia semanas que não via a minha neta, e estava aqui por perto mesmo...

Barbara fez uma pausa para olhar pelo corredor.

— Vocês fizeram alguma coisa diferente aqui? Esse quadro é novo? Ou talvez aquele espelho? Que alívio! Devo dizer que nunca gostei daquela... daquela *colagem* que vocês escolheram exibir com tanto destaque.

— Mamãe, aquela "colagem" era uma obra de múltiplas mídias feita por um famoso artista novo cujo trabalho já foi exposto na Europa inteira — explicou Max. — Andy e eu a encontramos quando estávamos em Amsterdã e a adoramos.

— Hum, bem, é como dizem: gosto não se discute, não é mesmo? — trinou Barbara.

Max lançou um olhar de desculpas para Andy, que apenas deu de ombros em resposta. Estavam casados fazia um ano, e, ainda que ela não tivesse esquecido a carta que Barbara escrevera para o filho sobre a escolha dele para esposa e não estivesse exatamente *acostumada* à sua sogra — provavelmente nunca estaria —, também já não se surpreendia mais com ela.

Na sala, Barbara se empoleirou na beirada de uma poltrona como se o estofado estivesse cheio de carrapatos.

Andy não resistiu:

— Ah, Max, me lembre de chamar o dedetizador na segunda-feira de manhã cedo. Ele não vem aqui há *séculos*. Já passou do prazo.

Max olhou para ela de forma questionadora. Barbara ficou de pé num pulo. Andy tentou não rir.

— Como ela se saiu com a mamadeira? — perguntou Andy a Isla, querendo apenas arrancar sua filha dos braços daquela estranha.

— Muito bem. Bebeu todos os 150 mililitros. Já troquei a fralda e agora vou botá-la para dormir. Ela quis dar boa-noite para a mamãe antes.

— Ah, venha cá, meu amor — disse Andy, aliviada com a chance de segurar Clementine uma última vez sem parecer tão psicótica quanto de fato se sentia. Só por isso Isla já ganhou pontos com a patroa. — Seja boazinha com sua nova babá, viu?

Andy beijou as bochechas gordas da filha uma, duas, três vezes antes de devolvê-la a Isla, que acomodou Clementine confortavelmente no ombro e assentiu.

— Vou ler uma historinha para ela agora e niná-la para dormir, e depois...

— Não se esqueça de botá-la no saco de dormir de bebê — interrompeu Andy.

Max apertou sua mão de novo.

— O que foi? — Ela olhou para ele. — É importante.

Isla continuou, falando tudo correndo:

— É claro. Colocá-la no saco de dormir, ler uma historinha, niná-la para que ela adormeça. Diminuir as luzes mas sem deixar o quarto completamente escuro e ligar a máquina de ruído branco. Ela deve acordar umas nove e meia ou dez horas para mamar de novo, mas mesmo que não acorde, eu dou a mamadeira de 100 mililitros que está na geladeira para ela ainda dormindo, certo?

Andy assentiu.

— Se não conseguir se lembrar de como usar o aquecedor de mamadeira, é só colocar dentro de uma caneca de água quente por alguns minutos. Mas por favor não se esqueça de testar a temperatura antes de dar para ela mamar.

— Está certo, Andy, parece que está tudo bem aqui — falou Max, beijando Clem na testa. — Venha, sente-se por um minuto e relaxe, e então saímos.

— Você tem os nossos dois números, só para garantir? E pegou a folha que deixei na bancada com todos os números para o caso de alguma emergência? Minha mãe está no Texas no momento, então não vai ajudar muito... — Ela olhou para Barbara, que estava concentrada lendo alguma coisa. — Melhor ainda: apenas ligue para o telefone da emergência o mais rápido...

— Prometo que vou cuidar dela muito bem — disse Isla, com um sorriso calmo e reconfortante, mas que mesmo assim fez Andy desejar uma câmera de vigilância.

Andy parou, imóvel, imaginando como aquilo tinha acontecido. Ela havia jurado de pés juntos que seria a mãe legal, a relaxada, aquela que não surtava com germes ou babás, ou que cismava em comprar tudo orgânico, que conseguiria levar tudo na boa e não enlouquecer. Mas uma única olhada para o ser minúsculo e vulnerável que dependia inteiramente dela para tudo havia acabado com essa resolução. Andy só deixara Clementine com sua mãe uma vez, por puro desespero, e com a irmã de Max, mas só porque tinha consulta no médico e não queria submeter sua filha à sala de espera imunda. Ela devolvera todos os pijamas e macacõezinhos que haviam ganhado de presente, exceto aqueles que eram livres, acima de qualquer suspeita, de tecidos tóxicos; também foram devolvidos todos os brinquedos de plástico que traziam impresso "Made in China" ou que não eram comprovadamente livres de BPA, PVC ou ftalato. Indo contra todas as promessas que havia feito a si mesma, ao marido e a qualquer um que quisesse ouvir, Andy movia céus e terra para se ater ao cronograma de Clem, uma rotina cuidadosamente coreografada de mamadas, cochilos, horas de brincar e passeios que era priorizada acima de tudo e de todos. Não que fosse sua intenção se tornar uma mãe superprotetora louca, apenas sentia que não conseguia evitar isso.

Andy respirou fundo, expirou o ar pela boca sem fazer barulho e se forçou a sorrir de volta.

— Eu sei. Obrigada. — E ficou vendo Isla se afastar com Clem, levando-a para o quarto.

O som da voz de Barbara a trouxe de volta à realidade:

— Andrea, querida, o que é isto?

Ela erguia um pequeno maço de papéis. Andy sentou-se no sofá e pegou sua taça de champanhe: coragem líquida. Barbara devia ter concluído que o sofá tinha uma probabilidade maior de estar livre de animais peçonhentos, porque se sentou ao lado da nora e cruzou as pernas.

— Aqui, isto. Diz: "A mais completa lista de compras e serviços para bebês, por Miranda." Isto não é da Miranda *Priestly*, é?

Andy deixara a lista presa ao quadro de avisos acima de sua escrivaninha, um lugar estranho para Barbara ter bisbilhotado, mas seu espírito combativo estava fraco demais para trazer à tona esse detalhe.

— Ah, é, a lista da Miranda. Ela me mandou logo depois que Clementine nasceu. Miranda não gosta muito de *pessoas* propriamente ditas, mas parece que tem uma queda por bebês.

— É mesmo? — murmurou Barbara, folheando as páginas, os olhos brilhando. — Ora, ora, é bastante abrangente.

— Isso ela é — falou Andy, olhando por cima do ombro de Barbara.

Ela havia quase desmaiado de choque quando aquilo chegou, algumas semanas após o nascimento de Clem, acompanhado de uma caixa embrulhada em papel cor-de-rosa e enfeitada com fitas brancas e um chocalho de prata da Tiffany. Dentro da embalagem havia um bilhete com a caligrafia de Miranda: "Parabéns pelo novo membro da família!" Embaixo, sob uma meia dúzia de camadas de papel de seda, aninhava-se o mais extraordinário cobertor de marta que Andy já vira. Ou, na verdade, o *único* cobertor de marta que ela já vira. Era absurdamente macio e enorme. Andy na mesma hora o dobrara e o colocara atravessado no pé da própria cama, aconchegando-se nele quase toda noite. Clem ainda não tinha vomitado nem feito cocô nem babado nele, e, se dependesse de Andy, jamais o faria. Marta! Para um bebê! Ela sorriu para si mesma, lembrando-se do que Emily havia observado: era óbvio que Miranda escolhera aquele presente sozinha, porque nenhuma assistente jamais mandaria um cobertor de marta tamanho adulto como presente de bebê. Jamais. E como se isso já não fosse fabuloso o bastante, havia também "A mais completa lista de compras e serviços para bebês".

Vinte e duas páginas, espaçamento simples. Um sumário dividido por temas, como "Itens necessários para o hospital", "Itens para casa: primeiras semanas", "Artigos de higiene para o bebê", "Medicamentos e pomadas" e "Checklist final". Era evidente que Miranda dava suas recomendações para criar o enxoval perfeito (de preferência da Jacadi, Bonpoint e Ralph Lauren): macacõezinhos de manga curta, macacõezinhos de manga comprida, pijamas com pezinho, meias, botinhas, gorros de tricô, luvas, conjuntos de calça e camisa para meninos, vestidos ou macaquinhos para meninas. Toalhinhas, toalhas, lençóis para o berço. Cueiros, cobertores para carrinho, cobertores monogramados para o quarto. Tinha até uma marca favorita de acessórios para cabelo. Mas não parava por aí. Havia as recomendações de pediatras, consultores de lactação, nutricionistas infantis, alergistas, dentistas pediátricos e médicos dispostos a atender em casa. Ela listava todos os recursos de que se podia precisar para organizar uma circuncisão, um batizado ou uma cerimônia de recebimento do nome: sinagogas aceitáveis, igrejas, *mohelim*, bufês e floristas. Decoradores especializados em quarto de bebê. Um contato na Tiffany que gravava o monograma de seu filho em colheres de prata, copos e pratos comemorativos. Um especialista em diamantes onde o papai podia comprar para a mamãe o presente perfeito para o parto. E, mais importante que tudo, uma lista de profissionais para ajudar na criação dos ditos bebês: enfermeiras, babás, baby-sitters de emergência, professores particulares, fonoaudiólogos, terapeutas ocupacionais, consultores educacionais e pelo menos meia dúzia de agências, todas avaliadas e aprovadas pela própria Miranda, como aptas a fornecer "o tipo certo" de profissional.

Barbara terminou de ler a lista e a colocou em cima da mesa.

— Quanta consideração da Srta. Priestly em lhe enviar isto — falou, depois inclinou a cabeça para o lado e olhou para Andy. — Ela deve ver alguma coisa especial em você.

— Hum — fez Andy, sem querer destruir o incipiente respeito de Barbara por ela.

Assistentes haviam compilado e organizado a lista, Andy sabia disso. O único fato lisonjeiro era Miranda ter mandado alguém lhe enviar aquilo. Sem falar no cobertor de marta, que Andy descaradamente foi pegar para mostrar à sogra.

— Espetacular! — exclamou Barbara quando Andy o colocou sobre os joelhos da mulher. Barbara o acariciou com reverência. — Que presente único e atencioso para um bebê. Tenho certeza de que Clementine simplesmente o adora.

Max serviu o que havia sobrado de champanhe na taça de Andy, depois encheu a sua e a de sua mãe com Pellegrino.

— Mãe, pode ficar se quiser, mas Andy e eu temos que ir. O carro está esperando lá embaixo há vinte minutos e agora estamos oficialmente atrasados.

Barbara assentiu.

— Eu entendo, querido. É que apenas não podia deixar passar uma oportunidade de ver minha neta.

Andy sorriu magnanimamente.

— Clem também gostou — mentiu ela. — A senhora é sempre bem-vinda.

Ela se segurou para não comentar que Barbara não havia sequer chegado a segurar sua amada neta, nem mesmo acariciado a cabeça do bebê. Pelo que ela vira, sua sogra se contentara em admirar Clem, na segurança dos braços da baby-sitter, o que finalmente a fez entender um pouco sobre como deve ter sido para Max crescer tendo aquela mulher como mãe.

Ela e Barbara se levantaram; Andy lhe deu um beijo obrigatório no rosto e virou-se para procurar sua bolsa, mas a mão de Barbara fechou-se em cima da sua.

— Andrea, eu gostaria de lhe dizer uma coisa — disse ela, com sua voz típica da Park Avenue.

Andy entrou em pânico. Max já estava na metade do corredor, pegando os casacos dos três. Ela não conseguia se lembrar da última vez que ficara sozinha com Barbara Harrison, e não estava em condições de...

Barbara apertou ambas as mãos de Andy, que se sentiu sendo puxada mais para perto da sogra. Tão perto que podia sentir o aroma delicado de seu perfume e ver os sulcos profundos em volta de sua boca, tão marcados que nem mesmo os últimos e melhores preenchimentos podiam dar um jeito. Andy prendeu a respiração.

— Querida, eu só queria lhe dizer que acho que você é uma mãe maravilhosa.

Andy sentiu o queixo cair. Ela não poderia ter ficado mais chocada se Barbara tivesse confessado ser terminantemente viciada em metanfetamina.

Seria apenas porque Miranda Priestly a havia julgado uma pessoa digna de receber sua lista pessoal? Provavelmente. Mas Andy não ligava. Não ligava porque ainda era bom ouvir aquilo da mulher que a achava indigna de seu filho, e era bom porque ela sabia que Barbara estava certa: tinha defeitos como qualquer um, mas era uma ótima mãe.

— Obrigada, Barbara — disse, apertando as mãos da sogra.
— Significa muito para mim, especialmente vindo de você.

A Sra. Harrison soltou as mãos e afastou um fio de cabelo imaginário do olho. O momento havia passado. Mas Andy sorriu mesmo assim.

— Bem, é melhor eu ir — cantarolou Barbara. — Simplesmente não posso me atrasar hoje. Todo mundo estará lá.

Ela aceitou a ajuda de Max para vestir o casaco e então ofereceu o rosto para receber um beijo do filho.

— Tchau, mãe. Obrigado por passar aqui — falou ele.

Pela sua expressão, via-se que ele tinha ouvido a breve conversa das duas.

Andy esperou que a porta se fechasse atrás de Barbara.

— Ora, ora, quem diria? — comentou Andy com um sorriso, passando uma echarpe de caxemira em volta dos ombros. — Ela só faltou dizer que me ama.

Max riu.

— Não vamos exagerar — disse, mas Andy podia ver que ele também estava feliz.

— Ela me ama! — comemorou Andy, rindo. — A todo-poderosa Sra. Barbara Harrison idolatra Andy Sachs, mãe fenomenal!

Max a beijou.

— E ela tem razão, sabe.

— Eu sei — concordou Andy, com um sorriso.

Isla apareceu no corredor.

— Prometo que vou cuidar dela muito bem — disse a jovem.

E, antes que Andy pudesse dizer mais uma palavra ou beijar Clem uma última vez, Max a arrastou para a porta, de lá para o elevador e finalmente para o banco traseiro de uma limusine Lincoln cheirando a couro novo que a lembrava, como toda limusine, de seu ano na *Runway*.

— Ela vai ficar bem — declarou Max, apertando sua mão mais uma vez.

Em frente ao Skylight West, na rua 36 com a Décima Avenida, o carro deles entrou em uma longa fila de limusines. Motoristas esperavam, entediados, dentro de algumas; belos casais e amigos em roupas de festa saltavam de outras. Andy abriu a porta antes que tivessem parado totalmente.

— Dá para acreditar que Emily organizou isso tão rápido? — perguntou ela baixinho a Max enquanto ele a ajudava a sair da limusine. — Só a ideia da festa em comemoração ao aniversário de três anos da revista já é ótima, mas conseguir que contássemos com a assinatura da Vera Wang e da Laura Mercier no evento todo foi uma jogada de mestre.

Max assentiu.

— É ótimo para a publicidade. Conhecendo Emily, ela vai botar todos os figurões aqui esta noite, e você sabe quem adora uma festa assim...

Andy olhou para ele sem entender.

— Quem?

— O pessoal do Elias-Clark! Eventos como este são bem a cara deles. Festa pomposa, com um monte de rostos famosos e várias menções espalhadas por todas as páginas das revistas de fofocas amanhã. Isto faz maravilhas para o perfil da revista, e não só com os leitores. Emily sabe que esta noite vai fazer o status da *Plunge* subir e torná-la ainda mais cobiçada por Miranda.

Max disse isso de forma factual, como um empresário familiarizado com a indústria diria, mas irritou Andy. Mesmo que ela certamente visse os benefícios, em termos de publicidade e posicionamento, de uma *soirée* chique patrocinada pelos anunciantes, ainda não havia pensado em como isso se traduziria em relação à sua posição de venda. Aquilo era típico de Emily. E a incomodava mais o fato de Max parecer não entender por que a incomodava.

Ao chegarem ao elevador que os levaria ao terraço, Andy puxou a mão de Max e fez um gesto liberando os outros convidados — todos fabulosos, mas nenhum que lhe parecesse familiar — a subir logo.

— Você está bem? — perguntou ele.

Andy sentiu a garganta ficar apertada. Seu celular então vibrou, e uma mensagem de texto apareceu na tela.

— Emily quer saber onde estamos.

— Venha, vamos subir e curtir esta noite, está bem? — disse Max, esticando-se para pegar sua mão, e ela se permitiu ser puxada para dentro do elevador.

Uma mulher bem jovem em um vestido vermelho extremamente sexy entrou logo antes de as portas se fecharem.

— Terraço? — indagou.

— Para a festa da *Plunge*? — perguntou Max, e a garota abriu um largo sorriso.

— Eu nem fui convidada — disse ela. — Minha chefe foi, mas eu implorei que me deixasse vir em seu lugar. Este é *o* evento do dia. — O rosto da garota então transpareceu reconhecimento. — Espere, você não é Max Harrison, é? Uau, é ótimo conhecê-lo.

Max e a garota trocaram um aperto de mãos. Mais parecia que ela acabara de conhecer Ryan Gosling.

As portas do elevador se abriram, e Max olhou para Andy com as sobrancelhas erguidas e um sorriso travesso. Ela fez uma anotação mental para encontrar Emily imediatamente e relatar essa fofoca, mas esqueceu no instante em que botou os pés no terraço. A festa estava mágica, totalmente mágica. O espaço ao ar livre parecia se estender por quilômetros em todas as direções, com apenas as luzes tremeluzentes do horizonte criando um limite de intensidade impressionante entre o terraço e todo o restante da ilha de Manhattan. Bem à frente, o Empire State Building brilhava em azul e prata, erguendo-se por trás do letreiro em néon vermelho da *New Yorker*. À direita, o sol havia acabado de se pôr sobre o Hudson, lançando sobre as águas dramáticas sombras roxas e laranjas, as luzes de Nova Jersey brilhando por trás. Em todas as direções que ela olhava, luzes se apagavam em prédios comerciais e se acendiam em apartamentos, bares e restaurantes, a cidade inteira fazendo sua transição diária de trabalho para descanso; lá de baixo vinha a cacofonia das ruas: a usual mistura de sirenes, buzinas de táxis, música e gente, muita gente. A cidade vivia e vibrava naquela noite quente de início de outubro, dando a Andy a sensação de que não havia um lugar melhor no mundo.

— Puta merda, dá para acreditar nisso? — Era Emily, que havia surgido do nada e agarrava o braço de Andy. Ela estava criminosamente linda em um *bandage dress* Hervé rosa-néon, as perfeitas ondas ruivas de seu cabelo descendo em cascatas sobre seus ombros nus. — Este lugar não é uma loucura?

Não era nada surpreendente que Emily não tivesse perguntado sobre Clementine ou se Andy estava bem. Ela havia visitado mãe e filha já em casa, levando para a recém-nascida um conjunto absurdamente caro e inútil de vestido de caxemira, chapéu e luvas (em pleno verão), mas estivera basicamente ausente desde então. As duas faziam conferência por telefone com diversos funcionários para discutir trabalho e trocavam e-mails várias vezes por dia, mas uma frieza notável se estabelecera em sua amizade. Andy não sabia se era o bebê ou sua recusa em discutir a oferta do Elias-Clark, ou se estava apenas sendo hipersensível, mas parecia que algo entre elas havia mudado.

Max avisou que estava indo ao bar e que voltaria em um minuto.

Andy virou-se para Emily e tentou brincar:

— Você mandou encurtar e apertar esse vestido? A parte de cima tipo espartilho já não era apertada o suficiente para você?

Emily chegou para trás por um momento e olhou para a própria barriga.

— Ficou apertado demais? Será que o espelho criou uma ilusão de ótica? Porque eu achei que estava bom!

Andy pegou o braço dela.

— Cale a boca, você está sensacional, isso é só inveja vindo da baleia vestida em cortina de chuveiro.

— Sério? Ah, que bom. Também achei que estivesse bem, mas nunca se sabe. — Ela fez um gesto de desdém. — Você também está melhor.

— Grande elogio. Estou lisonjeada.

— Não, sério, é verdade. Seus peitos estão, tipo, quase do tamanho normal, e eu amei os sapatos Chloé. — Emily fez um gesto indicando as pessoas em volta. — Dá para acreditar neste lugar?

Andy girou lentamente no mesmo lugar, observando o terraço. Fogueiras de ferro fundido exibiam chamas dançantes.

Fios com minilâmpadas brancas se cruzavam no alto. Pessoas lindas perambulavam por todos os cantos, rindo e tomando o drinque especial, uma divina mistura turva de Patrón, calda de açúcar, coentro e suco de limão. Transitavam com tranquilidade entre o bar com iluminação suave e os sofás baixos de couro branco em frente a mesinhas de acrílico, tudo arrumado em configurações parecidas com as de uma sala de estar. Grupos estavam de pé ao longo do parapeito, admirando a vista que se estendia interminável em todas as direções.

Emily deu um trago em seu cigarro e soprou a fumaça lentamente. Andy não estava mais grávida. Só um não ia matá-la. Ela apontou para o maço.

— Quer um? — indagou Emily, e Andy assentiu.

A primeira tragada queimou sua garganta e teve um gosto horrível, mas melhorou depois disso.

— Meu Deus, como isto é bom.

Emily se inclinou mais para perto.

— Patrick McMullan está aqui fotografando. E me disseram que Matt Damon e aquela esposa bonitinha dele também vieram, mas ainda não os vi. E várias modelos da Victoria's Secret estão deixando os caras felizes. E Agatha acabou de receber um recado da assessora de imprensa de Olive Chase de que ela e Clint vão dar uma passada aqui depois de um outro evento em Tribeca. Não sei bem como isso aconteceu, mas esta festa está virando o evento do ano.

Max voltou, trazendo para Andy um dos drinques de tequila com coentro e uma água para si mesmo.

— Desculpe, Em, eu não sabia o que você queria.

E antes que Andy pudesse piscar, Emily já estava indo direto para o bar.

— Eu não vejo você fumar há anos — disse Max, olhando para o cigarro.

Andy deu outro trago. Estava saboreando intensamente agora, tanto o cigarro quanto o olhar de surpresa de Max.

Em um dos sofás mais próximos, Miles conversava com algumas pessoas da equipe da *Plunge*, especificamente com Agatha, que usava um macaquinho de crepe branco sem manga, ajustado em sua cintura inexistente por um cinto dourado em formato de cobra e realçado com sapatos de salto de lamê dourado sensacionais que em qualquer outra pessoa pareceriam baratos e forçados demais, mas que em Agatha só pareciam poderosos. Andy não gostou da aparente intimidade entre os dois, mas antes que pudesse pensar demais a respeito, Miles a viu e se pôs de pé num pulo.

— Eu proponho um brinde — anunciou ele, erguendo sua caneca de cerveja. — A Andy e Emily, onde quer que ela esteja. Essas garotas conseguiram transformar casamentos em matérias lindas e interessantes. Com estilo. E, aparentemente, não somos os únicos a achar isso.

Todo mundo à mesa aplaudiu.

Miles fez um gesto com sua caneca e brindou, tocando o copo de Andy primeiro e depois o de Agatha.

— Feliz aniversário para a *Plunge*. Três anos nunca pareceram algo tão bom.

Andy fez o melhor que pôde para sorrir e bater seu copo no dos outros. Depois de alguns minutos de conversa fiada, porém, pediu licença para ir procurar Emily e se assegurar de que o enorme bolo de casamento desenhado por Sylvia Weinstock que ela própria encomendara — tinha sido sua única tarefa para a noite — estava sendo preparado para sua grande entrada.

Estava andando pelo bar menor, no canto, quando ouviu uma voz familiar chamar seu nome. *Não pode ser*, pensou consigo mesma, e recusou-se a olhar. *Ele mora em Londres agora. Quase nunca vem a Nova York. E não está na lista de convidados.* Só após sentir a mão quente se fechar em volta de seu braço foi que ela teve certeza.

— Como assim? Nem um oi? — falou ele, puxando-a para si.

Como sempre, ele estava usando um terno de corte europeu — isto é, justo —, uma camisa branca impecável com botões demais abertos e sem gravata. Estava com a barba por fazer e talvez uma ou duas rugas novas ao redor dos olhos, mas que não diminuíam em nada sua sensualidade. E olhava para ela de um jeito que mostrava que ele sabia disso.

Só havia uma coisa a fazer: esquecer a escova que se desmanchava, a falta de acessórios e o peso da gravidez reposicionado (bunda, coxas, peitos) e simplesmente *se garantir*. Andy projetou seu considerável busto para a frente enquanto Christian Collinsworth deixava os olhos correrem por seu corpo.

— Christian — murmurou ela. — O que está fazendo aqui?

Ele riu e tomou um gole de seu drinque, um gim-tônica extrasseco.

— Você acha que, estando em Nova York, eu ia ouvir falar da festa do ano e não viria dar uma conferida? Ainda mais quando estamos todos aqui para comemorar as realizações da minha Andy?

Andy tentou imitar a risada casual dele, mas a dela soou mais como o zurro de um jumento — gutural, como o arensar de um cisne, e alto demais.

— Sua Andy? — Ela ergueu a mão esquerda. — Estou casada, Christian. Não se lembra do casamento ao qual você compareceu um ano atrás? Temos uma filha agora.

As covinhas dele apareceram com ímpeto total; o sorriso que as forçou era divertido e talvez um pouco condescendente.

— Eu ouvi falar, mas não sabia se devia ou não acreditar. Parabéns, Andy.

Não sabia se devia ou não acreditar? Por quê? A ideia de me ver como mãe é simplesmente absurda demais para compreender?

Em um instante a mão dele estava nela, bem no ponto em que suas costas encontravam seu quadril, onde se localizava aquele grupinho de pneus que haviam se provado inacreditavelmente teimosos e que estavam quase estourando o short modelador. Ele a apertou, ao que Andy se virou para ele horrorizada.

Ele jogou as mãos no ar.

— O que foi? Virou mórmon agora, além de casada? Seu marido vai se materializar do nada e me dar um soco na cara porque eu toquei na propriedade dele? — E, de novo, aquele sorriso. — Venha, vamos pegar uma bebida, e aí você pode me botar a par das novidades.

Em algum lugar lá no fundo, Andy sabia que deveria pedir licença para ir ajudar Emily, ou para ligar para a baby-sitter, encontrar um banheiro, qualquer coisa menos seguir cegamente Christian Collinsworth até o bar, mas foi incapaz de fazer isso. Aceitou o drinque de tequila que Christian lhe entregou e fez o melhor que pôde para se apoiar no bar de uma forma que transmitisse confiança, indiferença e sensualidade, tudo ao mesmo tempo. A essa altura, ela só podia ter esperanças de permanecer ereta e de seus seios agora pesados não vazarem.

— Qual é o nome da sua filha? — perguntou Christian.

Ele olhava bem dentro dos olhos dela, e ainda assim conseguia deixar claro que não poderia estar menos interessado.

— Clementine Rose Harrison. Ela nasceu em junho.

— Legal. E como você tem se adaptado à maternidade?

Aquilo já fora longe demais. Andy ficou feliz em descobrir que havia encontrado sua voz:

— Ah, me poupe, Christian. Você quer realmente falar sobre horários de dormir e fraldas? Por que não conversamos sobre o seu verdadeiro tema preferido? Como *você* tem passado desde que nos vimos pela última vez?

Ele tomou um gole de sua bebida e pareceu pensar sobre isso.

— Devo dizer que vou bem. Sabia que estou morando em Londres? — Ele não esperou a resposta. — E tem sido muito bom para mim. Muito tempo para escrever, boas oportunidades para viajar um pouco pela Europa, vários rostos novos. Nova York estava ficando tão... batido.

— Hum.

— Sabe? Quero dizer, você não chegou num ponto em que preferiria estar em qualquer lugar, menos aqui?

— Na verdade, eu...

— Andy, Andy, Andy. — Ele se inclinou na direção dela, abaixando o queixo e piscando seus cílios injustamente longos. — Não nos divertimos muito juntos? O que houve com a gente?

Andy não pôde deixar de rir mais uma vez.

— O que houve, quero dizer, o que houve quando acordamos certa manhã na sua suíte em Villa d'Este e você me perguntou se eu queria conhecer a sua namorada? Que por acaso ia chegar mais tarde aquele mesmo dia? Sendo que estávamos namorando fazia quase seis meses àquela altura?

— Eu não diria...

— Perdão. *Dormindo juntos* fazia quase seis meses.

— Nunca é tão simples assim. Ela não era minha namorada *per se*. Era uma situação complicada.

Um flash de verde-amarelado chamou a atenção dela.

— Andy?

Christian se aproximou ainda mais, porém Andy mal estava consciente da presença dele.

Ela podia ver agora que o verde-amarelado era na verdade um poncho — um poncho de pele —, e que se aproximava cada vez mais, balançando-se. Antes que ela tivesse um segundo para se recompor, Nigel havia passado os braços em volta dos ombros de Andy e enfiado o rosto dela em seu ombro peludo.

— Querida! Eu sabia que veria você aqui. Bela festinha essa que vocês organizaram. Estou muito impressionado.

Christian sussurrou no ouvido de Andy:

— Você pode querer falar oi.

Andy olhou para o sorriso e as covinhas dele e, por uma fração de segundo, quis enfiar a língua em sua boca.

Nigel aparentemente não percebeu o choque de Andy. Em vez disso, ele a empurrou para trás pelos ombros, deu-lhe dois beijinhos no rosto e disse:

— Trouxemos a equipe inteira. Ninguém queria perder uma festa tão deliciosa como esta!

Ao ouvir isso, Andy achou que fosse desmaiar. Era esse o preço do sucesso? Ter Miranda ressurgindo em sua vida o tempo todo, uma persistente e amaldiçoada presença? Em sua primeira saída em público desde que dera à luz, ela realmente precisava enfrentar Miranda Priestly — além de uma amiga decepcionada, um ex-namorado canalha e seios prestes a vazar?

Para seu alívio, Christian se intrometeu, cumprimentando Nigel, e logo os dois estavam discutindo os horários da próxima Fashion Week. Assim Andy pôde dar uma espiada na equipe da *Runway*: Serena, Jessica e três ou quatro tagarelas estavam todas em vários estágios de esplendor, com quilômetros e mais quilômetros de cabelos fartos, brilhantes e escovados, vestidos sumários, saltos altos, braços sarados, barrigas secas, pernas bronzeadas e joias cintilantes. Não havia uma única escorregada visual sequer em nenhuma delas; individualmente, pareciam deslumbrantes, e juntas formavam um grupo tão bonito que simplesmente parecia anormal.

— Miranda não veio? — perguntou Andy, por impulsividade, sem a menor consciência de que estava interrompendo Christian e Nigel.

Os dois se viraram para olhar para ela. O olhar de Christian era de solidariedade, o tipo de expressão de quem vê uma pessoa maluca vociferando no metrô. O de Nigel era de divertimento.

— Ora, não, querida. Você acha que Miranda não tem nada melhor para fazer esta noite do que vir aqui? Se não fosse tão egocêntrico, seria quase fofo... — Ele sorriu magnanimamente.

Andy o olhou horrorizada.

— Não, não é que eu *quisesse* que ela tivesse vindo...

Nigel assentiu lentamente e voltou-se de novo para Christian, que não fez nenhuma tentativa de diminuir o constrangimento dela. A salvação de Andy foi seu drinque e a chegada de Max.

— Oi, gato — falou Andy, talvez sem muita necessidade, mas gostou da expressão fugaz que viu no rosto de Christian.

— Max, lembra-se de Christian Collinsworth? E é claro que conhece Nigel.

— É um prazer vê-lo — disseram Max e Christian em uníssono, enquanto apertavam-se as mãos.

Andy ficou orgulhosa ao ver Max estender o braço e dar um tapinha nas costas de seu ex, parecendo confiantemente mais alto e mais másculo que Christian.

Nigel pegou um drinque enfeitado com um guarda-chuva cor-de-rosa de uma bandeja que passava e o ergueu na direção de Max, antes de tomar um pequeno gole.

— É um prazer vê-lo novamente, Sr. Harrison — cantarolou ele.

— Ótima festa, não é? — indagou Max, tomando um gole de água tônica. — Quem acreditaria que uma revista de apenas 3 anos de existência poderia atrair um público como este?

Andy corou, percebendo que Max a estava promovendo, mas Nigel pareceu não perceber.

— Toda garota adora um casamento, não é? Incluindo esta aqui! — trinou ele, apontando para si mesmo.

Max e Christian só ficaram olhando para Nigel, mas Andy entendeu na mesma hora.

— Você e Neil vão tornar oficial? — perguntou ela.

Nigel abriu um largo sorriso.

— Já coloquei Karl para criar meu figurino. Imagine uma mistura de James Bond com *Uma linda mulher*, mais uma pitadinha de *Mary Poppins*, só para garantir.

Os três assentiram entusiasmadamente.

Christian aproveitou para pedir licença, e Andy pegou Max olhando-o enquanto ele se afastava.

— Parece incrível — disse Andy a Nigel, apesar de não fazer a menor ideia do que ele queria dizer.

— Vai ser o casamento do ano — falou ele, sem a menor ironia ou modéstia.

Andy teve um lampejo de brilhantismo. Era tão obviamente perfeito que ela mal conseguiu pronunciar as palavras.

— Sabe, tenho vergonha de dizer, mas a *Plunge* nunca cobriu um casamento entre pessoas do mesmo sexo. Preciso falar com Emily antes, mas tenho certeza de que nós duas iríamos adorar se você considerasse nos deixar publicar o seu casamento. Garantiríamos a capa para você, é claro, e faríamos uma grande matéria, com direito a entrevista, cobrindo todos os aspectos de como se conheceram, começaram a namorar, ficaram noivos, tudo. Não posso fazer nenhuma promessa, mas talvez pudéssemos até arrumar para que St. Germain, ou talvez Testino, fizesse as fotos...

Algo na maneira como Nigel sorriu para ela — astuta e intencionalmente, mas também com simpatia — fez Andy parar no meio da frase.

— É bem impressionante, é mesmo — falou ele, balançando a cabeça. — É como se fosse o destino!

— Então você gosta da ideia? — perguntou Andy, esperançosa, já imaginando como Emily se entusiasmaria com a notícia.

— Adorei, querida. Miranda e eu estávamos mesmo discutindo sobre isto hoje de manhã, e nós dois concordamos que seria digno de uma capa. Apesar de ela preferir Demarchelier, ainda acho que daria certo com Mario. De qualquer forma, vai ser um arraso. Eu simplesmente adoro quando as coisas se encaixam!

— Você e Miranda discutiram sobre isto? — perguntou Andy, procurando uma explicação. A decepção a dominou quase que de imediato. — Eu não sabia que era o tipo de coisa que a *Runway* iria...

Nigel guinchou.

— Você é fofa demais, querida! É claro que não serve para a *Runway*, mas é absolutamente perfeito para a *Plunge*.

Andy o olhou confusa.

— Então você quer conversar sobre a cobertura? Porque sei que ficaríamos muito entusiasmadas em...

Mais uma vez a expressão de Nigel a silenciou.

— Não há necessidade de conversar sobre nada, meu amor. Já foi tudo decidido.

Os olhos de Andy voaram para Max, que olhava para o chão.

— Ah, você deve estar falando da proposta do Elias-Clark para adquirir a *Plunge*, certo? — indagou Andy, verdadeiramente confusa e tentando recuperar um tiquinho de controle.

Ninguém disse uma palavra. Nigel ficou olhando para ela como se Andy tivesse acabado de lhe oferecer um tour em sua nave espacial.

— Sei que a oferta está na mesa e estamos pensando seriamente na ideia — mentiu ela de novo. — Mas nada foi decidido ainda.

Outro longo e aflitivo período de silêncio se seguiu.

Nigel abriu um sorriso condescendente.

— É claro, querida.

Max limpou a garganta.

— Bem, independentemente de como aconteça, acho que podemos todos concordar que vai dar uma ótima matéria. Mais uma vez, parabéns! Agora, pode me dar licença enquanto roubo Andy por um instante?

Nigel estava de volta ao grupo da equipe da *Runway* antes mesmo que Max tivesse a oportunidade de guiar a esposa na direção do bar.

— Isso foi o que eu achei que foi? — perguntou Andy, aceitando entorpecidamente a taça de vinho que Max lhe entregou.

— O quê? Nigel entusiasmado demais? Acho um ótimo sinal que ele esteja tão empolgado para ter seu casamento na *Plunge*, você não?

— É claro que acho. Mas ele fez parecer que tudo isso era um *fait accompli*, como se Miranda já fosse nossa dona e pudesse tomar todas as decisões. Será que ele não sabe que a conversa está suspensa por enquanto?

E por suspensa *quero dizer destruída para sempre*, pensou Andy.

— Eu não me preocuparia com isso. Você sempre disse que Nigel se empolgava fácil.

Andy assentiu, apesar de não poder ignorar a sensação de pavor enregelante que se apoderava dela. A mera sugestão de que Miranda ia decidir quais casamentos elas cobririam e quem iria fotografá-los já era suficiente para fazê-la suar de ansiedade e medo. Ela soube então, com ainda mais certeza, que *nunca* permitiria que isso acontecesse.

— Meu amor, estou indo — falou Christian em seu ouvido, aparecendo de repente atrás dela. Andy se sentiu imediatamente constrangida quando ele a pegou pela cintura e lhe deu dois beijos no rosto. Ele então se virou para Max, que o fuzilava com o olhar, e disse: — Foi bom vê-lo de novo, cara. E parabéns pela linda esposa. Ela é o máximo.

Max, que apertava Andy com mais força agora, apenas assentiu para Christian antes de conduzi-la de volta para a mesa.

— Não precisava ser grosso — falou Andy, embora secretamente estivesse deliciada com a reação tácita de Max: *Afaste-se da minha esposa e leve esse seu terno justo demais e essas suas covinhas com você.*

— Ah, por favor. Grosseria seria eu mandar aquele babaca parar de dar em cima da minha mulher e sumir da minha frente. Não acredito que você *namorou* aquele cara.

Andy decidiu, de forma sábia, não corrigir Max dizendo que ela e Christian não haviam feito nada além de dormir juntos. Em vez disso, pegou sua mão e juntou-se à multidão em uma interpretação animada de "Parabéns pra você" para a *Plunge*. Todo mundo aplaudiu.

As três horas seguintes se passaram repletas de canapés, música, conversa e até mesmo um pouco de dança. Andy falou com dezenas, talvez centenas de pessoas, e, apesar de não estar nem um pouco bêbada — havia parado de beber cedo, já se preparando para a sessão de amamentação da madrugada —, mal se lembrava de uma única palavra trocada a não ser por aquele diálogo com Nigel. Por que ele havia pensado que a aquisição era tão iminente? Ela queria perguntar a Emily, mas, ao vê-la comendo um pedaço do bolo de Weinstock, decidiu que podia evitar uma conversa sobre o Elias-Clark por uma noite. Tinha que admitir que estava esperando — irracionalmente, ela sabia — que a coisa toda apenas evaporasse como éter. Então ela deu um beijo de boa-noite na amiga, parabenizou-a pela festa muitíssimo bem-sucedida e seguiu Max para dentro de um táxi.

Quando o carro parou em frente ao prédio deles, ela praticamente saiu em disparada para o saguão. Desde o nascimento de Clem, era o maior período que Andy já passara longe da filha, e não podia suportar nem mais um segundo. Pegou no colo sua menininha, que acabara de acordar, e pressionou os lábios contra as suas bochechas quentes e vermelhinhas. Era o mais próximo que chegaria de mordê-las, pensou com um sorriso enquanto Clem começava a contorcer o rosto em um choro indicativo.

— Como ela está? — indagou Max, depois de ter pagado Isla e a colocado em um táxi.

— Mais deliciosa que nunca. Chegamos bem na hora: ela acabou de acordar para mamar.

Max segurou Clem enquanto Andy tirava os sapatos, o vestido e o short modelador insanamente doloroso, o qual logo jogou no lixo. Entrando nua debaixo das cobertas que pareciam uma nuvem e desabando em cima da pilha de travesseiros, ela gemeu de prazer.

— Meu bebê — pediu, os braços estendidos.

Max entregou-lhe o pacotinho choroso, e nisso todo o mundo de Nigel e Emily e a *Plunge* e Miranda Priestly desapareceu em uma abençoada inexistência. Colocando-a deitada ao seu lado, Andy abriu o zíper do pijama de Clem e pousou a mão na barriguinha quente da filha. Acariciou seu peito e suas costas, sussurrando baixinho em seu ouvido enquanto direcionava o seio à boca de Clem, e exalou de alívio quando ela começou a sugar. Max puxou as cobertas por cima das duas enquanto Andy beijava a cabecinha de Clem e continuava a acariciar suas costas em círculos lentos e constantes.

— Lindo — disse Max, sua voz áspera de emoção.

Andy sorriu para ele.

Max deitou, completamente vestido, ao lado delas.

Andy observou sua filha mamar por mais alguns minutos e viu Max fechar os olhos, um ligeiro sorriso nos lábios. Sem pensar duas vezes, ela esticou a mão e apertou o braço do marido. Ele não abriu os olhos, mas Andy sabia que estava acordado. Uma onda de paz, esperança e conforto a atravessou. Fazia séculos desde que ela lhe dissera espontaneamente, e queria que ele soubesse:

— Eu amo você, Max.

Pare de falar e vá embora

18

Andy cobriu de beijos o rostinho de Clem antes de entregá-la a Isla. O bebê abriu um rápido sorriso e esticou os braços para ela, e a choradeira começou. E não era Clem quem estava chorando. Será que Andy ia soluçar como uma louca diariamente, por toda a eternidade? Imaginou a filha saindo de manhã, mochila nas costas e marias-chiquinhas balançando, já no quarto ano da escola, e Andy debulhando-se em lágrimas no ponto de ônibus.

— É só o seu terceiro dia de volta ao trabalho — tentou Max, presenciando a dramática despedida. — Depois melhora.

— Não acredito que ainda é quarta-feira — falou Andy, enxugando os olhos com cuidado.

Max segurou a porta aberta e Andy se obrigou a sair. Era tão conflitante: ela sentia falta de Clem desesperadamente e odiava ficar separada dela o dia inteiro, mas também era bom voltar ao trabalho. Ter conversas adultas e as roupas livres de baba e usar a cabeça não só para cantar "Atirei o pau no gato".

— Vamos rachar um táxi? — sugeriu Max, indo até o meio-fio e erguendo o braço.

— Não posso, tenho que fazer algumas coisas antes do trabalho. Nunca dá tempo depois.

Um táxi parou. Max lhe deu um beijo e entrou.

— Me mantenha informado, está bem?

Ela franziu o cenho.

— Você também recebe as mensagens da Isla, não?

— Eu quis dizer sobre a conversa com Emily.

Andy sabia exatamente o que ele queria dizer, mas se fez de desentendida.

— Vocês duas não vão ter uma reunião importante hoje? Para discutir qual vai ser o próximo passo?

— Hum — murmurou Andy, de repente desesperada para ir embora. — Tenha um bom dia.

Max fechou a porta e o táxi partiu como um carro de Fórmula 1. Oito da manhã. Os dias de cafés demorados e vitaminas feitas na hora e idas à academia haviam acabado — apesar de Max ainda ir malhar pelo menos três vezes por semana, sem ela —, mas Andy não se importava. Ela preferia passar essas horas com a filha, aconchegada com ela na cama, brincando no tapete felpudo do quartinho de bebê. Agora essa era a melhor parte de todo o seu dia.

Andy estava separando suas roupas na lavanderia quando o atendente, um equatoriano de 40 e poucos anos que sempre lhe dava balas de caramelo, gritou uma saudação por cima do ombro dela:

— Ei, freguês novo! Bem-vindo, senhor!

Andy não se virou.

— Quanto sairia para encurtar esta saia? — perguntou ela. — Só uns três, quatro centímetros? Eu queria que ficasse logo acima do joelho.

O atendente ouvia atentamente as instruções, mas foi a voz atrás dela que lhe chamou a atenção:

— Dá para encurtar mais que isso. Com essas suas pernas você se garante.

A voz fez os seus dedos dos pés tremerem, e Andy soube que era Alex antes mesmo de se virar.

O seu Alex. Seu primeiro amor, o homem com quem ela sempre achou que se casaria. Ele estivera ao seu lado durante todos os quatro anos de faculdade e toda a loucura da vida na

Runway e o turbulento período que se seguira à sua saída de lá. Alex viajara com Andy e sua família. Participara de ceias de Natal, festas de aniversário e eventos comemorativos de todos os tipos. Alex sabia que ela odiava tomate cru, mas que adorava tudo quanto era tipo de comida com base de tomate; não ria quando ela apertava sua mão com força brutal em meio a um voo com turbulências. Por quase seis anos ele conhecera cada centímetro do corpo dela como se fosse o dele próprio.

— E aí — disse Andy, desabando em seus braços abertos para um abraço que parecia o mais natural do mundo.

Ele lhe deu um beijo no rosto como um tio expansivo — entusiasmado, platônico, sem a menor delicadeza.

— Estou falando sério, Andy. Não venha dar uma de pudica só porque está em uma idade avançada.

— Idade avançada? — ecoou ela, fingindo indignação. — Até onde eu saiba, você é dois meses mais velho que eu.

Ele a afastou, segurando seus braços, e fez uma demorada e prolongada cena para olhá-la de cima a baixo. O afeto óbvio, o sorriso largo, aqueles trejeitos adoráveis — tudo a deixou instantaneamente à vontade. Até mesmo confiante. Apesar de ainda estar quatro ou cinco quilos acima de seu peso pré-gravidez e no geral mais flácida que o comum, sentiu-se atraente.

— Você está sensacional, Andy. Resplandecente. E ouvi dizer que lhe devo um parabéns enorme pela pequena Clementine.

Andy olhou para ele, pega de surpresa pela ternura de seu sorriso. Alex parecia genuinamente feliz por ela.

— Sua mãe?

Ele assentiu.

— Espero que você não fique horrorizada, mas ela me mandou aquelas fotos de vocês no hospital nos primeiros dias. Acho que a sua mãe estava tão entusiasmada que enviou para todo mundo da lista de contatos dela. Mas enfim, sua filha é linda e você e seu marido pareciam muito, muito felizes.

— Posso fazer mais alguma coisa por vocês dois? — indagou o atendente.

— Desculpe, já estamos indo. Obrigado por tudo.

Os dois saíram. Ela tentava se concentrar no momento presente, mas sua mente não parava de repassar as fotos do nascimento de Clem no hospital: Andy, minutos após o parto, toda suada, sem um pingo de maquiagem e pálida; Clementine, primeiro coberta de sangue e vérnix caseoso e então já limpa, mas ainda vermelha e com cabeça de cone; um Max com a barba por fazer parecendo alternadamente que queria vomitar e beijar alguém. Talvez fossem os registros dos momentos mais íntimos de suas vidas inteiras, e Alex as vira. Ela queria matar a mãe, castigá-la de verdade, embora uma partezinha minúscula sua, bem recôndita, estivesse feliz por Alex ter partilhado disso.

— Aonde você está indo? — perguntou ele. — Tem tempo para um café?

Andy olhou para o relógio, mas sabia muito bem que concordaria, fosse qual fosse a hora. Além do mais, por que chegar ao trabalho antes de todo mundo?

— Hum, é, seria ótimo. Acabei de voltar a trabalhar em tempo integral, então acho que não tem importância se eu chegar um pouco atrasada.

Alex sorriu e ofereceu o braço, que Andy aceitou. Em um quarteirão eles passaram por um Starbucks, um Au Bon Pain e um Le Pain Quotidien, e Andy ficou imaginando para onde estavam indo.

— Como tem sido a volta ao trabalho? — indagou Alex enquanto caminhavam.

Já estava ficando frio, e Andy podia ver sua respiração formando pequenas nuvens, mas o sol estava claro e brilhante e a manhã trazia uma pontinha de esperança.

Em sua primeiríssima pergunta, Alex tocara no assunto que estava sempre em primeiro plano em cada minuto que ela passava acordada. Três dias haviam se passado e ainda era uma tortura deixar Clem. Ainda assim, ela achava que não tinha do que reclamar. Sendo sua própria chefe, os horários eram razoáveis e flexíveis e Andy nunca teria que faltar a uma consulta médica ou deixar de ficar com a filha quando Clem estivesse resfriada. Isla era um verdadeiro sonho, cem por cento confiável, e a mãe de Andy se comprometera a passar um dia por semana tomando conta da neta para garantir que tudo corresse bem em casa. Andy tinha recursos financeiros para contratar ótimos profissionais, tinha o apoio da família e um marido empenhado, sem contar com um bebê tranquilo e fácil de se lidar, que se atinha alegremente aos seus horários de comer, dormir e brincar. E *ainda assim* era difícil equilibrar tudo. Como as mulheres faziam com vários filhos, horários fatigantes, salários baixos e pouca ou mesmo nenhuma ajuda? Ela nem conseguia imaginar.

— Tem sido bom — respondeu ela, de forma automática. — Tenho muita sorte com meu marido e a babá. Os dois são ótimos e tornam tudo bem mais fácil.

— Imagino que nunca seja fácil deixar aquela pessoinha em casa todos os dias. É claro que deve ser maravilhoso sair, conversar com adultos, concentrar-se no próprio trabalho todo dia. Mas você deve sentir falta dela.

Alex disse isso com sinceridade, empatia e nenhuma crítica. Andy sentia a garganta ameaçando se fechar.

— Eu sinto tanta falta dela — falou, tentando não chorar.

Ela pensou em Clementine naquele exato momento, muito provavelmente se divertindo um pouco em seu colchonete de brincar antes de tomar uma mamadeira quentinha e tirar seu primeiro cochilo do dia. Acordaria feliz e arrulhando, o rosto rosado, quentinho e amassado do sono, o cabelo lindamente bagunçado. Se fechasse os olhos, Andy podia sentir o cheiro do pescoço, da pele aveludada, ver aquelas bochechas redondas e perfeitas. E, apesar de ser óbvio que ele não tinha filhos, algo lhe dizia que Alex entendia.

Ele a guiou por um lance de escadas, descendo até uma padaria quase escondida que parecia uma combinação de bar clandestino com café parisiense. Sentaram-se à única mesa vazia. Andy conferia suas mensagens e e-mails no celular enquanto Alex fazia o pedido para eles dois no balcão.

— O de sempre? — perguntou ele, ao que Andy assentiu.

— Prontinho.

Ele pousou à frente dela na mesa um café descafeinado com leite bem cheio de espuma, daqueles que mais parecem uma tigela de sopa do que uma caneca, e tomou um gole de seu café americano gelado. Parecia que não se passara nem um minuto desde a última vez que tinham se visto.

— Obrigada — disse Andy, lambendo a espuma o mais delicadamente que pôde. — Está bem, agora é a sua vez. Pode começar me contando como conhece esta cafeteria tão fofa que fica a exatamente seis quarteirões da minha casa e eu nunca vi.

— Bem que eu queria contar uma história que me fizesse parecer mais descolado, mas na verdade eu li sobre este lugar em um guia.

Andy ergueu as sobrancelhas.

— Voltei a morar aqui em Nova York no fim do ano passado e estava me sentindo totalmente por fora, então comprei um desses guias que afirmam não ser para turistas. Esses que, na verdade, são totalmente para turistas, sabe? E eles sugeriam este como um lugar que só os habitantes locais e os conhecedores frequentam.

— Vou comprar o maldito guia no segundo em que estiver em um computador — falou Andy, abrindo um sorriso largo. Ela tomou mais um gole. — E então, onde está morando agora?

— No West Village. Christopher Street com a autoestrada, sabe? Acho que aquilo lá antigamente era meio sombrio, mas foi completamente enobrecido.

— E morando em West Village você vem em uma lavanderia em Chelsea? — Andy não pôde deixar de perguntar.

Alex lhe deu uma olhada, uma olhada divertida que parecia dizer *Estou sacando.*

— Não, não venho a uma lavanderia em Chelsea. Estou indo ver uma exposição no Rubin Museum. Por acaso vi você da calçada e entrei.

— O Rubin Museum?

— Arte Himalaia, sabe? Na 17 com a Sétima? Não me diga que também nunca ouviu falar.

— É claro que ouvi! — exclamou Andy, cheia de indignação, em especial porque passava por aquele museu quase todos os dias e nunca tinha entrado. — E o que o traz de volta à cidade? Acabou de terminar sua pós, não foi? Acho que minha mãe mencionou isso. Parabéns!

Se para Alex parecia tão estranho quanto para Andy o fato de eles saberem detalhes sobre a vida um do outro através de suas mães, ele não demonstrou.

— É, terminei na primavera e fiquei em Vermont durante o verão só para curtir e relaxar. Voltei no fim de agosto. Estava infernal de tão quente, você pode imaginar. Estou me familiarizando de novo com a cidade. Não consigo me acostumar, isso aqui mudou muito desde... desde a última vez que morei aqui.

Ambos ficaram em silêncio por um momento, imersos em lembranças.

— É, mas Nova York nunca muda de verdade. Acho que só parece diferente quando você mora no centro — falou Andy.

— Talvez. Ou talvez você e eu estivéssemos trabalhando tanto que não tínhamos tempo para explorar muito. Agora eu tive alguns meses sem nada para fazer a não ser perambular pela cidade. Começo a trabalhar na semana que vem. Achei que estaria empolgado, mas na verdade estou meio que com preguiça.

Andy tomou mais um gole do café e tentou não pensar no fato de que Alex ainda não havia feito referência a nenhum tipo de cara-metade. Ele usava só o pronome *eu* e não mencionara a namorada como motivo para ficar em Vermont durante o verão, ou como uma razão para se mudar para Nova York, ou como uma companhia naqueles meses que passara perambulando aparentemente sozinho pela cidade. A mãe de Andy insistira em afirmar que eles estavam prestes a se casar, mas não era essa a impressão que Andy tinha agora. Será que os dois haviam terminado?

— Por que está sorrindo desse jeito? — perguntou Alex, também sorrindo.

Horrorizada com a ideia de que ele pudesse ler sua mente, ela balançou rapidamente a cabeça.

— Nada não. Você disse que vai começar a trabalhar na segunda-feira. Onde?

— Uma nova escola no West Village. Chama-se Imagine. Vou ajudar a criar o currículo antes de abrirem, e então serei o vice-diretor.

— Imagine, Imagine... de onde eu conheço esse nome? — Andy vasculhou seu cérebro. — É aquela escola internacional de elite que permite que uma criança se mude de Nova York para Xangai, ou para qualquer outro lugar repleto de corretores de valores, e não perca nenhuma aula?

— Essa mesma.

— É, acabou de sair uma matéria grande sobre ela no *Times*. Não tem uma lista de espera de mil pessoas mesmo custando uns 50 mil dólares a anuidade do jardim de infância?

— Em termos de custo, é mais ou menos a mesma coisa que outras escolas particulares de Manhattan. Só parece mais porque eles instituíram um cronograma que preenche o ano inteiro. Estudos mostram que as férias de verão fazem os alunos ficarem drasticamente atrás de seus colegas asiáticos, que não tiram os mesmos três meses de férias por ano.

Andy esticou a mão por cima da mesa e o cutucou no braço. Ela não pôde deixar de notar que estava duro como pedra. O velho Alex de vez em quando corria ou jogava um pouco de basquete, mas pelo visto o novo Alex malhava de verdade.

— Está me dizendo que você é o vice-diretor da escola capitalista mais chique, pretensiosa e cara do país, Sr. Ensino para os Estados Unidos?

Alex sorriu pesarosamente.

— Na verdade, é a terceira mais cara do mundo. E as duas primeiras também são nossas, uma em Hong Kong e outra em Dubai. São ainda mais caras. Mas, devo dizer, é um programa de ensino realmente incrível.

Andy olhou para a mesa e então de novo para Alex, que brincava com o invólucro de um canudo. Estava dividida entre pisar em ovos com aquele homem que ela não via fazia anos e botar tudo para fora da maneira honesta e direta da qual ela e Alex sempre haviam tido orgulho.

— Parece uma mudança em relação ao que você está acostumado. Está feliz com isso?

Suas palavras devem ter tocado mais fundo do que ela previra, porque Alex se encolheu visivelmente.

— Como eu disse, é um ótimo programa de ensino e uma boa oportunidade. Se eu preferia ter ficado no universo das instituições sem fins lucrativos? Provavelmente. Mas com o que eu estava ganhando, mal conseguia me sustentar, e... estou ficando velho demais para isso.

Então ali estava. Ele ainda não havia declarado explicitamente, mas na verdade não precisava. Alex tinha que aceitar um emprego que pagasse porque ou ele era ou queria ser o marido de alguém.

Ela quase disse mil coisas, mas nenhuma parecia certa ou adequada. No momento em que estava prestes a murmurar um "hum" ou um "entendo", Alex falou:

— Desde que o irmão da minha namorada teve um filho, ela só fala nisso. E pelo que eu soube, filhos são bem caros.

— São mesmo. — Foi só o que ela conseguiu pensar em dizer, e até foi uma surpresa que ela tivesse conseguido dizer isso.

Eles estavam tão bem... flertando sem passar de nenhum limite, ambos entusiasmados por se verem, igualmente interessados na vida um do outro. *Mas um filho?* Considerando-se que ela mesma estava casada e era mãe de uma filhinha saudável, não tinha o menor direito de ficar desanimada ao ouvir aquela notícia. Qualquer pessoa razoavelmente decente ficaria feliz em saber que Alex, a quem ela sempre iria amar e adorar, também tinha encontrado a felicidade. E ainda assim ela se sentia um pouco nauseada.

Foi quando seu celular tocou, e ela nunca se sentiu tão aliviada, mas quando viu que era Emily, apertou "ignorar" e o jogou dentro da bolsa.

— O seu celular acabou de avisar que era Emily Charlton ligando? — perguntou Alex.

— A primeira e única.

— Ainda não acredito que vocês duas tenham ficado amigas. Isso vai além da minha compreensão. Só me lembro de vocês se odiando.

— Não só amigas: melhores amigas. Nós nos reencontramos em uma aula de culinária e tínhamos uma coisa poderosa em comum: ela odiava Miranda tanto quanto eu.

Andy parou. De repente ela percebeu o que havia mudado entre elas. A Emily da aula de culinária teria descrito Miranda exatamente como a via: uma louca varrida que, como um tornado, deixava devastação e destruição em seu rastro. Alguém a ser evitado a todo custo. Agora, em vez de partilhar da infelicidade de Andy com a ideia de trabalhar mais uma vez para aquela lunática, Emily voltara a ser sua persona da *Runway*, a que idolatrava Miranda e sonhava em trabalhar para ela desde a infância. A estada de Emily no trem antiMiranda fora breve: assim que Miranda mostrara o menor interesse pela *Plunge*, Emily havia na mesma hora perdoado a mulher por tê-la demitido, humilhado e destruído seus sonhos. Emily na verdade estava ansiosa para se reunir com Miranda e o pessoal do Elias-Clark para trocar ideias e ver como poderiam trabalhar juntos. Quando Andy brincara dizendo que poderia abrir fogo na reunião e matar todo mundo, a amiga dera de ombros, dizendo:

— Como assim? Já pensou que talvez nós duas estivéssemos exagerando durante todos esses anos? Que ela não vai ganhar nenhum prêmio de Miss Simpatia, mas que também não é realmente a encarnação do diabo?

O telefone tocou de novo. Ela olhou para a telinha, de má vontade. Emily.

— Talvez você deva atender, não?

Andy olhou para o relógio. Ainda eram nove e pouco. Ela sabia que Emily estava ligando para ver quando poderiam começar as discussões.

— Eu vou vê-la no escritório logo, logo.

Então foi Alex quem olhou para o relógio.

— Preciso ouvir mais sobre a sua revista. Comprei um monte de edições, sabia? Olhe, o Rubin só abre às dez. Você tem tempo para um café da manhã rápido?

Andy deve ter parecido perplexa, ou no mínimo confusa, porque Alex continuou:

— Tem uma lanchonete decente na esquina onde podemos comer mais do que um muffin. O que me diz? Tem mais alguns minutos?

O que ela queria mesmo era perguntar se ele tinha visto a edição que trazia seu casamento, mas em vez disso falou:

— Claro. Café da manhã é uma ótima ideia.

No Chelsea Diner, sentaram-se a uma mesa nos fundos. Andy tentou sufocar a sensação estranha de estar ali com Alex. No fim de semana anterior, ela e Max haviam levado Clementine lá às seis e meia da manhã de sábado; era o único lugar aberto no bairro. Agora ela olhou para a mesa que tinham ocupado, quase fazendo força mental para que Clementine aparecesse, chutando e sorrindo em sua cadeirinha de bebê, para trazê-la de volta à realidade. O telefone tocou de novo. Emily. Mais uma vez, ela apertou "ignorar".

Antes que Andy pudesse até mesmo provar a omelete de queijo cheddar, ela soltou:

— Então, me conte sobre essa namorada misteriosa. — Chegou muito perto de dizer: "Minha mãe me disse que é sério", mas conseguiu demonstrar o autocontrole necessário.

À mera menção dela, Alex sorriu. E, como se isso não fosse irritante o suficiente, parecia um sorriso genuíno.

— Ela dá trabalho — falou ele, balançando a cabeça. Andy quase cuspiu o café. *Na cama? É isso que ele quer dizer?* — Tenho que ficar de olho aberto.

O que isso queria dizer? Que ela era animada? Nervosinha? Inteligente? Ousada? Engraçada? Charmosa? *Todas as alternativas anteriores?*

— Como assim? — Andy tossiu.

— Ela é só uma mulher que sabe o que quer, entende? — Insinuando, obviamente, que Andy não era uma dessas.

— Hum.

Outra mordida. Outro lembrete para si mesma de mastigar lentamente e engolir. De que ela tinha um casamento feliz. Era mãe. De que Alex certamente tinha permissão para ter uma namorada, por mais animada que ela fosse.

— Ela é uma artista, tem uma mente muito aberta. Faz muitos trabalhos como freelancer, algumas consultorias, dá umas aulas, mas na maior parte do tempo fica trancada no ateliê ou está em busca de inspiração.

— Você voltou para Nova York por causa do trabalho dela, foi isso?

Alex assentiu.

— Não que houvesse alguma coisa específica, é só que aqui tem muito mais oportunidades. Ela cresceu nesta cidade, tem um grupo enorme de amigos aqui, além dos pais e do irmão e a família dele. Então é como toda uma rede de apoio. Ela deixou claro, desde o dia em que a conheci, em Burlington, que voltaria para Nova York na primeira oportunidade que tivesse.

O celular de Andy tocou de novo, em algum lugar debaixo da mesa, mas ela sentiu como se estivesse naqueles segundos imediatamente anteriores a um acidente de carro — quando sua mente não vê nada além da imagem bem na frente de seus olhos, sua audição se desliga e toda sua atenção está hiperfocada no segundo atual.

— Você acha que vai se casar com ela? — indagou Andy, largando o garfo e olhando bem nos olhos dele. O frisson que ela sentia era inegável; não conseguia sequer fingir indiferença ou um toque de desinteresse.

Alex riu, um pouco desconfortável.

— Não quer atender o telefone?

— O quê? Ah, não, aposto que é Emily de novo. Ela às vezes é uma pessoa difícil. Você estava dizendo...

Mas o encanto havia se quebrado. Alex rapidamente mudou de assunto, voltando o foco para Andy, perguntando se o bebê estava dormindo bem e se eles estavam planejando alguma viagem um dia desses. A naturalidade entre eles havia se transformado em constrangimento. Alex parecia tão nervoso quanto Andy, e ela não conseguia determinar por quê. É claro que sempre era enervante botar o assunto em dia com um ex, ainda mais um ex como Alex, que havia sido tão importante em sua vida. Como era isso de, em um momento, você conhecer alguém tão intimamente, dividir cada medo, pensamento e sonho com essa pessoa, e tempos depois terem se tornado praticamente estranhos um para o outro? Acontecia o tempo todo, o que no entanto não fazia com que parecesse menos surreal. Andy tinha certeza de que podia dar de cara com Alex em uma esquina dali a sessenta anos e ainda sentir a mesma intensa ligação com ele, mas era muito provável que nunca voltassem a ser confidentes ou mesmo amigos de verdade, nunca mais.

Alex de alguma forma pagou a conta antes mesmo que fosse trazida até a mesa, e o agradecimento profuso de Andy só aumentou o constrangimento.

— Ei, não tem de quê — disse Alex, abrindo a porta para ela. — Vou passar a trabalhar para uma empresa com fins lucrativos a partir da semana que vem. Vou nadar em dinheiro.

Andy bateu no braço dele. Era um alívio estar fora da lanchonete, de volta à rua, sem olhar nos olhos um do outro.

— Você vai pegar um táxi ou o metrô para o trabalho?

O celular dela mostrava cinco ligações perdidas de Emily.

— É melhor eu pegar um táxi.

Alex esticou o braço, e em segundos um táxi amarelo havia parado cantando pneus na frente deles.

— Acho que nunca consegui um táxi tão rápido desde que vim morar aqui — falou Andy, se perguntando se ele identificara a conclusão implícita: *Rápido demais; eu ainda não estava pronta para me despedir.*

Alex abriu os braços para um abraço. Hesitantemente, Andy deixou-se ser envolta. Teve que se conter para não desabar contra ele e enterrar o rosto em seu pescoço. O cheiro dele, assim como a maneira carinhosa como acariciava as costas dela por entre as escápulas — tudo tão familiar... ela podia ficar ali o dia inteiro. Mas o taxista buzinou.

— Muito legal — falou Alex, uma expressão indeterminada em seu rosto. — Foi ótimo ver você.

— Também acho. E obrigada mais uma vez pelo café da manhã. Da próxima vez temos que sair nós quatro. Eu adoraria conhecer a sua namorada — mentiu Andy.

Cale a boca!, gritou para si mesma em sua cabeça. *Pare de falar e vá embora!*

Alex riu. Não uma risada cruel, mas tampouco agradável.

— É, talvez um dia. Mantenha contato, viu? Não vamos deixar passar tanto tempo...

Andy se enfiou no banco de trás.

— É claro — gritou ela alegremente.

O táxi começou a se afastar antes mesmo de Alex fechar a porta. Eles dois riram e acenaram em despedida.

Só vários quarteirões depois é que Andy soltou o ar dos pulmões. Suas mãos tremiam. Quando o celular tocou de novo, ela mal conseguiu se recompor o suficiente para localizá-lo dentro da bolsa.

— Alô? — atendeu, surpresa por se pegar achando que seria Alex.

— Andy? Você está bem? Liguei para o escritório, mas Agatha disse que você ainda não tinha chegado e que Emily passou a manhã inteira tentando falar com você.

Max.

— Estou ótima. O que houve?

— Onde você está?

— O que foi, está querendo me controlar? — perguntou Andy, de súbito irracionalmente exasperada.

— Não, não... É, acho que estou sim. Faz mais de duas horas que a gente saiu de casa e você ainda não chegou no escritório e não está atendendo o celular; é, acho que podemos dizer que fiquei preocupado. Que péssimo marido eu sou.

Andy abrandou o tom.

— Desculpe. Eu só estava resolvendo umas coisas. Estou em um táxi a caminho do escritório agora.

— Duas horas resolvendo coisas? E você nunca vai de táxi para o trabalho.

Andy suspirou o mais audivelmente que podia.

— Max, estou com um pouco de dor de cabeça.

Sentiu-se culpada por mentir — por inventar a dor de cabeça, por omitir que encontrara Alex, por alegar estar resolvendo coisas —, mas queria desesperadamente desligar. Era assim que Max havia se sentido quando decidira não lhe contar que encontrara Katherine nas Bermudas? Será que também concluíra que certas coisas não deveriam ser mencionadas, ainda mais quando tecnicamente ninguém tinha cometido crime algum? Que não valia a pena contar como aquela pessoa ainda podia fazer seu estômago afundar, ou o que você sentia quando ele ou ela tocava seu braço ou ria da sua piada? O primeiro amor era algo poderoso e particular, que ficava com a gente por muito tempo. Uma vida inteira. Você podia amar seu parceiro atual mais que qualquer um no mundo, mas sempre haveria um pedacinho íntimo do seu coração guardado para a pessoa que você amara primeiro. Ela sentia isso por Alex, e de repente entendeu que Max devia ter sentido o mesmo por Katherine.

O temperamento dela se abrandou.

— Por que você estava ligando, amor?

— Só queria lhe desejar sorte! Sei que é um dia de grandes decisões.

O Elias-Clark. Era por isso que Max estava atrás dela. Emily provavelmente telefonara para *ele* para encontrá-la. Mais uma vez eles estavam formando uma dupla. Andy respirou fundo para sufocar sua irritação.

— Obrigada, Max — disse ela, e percebeu o quanto soava formal e irritada. Antes que ele pudesse responder, uma chamada em espera apitou. — É Emily ligando pela milésima vez. Falo com você mais tarde, está bem? — Ela clicou na chamada sem se despedir. — Oi — falou.

— Onde você se meteu? — guinchou Emily. — Estou ligando para você a manhã inteira.

— Estou bem, obrigada, e você?

— Sério, Andy. Está tarde, e você sabe que temos muito o que discutir. Cadê você?

O táxi parou em frente ao prédio. Andy viu Emily ali de pé, de costas para a rua, sem casaco e agitando loucamente um cigarro apagado.

— Estou aqui.

— Onde? — gritou Emily, para ser ouvida acima do barulho de uma obra próxima.

Andy pagou ao motorista e saltou do táxi. Imediatamente pôde ouvir Emily gritando tanto pelo telefone quanto pela calçada.

— Você vai fumar isso ou só está aqui fora porque gosta de escutar essa britadeira incessante?

Emily virou-se com a rapidez de uma chicotada e, ao ver a amiga, fechou o telefone com força. Acendeu o cigarro e deu uma profunda tragada.

— Finalmente! Mandei Agatha liberar meu dia todo. Esperamos muito tempo para ter essa conversa e vamos dar a esse assunto a atenção que merece.

— Bom dia para você também — disse Andy, sentindo o pavor frio voltar.

— Onde você estava? — questionou Emily, apertando o botão do elevador.

Andy sorriu para si mesma. Ela não ia partilhar Alex com ninguém.

— Só resolvendo algumas coisas — falou, sua mente de volta ao café da manhã: o café, a conversa, as risadas.

Fazia apenas alguns minutos e ela já estava com saudades. Realmente, não era um bom sinal.

Ceviche e couro de cobra: uma noite de terror

19

Andy estava de pé junto à bancada da cozinha, diluindo Pedialyte em água morna, quando seu celular tocou.

— Agatha? — disse ela, prendendo o aparelho entre a orelha e o ombro. — Está tudo bem?

Como sempre, sua assistente soava cansada e sobrecarregada desde o momento em que abria a boca:

— Emily ligou de Santa Barbara. Acho que o sinal estava ruim lá nas montanhas, ou no vale, ou sei lá onde, mas ela me pediu que lhe avisasse que Olive e Clint estão brigando. A cerimônia já foi atrasada em uma hora e Emily está com medo de que eles simplesmente cancelem.

— Não — sussurrou Andy, apertando a lateral do rosto contra o telefone com tanta força que chegou a doer.

— Não tenho mais detalhes. A ligação estava toda picotada — disse Agatha, com profunda irritação, como se Andy tivesse feito duas dúzias de perguntas.

Quão ruim poderia ser o dia da garota, com suas duas chefes fora e nada para fazer além de beber café e atender alguns telefonemas?

Andy ouviu Clem começar a chorar no quartinho do bebê.

— Agatha? Tenho que ir. Eu ligo para você daqui a pouco.

— Sabe em quanto tempo? Porque já deu cinco horas aqui e...

Quantas vezes ela quisera dizer isso a Miranda mas mordera a língua e ficara à espera mais uma, três, cinco horas? E Miranda nunca se sentira culpada. Andy frequentemente havia esperado até as dez, onze horas, às vezes até meia-noite se o departamento de arte estivesse atrasado com o Livro. Agora sua assistente estava impaciente às cinco da tarde?

— Espere um pouco, está bem?

Andy desligou sem dar explicações, apesar de querer gritar alguma coisa sobre estar presa em seu apartamento com uma recém-nascida que passara as últimas 24 horas vomitando enquanto sua sócia tentava lhes passar informações, da área mais mal-atendida pelos satélites de comunicações, sobre um casamento de celebridade aos pés das montanhas de Santa Barbara. A garota não ia morrer se ficasse sentada à sua mesa vendo o Facebook por mais meia hora.

Andy pegou Clem nos braços e beijou seu rostinho e sua cabeça. Ela parecia quente, mas não febril.

— Você está bem, docinho? — murmurou Andy.

O bebê choramingou.

O telefone fixo tocou em algum lugar ao longe. Ela queria ignorá-lo, mas com a chance remota de ser o pediatra de Clem retornando sua ligação ou Emily telefonando para sua casa, ela correu para encontrar uma extensão.

— Andy? Está me ouvindo? — guinchou a voz de Emily ao telefone.

— Perfeitamente. Não precisa gritar — falou Andy, tentando limpar, sem muito sucesso, um pouco de vômito seco que grudara em seu ombro.

— Vamos ver se você ainda vai dizer isso quando eu lhe falar que o casamento foi cancelado. Bum! Acabou! Estou sentada aqui no Biltmore com não menos que oitocentos convidados e nenhuma noiva à vista! — O volume da voz de Emily aumentava a cada palavra.

— Como assim não tem noiva?

— Clive já atrasou o casamento duas vezes. Ela não está aqui. Ninguém a viu!

Andy inspirou fundo. Aquilo não era nada bom. Nem um pouco bom.

— É a Olive Chase — disse Andy, com mais calma do que realmente sentia. — Ela encontrou o cara mais perfeito do mundo. Você não acha que é só um pequeno atraso?

— Já faz duas horas, cacete! Tinha alguns rumores circulando antes, alguma história de que eles brigaram ontem à noite e continuavam brigados hoje de manhã. Nada concreto. Mas aí o marido de alguém pegou um voo pinga-pinga bem tarde vindo de Los Angeles e ele diz que viu Olive, a mãe e o maquiador esperando para embarcar em um voo da American Airlines de volta para Los Angeles no aeroporto de Santa Barbara. Acabou, Andy. Ainda não anunciaram oficialmente, mas, pode acreditar, o casamento já era, assim como nossa edição inteira.

— O que vamos fazer? — sussurrou Andy, incapaz de esconder seu pânico.

— Vou voltar correndo para Nova York e a gente refaz tudo. Aqueles dois cantores country que se conheceram em Nashville... como eles se chamam? Aquele casal... ele é muito mais gato que ela... O casamento deles de seis semanas atrás pode ser a capa, não estou preocupada com isso. O que está me fazendo surtar completamente agora é todo o editorial que tínhamos planejado em torno de Olive.

Andy pensou em como cada matéria na edição inteira era de alguma forma temática para combinar com Olive: como escolher maquiagem para o casamento que fique bem em noivas "maduras", onde fazer a lua de mel para escapar de olhares curiosos, guias turísticos tanto para Santa Barbara quanto para Louisville, incluindo entrevistas com comerciantes locais, produtores de eventos e hoteleiros.

Andy gemeu.

— Ah, meu Deus. É coisa demais. Não vamos conseguir.

— E nem me fale dos anúncios. Eu diria que sessenta por cento dos anunciantes dessa edição compraram espaços baseados unicamente no casamento da Olive. Talvez até mais. E pelo menos metade deles está fazendo negócio com a gente pela primeira vez. Precisamos desesperadamente segurá-los.

Andy ouviu um barulho vindo do hall, e então a porta da frente bateu.

— Olá? Quem está aí? — gritou ela, tentando manter o pânico longe da voz.

Ela não estava esperando ninguém, mas ouvira claramente a porta se abrir e se fechar. Isla tinha sido liberada para fazer uma prova na faculdade e Max já havia saído para o aeroporto, para uma viagem de negócios.

Andy ouviu passos no corredor. Apertou Clem contra o peito e colou a boca no telefone.

— Emily, tem alguém aqui! Ligue para a polícia! O que eu...

— Relaxe — disse Emily, parecendo irritada. — É a sua babá. Falei para ela ir para aí o mais rápido possível.

— Isla? — Andy estava confusa. — Mas tinha uma...

— Ela pode fazer a maldita prova outra hora, Andy. Precisamos de você no escritório agora!

— Mas como você sabia...

— Esqueceu com quem você está falando? Se eu posso encontrar Miuccia Prada enquanto ela anda de trenó nas Montanhas Rochosas sem sinal de celular no Ano-Novo, com certeza posso localizar a porra da sua babá. Agora se vista e vá para o escritório!

A ligação foi encerrada. Sem conseguir se conter, Andy sorriu.

Isla apareceu no quarto do bebê.

— Olá — falou. — Como Clementine está?

— Sinto tanto por tudo isso! — disse Andy. — Eu não fazia ideia de que Emily ia ligar para você assim. Ela não tinha o direito de entrar em contato com você sem a minha permissão e sugerir que você viesse hoje. Eu nunca teria...

Isla sorriu.

— Tudo bem, eu entendo. Além do mais, as duas semanas extras de trabalho que ela falou que você me pagaria vão me ajudar a cobrir os custos da faculdade. Portanto, eu realmente agradeço.

— Ah. Pois é, você conhece Emily, sempre cheia de grandes ideias — falou Andy alegremente, enquanto imaginava todas as possíveis maneiras de matar a amiga. Ela beijou a bochecha de Clem e a entregou a Isla. — A febre baixou, mas por favor verifique de novo daqui a algumas horas e, se estiver acima de 38, me ligue. Ela pode tomar quantas mamadeiras de leite materno que você conseguir fazê-la tomar, e um pouco de Pedialyte misturado com água também. Só faça com que ela beba. Eu volto assim que puder, mas deve ser tarde.

Isla abraçou Clem em seu colo e acenou para Andy.

— Emily me falou que a senhora ia precisar que eu dormisse aqui esta noite, então eu trouxe uma pequena mala. Não se preocupe com nada. Eu cuido de tudo.

— É claro que ela falou isso — resmungou Andy.

Ela queria desesperadamente tomar um banho, mas sabia que não tinha tempo para isso. Então apenas trocou a blusa manchada de vômito por uma limpa, prendeu o cabelo em um rabo de cavalo e calçou um par de tênis que normalmente jamais teria usado para ir trabalhar. Em menos de dez minutos já estava à porta. Seu celular tocou no momento em que ela se sentou no banco do táxi.

— Você mandou botar um chip em mim? Acabei de entrar no táxi.

— Por que demorou tanto? — perguntou Emily, sua irritação aparente.

— Sério, Em? Pega leve — retrucou Andy, da forma mais bem-humorada que conseguiu, mas não gostava nem um pouco daquele tom brusco de Emily que era quase um revival da *Runway*.

— Estou correndo para pegar o último voo noturno saindo de Los Angeles e obviamente vou direto do aeroporto amanhã de manhã. Já entrei em contato com todos os outros; eles estão chegando, ou senão devem chegar logo. Mandei Agatha pedir o jantar para a equipe toda. Chinês, porque é rápido. Deve chegar em vinte minutos. Ah, e falei para ela esconder o café descafeinado. Quero todo mundo bebendo cafeína: a noite vai ser longa.

— Uau. Você vai nos dizer a que horas podemos ir ao banheiro ou podemos decidir isso sozinhos?

Emily suspirou.

— Pode debochar o quanto quiser, mas nós duas sabemos que não existe outra saída. Eu ligo de novo em cinco minutos.

Mais uma vez ela desligou sem se despedir, outro desagradável lembrete dos dias da *Runway*. Andy sabia que teria que passar a noite inteira no escritório e que Emily na verdade a ajudara ao tomar todas as providências imediatas, mas ela não conseguia se livrar da velha sensação de ser ameaçada e receber ordens da ex-primeira assistente de Miranda.

Andy pagou ao motorista e subiu para o escritório. Uma Agatha insatisfeita a olhou de sua mesa.

— Sinto muito, Agatha, mas esta noite é...

A garota ergueu a mão.

— Eu sei. Emily já me explicou. Eu pedi a comida, botei o café para fazer e chamei todo mundo.

Agatha declarou isso com tamanha indiferença, com tanta óbvia infelicidade, que Andy quase se sentiu mal por ela. Mas, ao se lembrar da filha doente que deixara em casa com a babá, da ponte aérea que Emily estava encarando agora e da noite tremendamente longa que todos eles tinham pela frente, optou por só agradecer à assistente e fechar a porta da própria sala.

Ela trabalhou ininterruptamente por quase duas horas, revisando o texto para o casal de cantores country, fazendo anotações a respeito de detalhes que precisavam ser destacados ou verificados. Estava prestes a se dirigir ao departamento de arte para discutir o ensaio fotográfico quando Max ligou. Olhou para o relógio: oito horas da noite. Ele devia ter acabado de aterrissar em Boston.

— Recebi o seu e-mail. Céus, parece um pesadelo — falou ele.

— E é. Onde você está agora?

— Ainda no aeroporto. Dois segundos, meu carro está encostando neste instante. Tenho que encontrar o pessoal da Kirby no centro em meia hora. — Max cumprimentou o motorista, deu-lhe algumas instruções e então disse: — Acabei de falar com Isla. Ela disse que Clem não está com febre, e que está preparando a mamadeira neste momento.

— Ela dormiu bem?

— Não sei, foi um telefonema rápido. Isla falou algo sobre passar a noite lá em casa?

— É, Emily já combinou tudo. Vou ficar aqui a noite inteira.

— Emily combinou tudo?

— Não pergunte.

Max riu.

— Muito bem. Então, quer me dizer o que aconteceu? Parece que foi algo ruim.

— Não sei muito mais do que aquilo que escrevi no e-mail, ou seja, Olive cancelou o casamento no último segundo. Eu realmente nunca imaginaria isso. Felizmente temos outro casal que podemos usar, mas essa troca prejudica a edição de inúmeras formas.

— Nossa. Sinto muito, Andy. Você acha que vai afetar a venda em potencial? — indagou Max em seu tom pisando em ovos.

— Venda em potencial?

— A oferta do Elias-Clark — explicou ele, baixinho. — Acho que me lembro de Emily ter mencionado que o prazo para a decisão estava chegando. Obviamente não sei de todos os detalhes, mas imagino que seja melhor aceitar a oferta antes que haja algum problema com uma futura edição.

Era só o que faltava.

— O Elias-Clark é a última coisa na minha mente no momento. — Uma mentira, já que aquele dia infernal estava se tornando bem a cara do Elias-Clark. — Além do mais, você sabe o que eu apenso sobre essa oferta.

— Eu sei, Andy, só acho que...

— Desculpe, Max, mas preciso ir. Tenho horas de trabalho pela frente e o relógio não para.

Houve um momento de silêncio antes de ele dizer:

— Você me liga mais tarde?

Andy concordou e desligou. Olhou para o mar de páginas à sua frente — storyboards no chão, assistentes, editores e designers correndo de um lado para o outro pelo escritório — e soube que ia precisar de cada partícula de energia para encarar aquela noite.

O telefone tocou de novo instantaneamente. Ela nem esperou que Agatha atendesse.

— O que é? — perguntou, de modo mais grosseiro do que pretendia.

— Posso falar com Andrea Sachs, por favor? — perguntou a voz, com um sotaque agradável mas indeterminado.

— É ela. Posso perguntar quem está falando?

Andy sentiu uma onda de irritação. Quem além de Max ou Emily ligaria para ela no trabalho às oito da noite?

— Andrea, aqui é Charla, assistente de Miranda Priestly.

A irritação de Andy rapidamente se transformou em ansiedade. Era do escritório de Miranda Priestly? Na mesma hora sua mente começou a enumerar as possibilidades, nenhuma delas atraente.

— Olá, Charla. Como está passando esta noite?

Houve uma pausa; Andy sabia que a garota estava chocada por alguém ter perguntado sobre seu bem-estar. Ela se lembrava bem demais da sensação de que as pessoas com quem falava todos os dias, algumas toda hora, não teriam sequer notado — que dirá se importado — se ela apenas deixasse de existir.

— Estou bem, obrigada — mentiu a garota. — Estou ligando em nome de Miranda.

Ao ouvir aquele nome, Andy se encolheu involuntariamente.

— Sim? — conseguiu dizer, em um fiapo de voz.

— Miranda gostaria de solicitar a sua presença em um jantar nesta sexta-feira à noite.

— Um jantar? — repetiu Andy, incapaz de esconder sua descrença. — Nesta sexta?

— Sim. Será na casa dela. Presumo que se lembre do endereço, ou não?

— Na casa dela?

Charla não disse nada. Andy estremeceu ante aquele silêncio gelado e, após um prolongado instante de silêncio, finalmente respondeu:

— Sim, é claro que eu me lembro.

— Ótimo, então está marcado. Drinques às sete, jantar às oito.

Ela abriu a boca para responder, mas não saiu nenhuma palavra. Após o que pareceu uma eternidade de silêncio, conseguiu responder:

— Sinto muito, não vou poder esta sexta.

— Ah. Será uma pena para a Srta. Priestly. Vou comunicar a ela.

A linha ficou muda. Andy balançou a cabeça diante da esquisitice de toda a conversa.

Não fazia sentido. Miranda queria que ela comparecesse a um jantar? Por quê? Com quem? Conforme sua ansiedade aumentava, Andy percebeu que o convite só podia ser por uma única razão. Ligou para Emily.

— Sim? — disse Emily, sem fôlego.

— Cadê você? Não tem um voo noturno que possa pegar?

— Por que acha que estou correndo? O trânsito de Santa Barbara estava um inferno e acabei de chegar no aeroporto de Los Angeles. O que houve?

— Então, você não vai acreditar, mas acabei de receber um telefonema do escritório de Miranda.

— Ah, é? — perguntou Emily, sem parecer nem um pouco surpresa. Empolgada, talvez. Mas definitivamente não surpresa. — Ela estava ligando para convidá-la para um jantar?

— É. Como você sabia?

Andy ouviu uma voz pelo alto-falante anunciar a última chamada de um voo para Charlotte.

— Mas, senhora, a senhora não vai para Charlotte — disse a voz de um homem.

— Estou atrasada pra cacete, será que você não vê isso? Tenho realmente que tirar minha plataforma *peep toe* para verificação de segurança? Sério? Porque isso me parece uma baita burrice.

— Senhora, tenho que lembrá-la de que desrespeitar um agente de segurança é...

Emily fez um barulho que soava como um rosnado.

— Está bem, tome, pegue a porra dos meus sapatos.

— Não sei como você não está sendo presa neste exato instante — comentou Andy.

— Então, eu recebi a mesma ligação da assistente de Miranda — falou Emily, quase sem perder o compasso.

Andy quase deixou o telefone cair.

— O que você disse a ela?

— Como assim, o que eu disse a ela? Respondi que você e eu ficaríamos felizes em comparecer. Ela disse que Miranda acha que seria uma boa oportunidade para ver se estamos editorialmente na mesma página. É um jantar de negócios, Andy. Não podemos dizer não.

— Bem, eu disse. Não. Falei que não podia ir.

Mais alguns barulhos. Andy se preparou para a ira de Emily, mas essa não veio.

— Não se preocupe — declarou Emily. — Eu falei que nós duas estaríamos lá, prontas e dispostas a conversar a respeito do futuro da *Plunge*.

— É, mas eu disse a ela...

— Charla me mandou uma mensagem de texto há dez segundos. Acho que devia ter acabado de falar com você. Ela dizia que você não poderia ir. Mas eu garanti que podia. Qual é, Andy, nós concordamos em ouvir. E pense nessa experiência. *Jantar na casa da Miranda!*

Agatha enfiou a cabeça pela porta, mas Andy a dispensou com um gesto.

— Você mandou um RSVP por mim? Você disse SIM?!

— Ah, Andy, pare de ser tão fracassada! Acho ótimo que Miranda tenha nos convidado para um jantar na casa dela. Ela só faz isso com quem mais gosta e respeita.

Andy não conseguiu se conter:

— Você sabe tão bem quanto eu que Miranda não gosta de ninguém. Ela quer alguma coisa de nós, simples assim. Ela quer a *Plunge*, e isso é parte da estratégia dela para conseguir a revista.

Emily riu.

— Claro que é. E daí? Seria tão horrível assim nós duas saborearmos uma refeição preparada por um chef do Per Se em uma cobertura deslumbrante na Quinta Avenida com vista para o Central Park, cercadas por todo tipo de pessoas interessantes e criativas? Qual é, Andy? Você vai.

— Fico enjoada só de pensar, mas não posso telefonar agora e desmentir você, posso? É para levarmos Max e Miles? O que devemos vestir? Seremos só nós ou vai haver outras pessoas? Não vou conseguir, Em, não vou conseguir mesmo.

— Olhe, vou embarcar agora. Pare de se estressar. Vou arrumar alguma coisa para você vestir e vamos resolver tudo. No momento você tem que se concentrar em salvar a edição, está bem? Eu ligo assim que aterrissar, ou antes, se o avião tiver wi-fi. — Dizendo isso, Emily desligou.

A equipe inteira da *Plunge* trabalhou a noite toda, o dia seguinte e a noite seguinte, revezando-se para cochilar em um colchão de ar montado no quartinho de depósito e tomando banho em uma academia ali perto. Emily trabalhou sem parar ao telefone, implorando, pedindo e convencendo anunciantes que haviam comprado espaços baseados apenas no nome de Olive de que ainda valia a pena publicar os anúncios; o departamento de arte correu para montar o layout todo da capa e das matérias em menos de um dia. E Andy passou horas redigindo um editorial que explicava a situação para os leitores de uma forma clara e concisa, sem soar como uma acusação a Olive nem desvalorizar a noiva que haviam escolhido como substituta. Estavam todos exaustos, estafados de trabalho e não convencidos de que seus esforços iriam resultar em uma edição minimamente decente.

A salvação veio à uma da madrugada da segunda noite — dez horas da noite pelo horário de Los Angeles —, sob a forma de um telefonema da assessora de imprensa de Olive, que jurou de pé junto que o casamento ia acontecer. Nem Andy nem Emily acreditaram a princípio, mas a garota, que parecia tão histérica e exausta quanto o pessoal da *Plunge*, jurou pela própria vida e pela vida de seu primogênito que tudo, até as pombas que eles iam soltar no "Sim", fora remarcado para a tarde seguinte.

— Como você pode ter certeza?

— Se vocês vissem a cara dela quando eles voltaram para Santa Barbara de helicóptero, também teriam. Cabelo e maquiagem estão marcados para começar às nove da manhã. Depois disso há o brunch das damas de honra às onze, fotos às duas, cerimônia às cinco, drinques às seis, recepção das sete à meia-noite, pós-festa até o último cair. Confiem em mim, eu tenho certeza.

Andy e Emily trocaram um olhar por cima do aparelho ligado no viva voz. Emily ergueu as sobrancelhas inquisitivamente; Andy balançou a cabeça com violência, dizendo que não.

— Estarei lá — falou Emily, com um suspiro enorme.

Ela gritou para uma Agatha de olhos turvos para marcar uma passagem no primeiro voo da manhã e avisar ao fotógrafo de Los Angeles que ele teria que voltar a Santa Barbara. Andy tentou lhe agradecer, mas Emily só ergueu a mão.

— Você faria isso se não tivesse uma filha — disse Emily, juntando suas coisas para ir para casa e refazer as malas.

— É claro — falou Andy, embora não tivesse tanta certeza.

Aquela maratona de dias e noites no escritório tinham sido um inferno, e ela não podia se imaginar entrando em um avião. Não iria admitir em voz alta, mas se estivesse em seu poder decidir, talvez tivesse escolhido a saída mais fácil e publicado a edição nova, refeita. Mas Emily estava fazendo o certo, e Andy se sentia grata por ela ter a perseverança para isso.

O caos de eliminar, refazer e no final voltar à edição especial de Olive era provavelmente a única coisa no mundo que poderia tê-la distraído do iminente jantar com Miranda, mas assim que Emily confirmou que a atriz realmente subira ao altar dessa vez, Andy se descobriu incapaz de pensar em qualquer coisa além daquilo. Miranda. A casa dela. Quem mais estaria lá? O que iam discutir? Comer? Vestir? Era totalmente inimaginável que após tantas noites entrando e saindo com a maior discrição possível do apartamento dela como uma semiescrava, Andy fosse *jantar* à mesa de Miranda. Ela *deveria* cancelar, mas no final decidiu respirar fundo, aceitar um vestido emprestado de Emily e enfrentar o negócio todo como uma adulta. Era uma noite, só uma noite.

E foi exatamente isso o que ela não cansou de dizer a si mesma até o táxi parar em frente ao prédio opulento de Miranda no Upper East Side e o porteiro uniformizado conduzi-las até o elevador.

— Estão aqui para ver a Srta. Priestly — falou ele, suas palavras em algum ponto entre uma ordem e uma pergunta.

— Estamos, de fato — respondeu Andy. — Obrigada.

Andy olhou para Emily, que lhe dirigiu um olhar de advertência como uma mãe exasperada lidando com seu filho irritante de 2 anos.

— O que foi? — fez Andy com a boca. Emily revirou os olhos.

Ele as fez sair do elevador no último andar e foi embora antes que Andy pudesse agarrar sua perna e implorar para que a levasse de volta lá para baixo. Era claro que Emily estava tão apavorada quanto ela, mas sua amiga parecia determinada a parecer calma e controlada. Fizeram uma pausa do lado de fora da porta só por um instante — a mesma porta pela qual as duas haviam entrado inúmeras vezes antes — e Emily finalmente bateu, de leve.

A porta se abriu de supetão, e Andy notou duas coisas quase que de imediato: primeiro, que Miranda havia redecorado o apartamento inteiro de cima a baixo (estava infinitamente mais lindo do que ela jamais poderia ter imaginado); e segundo, que a moça magra que atendera à porta e que agora exibia as costas nuas ao ir em direção à escadaria do apartamento era provavelmente uma das gêmeas. Seu palpite foi confirmado um momento depois, quando Cassidy girou em um delicado calcanhar descalço e, com a mão no corrimão e a metade do cabelo que não havia sido raspada voando atrás de si, disse:

— Minha mãe já vai descer. Fiquem à vontade.

Sem nem olhar de novo para Andy ou Emily, ela saltitou escada acima como uma garota muito mais nova que 18 anos, e Andy tentou entender por que ela estaria em casa no começo de outubro, e não na cidade em que fazia faculdade.

— O que fazemos agora? — sussurrou Andy.

Ela observava o luxuoso carpete cor de estanho, o candelabro com pelo menos cem lâmpadas em forma de gota de vários tamanhos e comprimentos, as fotografias em preto e branco em tamanho natural de modelos famosas dos anos 1950 e 1960, um sortimento de mantas de pele jogadas por cima de sofás de inspiração vitoriana e, o que era mais chocante para quem conhecia o gosto de Miranda (ou achava que conhecia), cortinas de veludo de um roxo vibrante, tão espessas que Andy queria enterrar o rosto naquela maciez. O aposento era elegante e alegre: obviamente custara mais para decorar o *foyer* e aquela formal sala de estar do que uma família americana média ganhava em quatro anos, mas conseguia parecer acessível, confortável e, o mais surpreendente de tudo, ultradescolado.

Andy seguiu Emily até a sala de estar e sentou-se ao lado dela em um sofá de dois lugares. Cruzou e descruzou as pernas, desejando desesperadamente um copo d'água. Olhou em volta sub-repticiamente: a quantidade de criados uniformizados seria suficiente para servir toda a Downton Abbey, mas ninguém havia lhes oferecido nada para comer ou beber. Ela estava pensando em fazer uma visita ao banheiro para arrumar sua meia-calça torcida e apertada quando uma voz familiar demais soou.

— Sejam todos bem-vindos — disse Miranda, juntando as mãos de um modo quase infantil. — Estou muito feliz por tê-los aqui hoje.

Andy e Emily se entreolharam por uma fração de segundo — "todos"? —, antes de voltarem novamente sua atenção para Miranda, que aliás parecia tão... não Miranda. Pela primeira vez, desde que Andy podia se lembrar, ela não estava usando algo estruturado, abotoado até em cima ou com um corte de alfaiataria. O maxivestido vermelhão ajustava-se perfeitamente e era feito da melhor seda com pontos lindos, mas esvoaçava em volta de seus tornozelos em uma onda suave e elegante. Seus braços estavam nus — de novo, era a primeira vez que Andy se lembrava de ver os ombros de Miranda sem ser em um vestido black-tie, já que até suas roupas de tênis tendiam para o conservador —, e um par deslumbrante de brincos de diamantes compridos refletia a luz em minúsculas e brilhantes explosões. Um punhado de braceletes Hermès chacoalhava em seu braço esquerdo, é claro, mas seu único outro acessório era uma faixa de couro macio e untuoso que passava duas, talvez três vezes em volta de sua fina cintura, sobrepondo-se de uma forma que parecia habilidosa e casual ao mesmo tempo. Até mesmo seu corte de cabelo, que a definia tão bem, parecia de certa forma menos austero; não estava exatamente bagunçado, mas tinha um leve e sofisticado toque de "acabei de acordar". Mais surpreendente que o vestido, o cabelo e as joias, porém, era o único traço que não se esperava ver nunca, jamais, em Miranda Priestly: um sorriso que parecia completamente humano. Chegava quase a ser caloroso.

Emily se levantou de um pulo e traçou uma linha reta até Miranda. Seguiu-se uma troca de toda espécie de beijos no ar e elogios e expressões de admiração mútua. Se Miranda estava fingindo todo aquele prazer em ver a ex-assistente — e Andy tinha certeza de que estava —, a própria Andy precisava admitir que ela estava se saindo muito bem. Parecia humilde e grata enquanto Emily tagarelava sem parar sobre as cortinas fabulosas, a vista de tirar o fôlego e as fotos espetaculares. No momento em que Andy estava pensando que as coisas não podiam ficar mais estranhas, sua anfitriã fez um gesto na direção da sala de jantar e falou:

— Vamos jantar?

Andy olhou para a amiga, que por um momento pareceu arrasada. Seriam só elas? Era isso mesmo? Não haveria drinques antes de se sentarem para comer? Nesse ritmo, voltariam para casa em sessenta minutos. Andy suspeitava de que fosse a única a se sentir aliviada com essa possibilidade.

Seguiram Miranda até a sala de jantar. Andy ficou aliviada ao ver que a extensa mesa estava posta para cinco. Haveria mais duas pessoas além delas! Não era um grupo grande o bastante para elas se esconderem, mas era preferível a ter Miranda concentrada apenas nas duas a noite inteira.

Cassidy apareceu de novo no momento em que elas estavam tomando seus lugares.

— Onde está Jonas? Ele não vai jantar conosco também? — perguntou Miranda, seus lábios franzidos em desaprovação.

Jonas: era evidente que ele não estava no topo da lista dos favoritos de Miranda.

— Não, mãe. Nem eu. Acabei de saber que você vai comer filé no jantar de novo. Sério?

Cassidy tirou um pãozinho de grãos da tigela de madeira reciclada que estava sobre a mesa e começou a comê-lo como se fosse uma maçã. Sua cabeça raspada pela metade parecia tão poderosa quanto moderna.

Miranda parecia prestes a matar a filha.

— Sente-se, Cassidy — falou, sua voz uma ordem rosnada, toda a suavidade anterior evaporada. — Você está sendo rude com as nossas convidadas.

Pela primeira vez desde que haviam chegado, Cassidy virou-se para olhar para Andy e Emily.

— Desculpe — disse ela para ninguém em particular. E então, para a mãe: — Eu sou vegetariana há mais de um ano, e o fato de você se recusar a reconhecer isso realmente...

A mão de Miranda ergueu-se no ar.

— Está bem. Vou mandar Damien preparar seus pratos e levá-los ao seu quarto. Isso é tudo.

A garota olhou fixo para a mãe. Estava com cara de que ia gritar algo em resposta, mas em vez disso pegou um segundo pão e saiu saltitando da sala de jantar.

Elas estavam totalmente sozinhas.

Para sua grande surpresa, no entanto, Miranda retomou sua postura de adorável anfitriã. Durante a entrada — tigelas delicadas de cristal com ceviche de atum com abacate e toranja —, Miranda as regalou com historinhas a respeito da Fashion Week de outono, com todos os seus divertidos contratempos, gafes e desastres.

— Então lá estávamos nós, todos reunidos e entusiasmados, quando de repente acaba a luz. Bum. Escuridão. Nem preciso explicar o que uma confraria de modelos faz quando está escuro como piche. Já imaginaram?

Miranda riu, e Emily gargalhou com ela, enquanto Andy imaginava o que exatamente as modelos haviam feito.

Enquanto os garçons traziam bandejas de filé Wagyu delicadamente fatiado, Miranda virou-se para Andy.

— Tem alguma viagem em mente? — perguntou, parecendo não só alerta como interessada.

— Só para a revista — respondeu Andy, cortando com cuidado um pedaço de carne e então colocando-o de lado, nervosa demais para tentar comê-lo enquanto falava. — Acho que vou ao Havaí no mês que vem para cobrir o casamento de Miraflores.

Miranda mastigou e engoliu com delicadeza. Tomou um gole do vinho branco e assentiu em aprovação.

— Hum, sempre tive curiosidade para ver como é a Ilha Grande fora de estação — falou. — Você vai ter que me contar o que achou. — E então: — Lembre-me de lhe passar o nome de nosso motorista em Mauí, se for para lá; ele é realmente o melhor.

Andy agradeceu, e então olhou para Emily, que na mesma hora lhe lançou um olhar de *Viu?*. Não tinha o que discutir. Ela nunca teria pensado que aquilo seria possível, mas talvez Miranda tivesse se tornado uma pessoa mais branda na última década.

Miranda estava recomendando uma *villa* particular em Tryall para as garotas visitarem quando houve um barulho no *foyer*. Ninguém pareceu notar. Miranda continuou descrevendo a linda piscina infinita da *villa*, os quartos ultramodernos e a vista estonteante do mar, para então voltar sua atenção para Andy e perguntar por Clementine.

— Que nome lindo — trinou ela. — Tem alguma foto?

Tem alguma foto? Andy sabia que não deveria tirar o celular da bolsa, então balançou a cabeça em negativa.

— Não, sinto muito. Eu não trouxe nenhuma foto.

Miranda estava agindo como uma pessoa... normal. Andy estava prestes a lhe perguntar sobre as gêmeas quando algo perto da entrada do apartamento lhe chamou a atenção. Tanto Miranda quanto Emily seguiram seu olhar e todas as três viram quando uma Charla com cara de exausta entrava pé ante pé no *foyer*. A pobre garota carregava o Livro, mais sacos de tinturaria suficientes para vestir o East Side inteiro; ela não percebeu que a estavam olhando até ter depositado as roupas no primeiro armário a sua esquerda e o Livro — o precioso e muito reverenciado Livro —, no pequeno console debaixo de um imponente espelho triangular.

— Sinto muito mesmo, Miranda — sussurrou Charla.

Andy queria pular da cadeira e abraçá-la. A garota não fora realmente simpática com ela, nem ao vivo nem ao telefone, mas Andy entendia. E agora parecia tão apavorada...

— Sente pelo quê, posso perguntar? — indagou Miranda, erguendo as sobrancelhas, mas sem parecer tão horrorizada pela interrupção quanto Andy esperava.

Os olhos de Charla dispararam na direção da porta.

— Sente por mim! — cantarolou alegremente uma voz. — Ela tentou me impedir de vir, e como tentou, mas eu simplesmente precisava ter uma resposta esta noite.

Nigel, que aparentemente pegara uma carona com a fraca da Charla.

— Charla, isso é tudo! — gritou Miranda, sua irritação óbvia.

Charla saiu de forma discreta e fechou a porta.

— Querida? Onde você está? Nunca consigo encontrá-la nesta moradia cavernosa! — guinchou Nigel.

Miranda juntou as mãos.

— Nigel, pare de gritar. Estamos bem aqui à mesa de jantar.

Dizer que Nigel apareceu na sala de jantar era um eufemismo: vestido em camadas de xadrez tartan contrastante, incluindo kilt e meias até o joelho combinando, ele parecia ter sido teletransportado de uma nuvem escocesa e depositado no meio do apartamento de Miranda. A música parecia mais alta e o clima, mais elétrico. Inclusive o ar da sala, até então inodoro, assumiu um estranho mas agradável aroma de pinho e amaciante de roupas. Ou seria laquê? Andy não sabia.

Miranda suspirou, apesar de Andy ver que não estava tão irritada quanto parecia.

— A que devemos este prazer?

— Sinto muito interromper, você sabe que sinto mesmo, mas estou me matando, tentando decidir se devemos publicar a matéria com o vestido de la Renta ou com o McQueen. São tão diferentes, eu sei, mas não paro de mudar de ideia. Preciso da sua opinião. — Dizendo isso, ele tirou dois layouts de uma bolsa carteiro de couro de cobra.

Se Miranda estava surpresa por Nigel ter pegado uma carona com sua assistente, invadido seu jantar sem ter sido convidado e colocado dois layouts bem em cima de seu prato não exatamente vazio, não demonstrou. Só olhou para cada um dos layouts e apontou uma unha vermelha e comprida para o da esquerda, uma confecção espumosa cor-de-rosa de um vestido que não parecia, pelo menos para o olhar não treinado de Andy, pertencer a nenhum dos dois designers.

— Obviamente este aqui — falou ela, entregando os layouts de volta para Nigel. — Acho que o leitor vai gostar de Oscar ter saído de sua zona de conforto.

Nigel assentiu.

— Foi exatamente o que pensei.

Nesse momento, um criado treinado para ser ninja retirou o prato de Miranda, substituindo-o por uma xícara de café com leite fumegante.

Ela delicadamente colocou uma colher de açúcar na xícara e tomou um gole. Não convidou Nigel a se sentar nem insinuou que ele deveria ir embora. Houve um momento de silêncio constrangedor, até que ele disse:

— Ora, vejam quem está aqui! Quase esqueci meus modos. A dupla de ouro dos casamentos! Olá, Emily. Olá, Andrea. Nossa, um jantar com Miranda...

É esquisito pra cacete, Andy queria dizer, mas em vez disso apenas sorriu.

— Oi, Nigel. Que bom ver você.

Ele observou o rosto de cada uma delas por alguns segundos a mais do que o estritamente confortável antes de passar para suas joias, cabelos, roupas. Não fez o menor esforço para disfarçar a avaliação.

— É maravilhoso ver de novo essas mocinhas. Então, me digam, já estamos comemorando? Ou ainda discutindo aquelas logísticas chatas?

Andy percebeu Miranda baixando os olhos para seu prato de sobremesa vazio com uma expressão desconfortável.

— Estamos aproveitando a companhia umas das outras — falou ela de forma afetada. E então: — Marietta, por favor, traga um prato para Nigel.

Mas ele pareceu não ler nas entrelinhas.

— Senhoras! — guinchou. — Não estamos todos amando a ideia de que a *Plunge* vai se juntar à família Elias-Clark? Sei que eu estou!

Quando ninguém disse nada, Nigel continuou:

— Andy, por que não conta a Miranda a sua ideia para a futura matéria de capa?

Andy deve ter ficado encarando-o inexpressivamente, porque ele insistiu:

— Sobre *moi*? E o meu amado? Claro que você se lembra.

— Ah, é — murmurou Andy, sem saber como continuar, mas desesperada o suficiente para dizer praticamente qualquer coisa que preenchesse o silêncio. — Achei que seria uma ótima ideia publicar o casamento de Nigel e Neil na edição da *Plunge* de abril. — E, voltando-se para ele: — Você vai se casar no Natal, certo? Seria o momento perfeito para nós.

Nigel abriu um largo sorriso.

A cabeça de Emily ia rapidamente de um lado para o outro, entre Andy, Nigel e Miranda, como se ela estivesse assistindo a um jogo do US Open com cinco sets.

Miranda tomou mais um gole de vinho e assentiu.

— Sim, Nigel me contou sobre a sua ideia, e achei esplêndida. É claro que a primeiríssima matéria sobre um casamento entre pessoas do mesmo sexo deveria garantir a edição de junho. Abril simplesmente não é notável o bastante. Mas eu adorei a ideia.

Andy sentiu seu rosto corar.

Emily intrometeu-se no mesmo instante:

— Bem, quando quer que aconteça, sei que vai ser sensacional. Andy e eu estávamos pensando que seria ótimo fazer uma sessão de fotos do feliz casal dando entrada em sua licença de casamento na prefeitura. Um clima mais de reportagem, algo que poderia realmente capturar este momento na história.

A atenção de Miranda mirou em Emily com um lampejo familiar de raiva.

— A prefeitura evoca imagens de criminosos e detectores de metal e pessoas inacreditavelmente sinistras pedindo esmola. Nigel e Neil são glamour, estilo e sofisticação. O que eles não são é prefeitura.

— Concordo, concordo! — guinchou Nigel.

— Entendo — disse Emily, e parecia estar falando sério.

Andy ficou olhando para a mesa e se odiou por não falar nada.

— Eu certamente apoio o casamento gay, mas ninguém vai se beneficiar de uma matéria feita do jeito errado. Conheço a leitora da *Plunge*, e, apesar de ela estar muito feliz que os gays tenham permissão para casar, não quer ficar atolada em uma narrativa política sem graça. Ela quer roupas deslumbrantes! Flores lindas. Joias caras. Romance! — Com isso, Miranda virou-se para Andy: — Nunca se esqueça: sua única tarefa é dar às suas leitoras o que elas querem. E toda essa conversa sobre direitos seria um equívoco terrível.

— Bem-colocado — murmurou Nigel.

Emily parecia desconfortável — provavelmente estava preocupada com a resposta de Andy —, mas também assentiu.

— Está certíssimo, Miranda. Andy e eu sempre tentamos dar à leitora o que ela quer. Eu não poderia concordar mais. Não acha, Andy? — E virou-se para a amiga com um olhar de advertência.

Estava tudo ali na ponta de sua língua, mas Andy se conteve. O que havia a ganhar enfrentando Miranda Priestly? De certa forma, era um alívio ver a velha Miranda de volta. Dois pratos era um tempo extraordinariamente longo para alguém que não possuía nenhuma qualidade humana fingir, mas a antiga chefe havia feito exatamente isso. O charme, a graciosidade, a hospitalidade eram enervantes e inquietantes. Pelo menos agora estavam em um terreno conhecido.

Andy pousou sua xícara de café na mesa. Ela havia se portado com o máximo de delicadeza possível, mas não ia fingir concordar com todo mundo só para manter a paz no jantar. Além disso, talvez fosse bom deixar Miranda se enforcar. Emily veria de uma vez por todas que elas teriam obrigações com aquela mulher e todas as suas ideias por muito, muito tempo.

— Entendo o que você diz, e é claro que nos esforçamos ao máximo para dar às nossas leitoras matérias maravilhosas e interessantes. No entanto, considerando todos os feedbacks que recebemos, sei que as leitoras da *Plunge* adoram ter vislumbres de outras culturas e tradições, especialmente quando são muito diferentes da sua. E é por esse motivo que pensei que seria fascinante ter um artigo sobre casamentos gay pelo mundo. As coisas estão mudando tão rápido, e não só nos EUA. Há a Europa, é claro, mas lugares surpreendentes da Ásia e da América Latina também estão fazendo muitos avanços. Eles ainda não chegaram lá, mas pela primeira vez há muito otimismo. Daria uma ótima matéria de introdução, algo que poderia ajudar a estabelecer...

Miranda riu. Era um som estridente e sem alegria, e mais uma vez seus lábios finos se esticaram sobre os dentes, como que prestes a rasgar. Andy estremeceu involuntariamente.

— Que gracinha — disse Miranda, apoiando o garfo de sobremesa atravessado no prato para indicar que havia terminado.

Imediatamente três criados irromperam na sala e removeram todos os pratos, apesar de dois dos convidados ainda estarem mastigando.

— Gracinha? — A voz de Andy saiu como um guincho, e ela se odiou por isso.

— Você publica casamentos, Ahn-dre-ah. Não um jornalzinho de escola. Não uma revista de política. Uma matéria como essa seria totalmente inapropriada, e eu não permitiria.

Eu não permitiria.

Andy ergueu a cabeça na mesma hora, como se tivesse levado um tapa. No entanto, ninguém mais pareceu perceber ou se incomodar que Miranda tivesse acabado de confirmar, acima de qualquer dúvida, que pretendia aprovar, editar, apagar, permitir, proibir e mudar cada palavra que entrasse na *Plunge*. Não apenas isso, mas ela nem conseguia fingir, nem mesmo antes que uma venda concreta acontecesse, que seria diferente.

— Sim, mas a revista é nossa — retrucou Andy, sua voz saindo em pouco mais que um sussurro.

Ela arriscou uma olhada em Miranda, que parecia surpresa. Mais uma vez Emily e Nigel ficaram calados.

— Sem dúvida — disse Miranda, recostando-se em sua cadeira e cruzando as pernas. Parecia realmente se divertir. — Mas preciso lembrá-las de que têm um longo caminho pela frente?

— É claro, sempre há o que melhorar. Andy e eu só estávamos...

Miranda interrompeu Emily como se ela nunca tivesse falado:

— Pode-se julgar qualquer revista por sua edição de setembro, e a de vocês foi... como dizer?... fina, com poucas páginas de propaganda. Pensem em todas as empresas que estarão clamando para comprar espaço publicitário quando souberem que a *Plunge* está associada à *Runway*. Com toda a importância, experiência e prestígio do Elias-Clark por trás. Apenas pensem. Aí vocês poderão citar meu nome com legitimidade.

Emily parecia querer rastejar para debaixo da mesa.

Andy tossiu. Podia sentir seu rosto ficando vermelho.

— Sinto muito — falou, ainda surpresa por Miranda saber aquilo. — Usamos o nome da *Runway* apenas para abrir portas, mas todo o resto fomos nós que conquistamos.

— Ah, por favor, não precisa ter um ataque cardíaco. É claro que conquistaram. Vocês conseguiram, ou não estaríamos aqui. Mas é hora de subir mais um pouco. Quem eram aqueles da última edição? Aqueles gregos?

Emily respondeu que era o casal jovem mais famoso da Grécia, o filho do primeiro-ministro e a herdeira de um dos homens mais ricos do mundo. Ambos eram lindos, formados em Cambridge, amigos do príncipe William e da princesa Kate.

— Bem, eles são facilmente esquecíveis — falou Miranda. — Chega de estrangeiros, a não ser que eles próprios sejam da realeza. Queremos os mais inalcançáveis dentre os mortais. E, francamente, a edição com o seu próprio casamento, Ahn-dre-ah, foi um tanto forçada. Maxwell Harrison pode vir de uma linhagem célebre, mas não consegue sustentar uma edição inteira. Quem iria até uma banca de jornal para comprar uma revista com um zé-ninguém na capa?

— Tivemos vendas espetaculares nas bancas naquele mês. — Andy conseguiu dizer.

Parte dela não podia discordar de Miranda, mas, poxa, não havia uma maneira mais gentil de dizer aquilo?

Emily parecia prestes a pular de sua cadeira.

— Entendo o que está dizendo, Miranda. Eu até pensei em seguirmos uma outra direção na escolha da capa, mas St. Germain era um trunfo tão grande...

A risada de Miranda soou como um latido.

— Bem, quando vocês trabalharem para mim, grandes fotógrafos serão *de rigueur*. Com a *Runway* por trás, vocês conduzirão cada acordo em seus próprios termos.

— Você quer dizer nos seus termos — disse Andy, baixinho.

— Quero dizer termos que incluam os melhores e mais famosos designers, fotógrafos, estilistas, celebridades... Diga quem quer e eles serão seus.

Nigel deu um assobio alto.

— Ela é a melhor, mocinhas! Ouçam com atenção: não é todo dia que se tem Miranda Priestly dando conselhos assim.

Andrea e Emily se entreolharam.

Mas Miranda não havia terminado:

— E vocês vão ter que renovar a equipe. Só quero os melhores. E é por isso que quero vocês. Mas a transição vai nos permitir fazer uma faxina para nos livrarmos de alguns encostados. Ah, e não vai mais haver essa bobagem de "horários flexíveis de trabalho". Nada de "trabalhar à distância". Banimos isso na *Runway* e fez uma diferença enorme.

A primeira pessoa em que Andy pensou foi em Carmella Tindale, sua adorada gerente editorial aficionada por tamancos. Sem dúvida ela seria cortada. Ainda pior que isso, porém, seria dizer adeus ao próprio horário flexível. Nada de manhãs de terça ou quinta-feira em casa com Clem. Nada de ir às consultas do pediatra. Nada de determinar os próprios horários e trabalhar quando se encaixava melhor em sua agenda.

Emily pigarreou.

— Não sei se temos muitas pessoas a dispensar.

Andy lhe lançou adagas com o olhar.

— Temos uma equipe incrível e dedicada que trabalha longos períodos e que se sacrifica muito pelo bem da revista. Não vou abrir mão de nenhum deles.

Miranda revirou os olhos como se aquilo fosse cansativo demais.

— Trabalham longos períodos para poderem saquear o armário de coisas grátis e falar ao telefone com celebridades. No Elias-Clark vão ter essa oportunidade elevada à décima potência. Motivo pelo qual eles todos devem estar sempre apresentáveis. E treinados à maneira da *Runway*. Eu mesma vou fazer isso.

— Sim, eu acho mesmo... — começou Emily, mas Miranda a interrompeu:

— E voltando ao casamento de Nigel. — Ela fez uma breve pausa, apenas para se assegurar de que todos os olhares estavam sobre si. — Vou garantir pessoalmente que seja sua maior edição até hoje. Por uma grande margem.

— Sei que falo em meu nome e no de Emily quando digo que temos algumas ideias claras de como queremos que essa edição...

— Amigas! — gritou Nigel. — Não vamos brigar por causa de detalhes. Vocês todas devem perceber, é claro, que quando estamos falando sobre o casamento do ano, o meu, certamente serei eu que tomarei as decisões. Considerem-me seu rei intrépido e vocês todas minhas damas de companhia.

Nigel então empurrou a cadeira para trás, ficou de pé em um pulo e passou sua capa em volta dos ombros, fingindo tratar-se de um manto real.

Emily riu primeiro, e Andy a acompanhou. Miranda deu um sorriso duro, zangado.

Nigel bateu continência.

— À harmonia do casamento! — cantarolou, agora a toda. — Uma coisa eu garanto: em Nigel há *fabulosidade* suficiente para todas. Agora, o que me dizem de um brinde?

Como se por mágica, um garçom apareceu da cozinha com quatro taças de champanhe e uma garrafa de Moët em uma bandeja.

— Não, não, isso não serve — resmungou Nigel.

Ele desapareceu na cozinha e emergiu com quatro elegantes copinhos de cristal para destilados. Sob uma inspeção mais atenta, pareciam xícaras para café espresso, mas Nigel não parecia se importar.

— O que é isso? — perguntou Emily, aceitando o seu graciosamente, entre o polegar e o indicador.

— Nigel, francamente — falou Miranda fingindo exasperação, mas também aceitou um copo.

— A cooperações brilhantes entre mulheres brilhantes! — gritou Nigel, seu copinho erguido alto. — A *Plunge* é uma moça de sorte por ter tanta gente que a ama.

— Bem-colocado, Nigel — disse Emily, inclinando-se para a frente e tocando seu copo no dele.

Juntos, cada um deles brindou com Andy e Miranda antes de virar elegantemente a dose.

— Bebam! — guinchou Nigel, e Emily riu.

Andy mal acreditou quando Miranda tomou um delicado golinho, depois outro. Sem querer ser a única com o copo cheio, Andy invocou seus tempos de faculdade, respirou fundo e engoliu o álcool de uma vez só. A bebida queimou sua garganta e encheu seus olhos d'água, e ela não sabia dizer se era vodca ou uísque ou gim ou outra coisa completamente diferente.

— Isso é horrível — proclamou Miranda, examinando o que restava de sua dose. — Fico estarrecida em pensar que você encontrou isso na minha casa.

Nigel deu um sorriso diabólico. Enfiou a mão sob a camisa e tirou uma garrafinha de prata e couro com monograma de um N grande e floreado.

— Que nada — falou, com um sorriso.

Terminaram a sobremesa sem mais incidentes, mas a conversa ainda zumbia na cabeça de Andy. Miranda guiou a todos para o *foyer*, e foi com muito esforço que Andy pegou seu casaco lentamente em vez de sair correndo daquele horror.

— Muito obrigada pela noite tão maravilhosa — falou Emily efusivamente, dando um beijinho em cada bochecha de Miranda como se elas fossem colegas de escola que não se viam fazia muito tempo.

— É, querida, você realmente se superou — disse Nigel.

Apesar de não estar nem um pouco frio lá fora, ele puxou um par de luvas sem dedos e passou uma echarpe de caxemira do tamanho de um cobertor em volta da cabeça e do pescoço.

Só Andy pareceu perceber as costas de Miranda ficarem totalmente retas e sua boca se fechar com força.

— Obrigada pelo convite, Miranda. O jantar foi adorável — falou Andy, baixinho, enquanto tentava abotoar desajeitadamente seu casaco.

— Ahn-dre-ah — disse Miranda, também em voz baixa, mas havia algo de severo em seu tom. Algo determinado.

Quando Andy ergueu os olhos, quase perdeu o equilíbrio. Miranda a encarava com um ódio tão visível e descarado que a fez perder o fôlego.

Nigel e Emily discutiam se era melhor dividirem um táxi para casa ou cada um pegar o seu, portanto nenhum dos dois percebeu quando Miranda passou seus compridos e finos dedos em volta do ombro de Andy, puxou-a para perto e sussurrou algo em seu ouvido. Era o mais perto que Andy já estivera de Miranda, o que fez os pelos dos seus braços e da sua nuca se arrepiarem.

— Você vai assinar aqueles documentos esta semana — declarou ela, o hálito gelado contra o rosto de Andy. — Vai parar de criar problemas para todo mundo.

E então, tão rápido quanto a havia puxado, Miranda deu um ligeiro empurrão em seu braço. *Já me resolvi com você. Agora vá embora.*

Antes que ela pudesse sequer pensar em reagir, o ascensorista apareceu no vão da porta e despedidas foram trocadas por todos. Ninguém percebeu quando os pés de Andy a carregaram estupidamente para dentro do elevador sem que ela dissesse mais uma palavra.

Saíram para a rua, Nigel e Emily rindo e de pileque, segurando a mão um do outro.

— Tchau, queridas — gritou Nigel enquanto se enfiava em um táxi sem oferecer carona ou sugerir que o pegassem primeiro. — Mal posso esperar para voltarmos a trabalhar juntos!

Emily estava com o braço esticado para chamar um táxi quando uma limusine encostou ao seu lado. Um homem de meia-idade com cabelo grisalho e um rosto simpático falou:

— São as convidadas da Srta. Priestly? Ela pediu para levá-las em casa, ou aonde quer que precisem ir.

Emily deu uma olhada triunfante para Andy e se jogou alegremente no banco de trás.

— Não foi gentileza de Miranda nos mandar para casa de carro? — comentou, esticando as pernas.

Andy ainda estava em choque. Miranda a havia ameaçado? Isso realmente tinha acabado de acontecer? Ela não conseguia nem encontrar as palavras para contar a Emily.

— Que jantar fabuloso! Realmente adorei as mudanças no apartamento, e é claro que a comida estava divina — continuou tagarelando Emily. — Pensando bem, acho que foi melhor Cassidy e o namorado não terem jantado conosco. Assim Miranda pôde se concentrar exclusivamente em nós, deixar que ouvíssemos suas verdadeiras ideias para a *Plunge*. Sei que algumas coisas que ela disse pareceram um pouquinho... intensas. Mas não é incrível que um dos maiores cérebros da moda e da mercado editorial queira nos ajudar a alçar nossa revista a um estágio ainda maior? É quase inacreditável!

Por que Emily não parecia mais chateada? Será que ela não via que Miranda admitira que tinha toda a intenção de tratar a *Plunge* como seu feudo particular? Que Miranda supervisionaria todas as contratações e demissões, ditaria todas as decisões, do editorial aos anúncios, que instituiria horários e códigos de vestuário draconianos? Que elas essencialmente voltariam a ser assistentes? Sem nenhuma voz ou influência, apenas meros peões no reino despótico de Miranda?

— Sinto como se não tivéssemos ido ao mesmo jantar.

— Acho que ela realmente mudou para melhor, Andy. Não poderia ter sido mais amável esta noite.

O sorriso de Emily era beatífico, como se ela tivesse acabado de sair de uma deliciosa massagem de corpo inteiro.

— Emily! Você não a ouviu dizer "eu não permitiria!" como se a revista fosse dela? E quanto a insistir que Nigel e Neil tivessem a capa de junho? Eu não ia dizer nada esta noite, mas recebi uma dica possível sobre Angelina e Brad. Para quem vamos dar a capa de junho? Para Nigel, editor exuberante de revista e musa de Priestly? Ou Brangelina? Ora, por favor!

Emily fechou os olhos e exalou o ar exageradamente.

— Você não quis morrer quando a assistente entrou? — indagou ela.

— Eu sei, pobrezinha. Ela deve ter ficado em pânico. Você não viu? Ela ainda é a mesma Miranda. Tratando suas assistentes como escravas. Mal tomou conhecimento da presença da garota, a não ser para dispensá-la. Aposto como vai demiti-la por ter deixado Nigel segui-la.

— É, bem, que idiota permite que qualquer um, até mesmo Nigel, vá junto para a entrega? É uma total idiotice. Nós nunca teríamos feito isso. Bem, você provavelmente teria, mas eu a teria impedido na mesma hora. Se Miranda for esperta, vai demitir aquela garota amanhã de manhã bem cedo.

Andy olhou pela janela para todas as lindas janelas acesas da Quinta Avenida enquanto o carro corria para o centro da cidade. Tanta coisa havia mudado desde que ela saíra da *Runway*... Levara anos, e muito trabalho e mágoa, mas Andy finalmente se sentia em paz: tinha amigos com quem dividir momentos especiais, uma irmã e pais amorosos, uma carreira que a desafiava e a preenchia e, acima de tudo, sua própria família. Um marido. Uma filha. Não acontecera do jeito que ela havia esperado, mas será que isso tinha importância agora?

— Esta noite não foi simplesmente fabulosa? — disse Emily, suspirando. Seus olhos ainda estavam fechados e suas bochechas, coradas de prazer.

Andy não disse nada.

— Acho realmente que Miranda fez uma concessão enorme esta noite. E tenho certeza de que não foi só para nós. Ela de fato mudou para melhor, não acha?

— Em, eu... — Andy parou, exausta demais para o conflito que certamente se seguiria se proferisse as palavras que sabia que precisava dizer. — Vamos almoçar esta semana e chegar a uma decisão sobre a oferta do Elias-Clark de uma vez por todas, está bem? Sofremos um desvio da última vez em que deveríamos discutir isso. É óbvio que temos opiniões diferentes sobre esse assunto, mas devemos a nós mesmas e a todos os outros uma decisão final. Está bem?

Emily abriu os olhos. Sorriu e cutucou Andy.

— Está bem, almoço. Sou a primeira a admitir que Miranda costumava ser uma louca e pode muito bem ser ainda meio maluca, mas podemos tranquilamente lidar com ela, Andy. Estou lhe dizendo, formamos um time imbatível, e juntas podemos realizar feitos incríveis no Elias-Clark.

— Almoço — falou Andy, a sensação agora familiar de medo começando a tomá-la.

Aquela noite não deixara espaço para negociação, pelo menos não para Andy. Estava terminado, encerrado, decidido. Ela havia trabalhado demais para chegar onde estava e não iria simplesmente entregar sua vida de bandeja para Miranda Priestly. Diria a Emily aquela semana. Não podia haver outro jeito.

Um contêiner de Botox

20

O despertador tocava a todo volume. Desorientada, Andy rolou para o lado a fim de ver as horas e quase caiu da cama: onze! Como podiam ser onze horas?

— Relaxe — disse Max, pousando a mão quente em seu braço. — Não estamos atrasados. Temos tempo suficiente.

— Atrasados para quê?

— Acabei de dizer que não estamos atrasados.

— Mas aonde vamos? Onde está Clementine?

Max riu. Estava pronto para sair, com uma camisa social e calça jeans, deitado em cima das cobertas lendo algo em seu iPad.

— Clem está tirando um cochilo, mas deve acordar a qualquer segundo. Você estava dormindo como uma pedra há sei lá quantas horas. E estão nos esperando para o brunch, em um local ainda não divulgado, com o seu grupo de mães. Lembrou agora?

Andy gemeu. O jantar da noite anterior lhe voltou de súbito.

Miranda Priestly havia mesmo lhe dado um puxão de orelha? O grupo de mães era ótimo, mas, naquele momento, acordar e aprontar o bebê e a si mesma para um brunch do outro lado da cidade parecia tão irresistível quanto uma visita ao ginecologista.

— Infelizmente, sim. O brunch dos maridos. Passamos os últimos três meses ou mais compartilhando umas com as outras os detalhes mais íntimos de nossas vidas, incluindo os da de vocês. Está na hora de conhecermos os personagens da nossa terapia em grupo.

— Parece sensacional. Começa meio-dia e meia, certo?

Andy assentiu. Estava prestes a contar sobre o jantar com Miranda quando o celular dele tocou.

— Preciso atender — disse ele, saindo do quarto.

Andy tirou a camisola e se espreguiçou voluptuosamente debaixo das cobertas. Ali, sentindo os lençóis sedosos e frios contra a pele nua, ela conseguiu por um ou dois minutos fazer sua mente parar de voltar toda hora a Miranda Priestly. Por mais gostosa que a cama estivesse, o chuveiro foi ainda melhor, o que lhe proporcionou mais alguns minutos de calma. Como fazia pelo menos uma vez por dia, Andy admirou-se ao notar como a combinação de pressão inigualável e água quente aparentemente inexaurível de seu prédio tornava quase todas as outras inconveniências da vida na cidade — a sujeira, a falta de espaço, as multidões, o custo e os transtornos generalizados — valerem totalmente a pena.

Saiu do chuveiro e se enxugou. Max apareceu no banheiro e abraçou seu corpo quente e nu por trás, enterrando o rosto no pescoço dela e inspirando profundamente.

— Como eu quis acordar você ontem à noite — comentou.

— Então por que não acordou? — murmurou Andy.

Ela não queria admitir que ficara mais aliviada do que decepcionada ao chegar em casa e descobrir que Max ainda estava no jantar com seu cliente: Andy apenas não tinha a energia necessária para tocar no assunto.

— Você teve umas semanas bem pesadas, precisava descansar — respondeu ele, lavando o barbeador debaixo da água quente da pia. — E então, como foi?

Andy foi até o guarda-roupa e pegou as primeiras peças que viu. Levou tudo para o banheiro e começou a se vestir.

— Foi... interessante.

Max ergueu as sobrancelhas para ela, no espelho.

— Pode ser um pouco mais detalhista?

— Miranda com certeza fez um esforço sobre-humano para ser encantadora. Chega a ser quase lisonjeiro ver o quanto ela quer a *Plunge*. Mas depois ela recuperou seus modos desumanos de sempre.

— O que significa que...?

— Ela nem tentou disfarçar que pretende controlar completamente a revista e tudo que for relacionado a ela. Foi tão descarado que eu quase fiquei chocada.

Algo na expressão de Max a aborreceu.

— O que foi? — perguntou Andy.

Max pareceu fazer questão de evitar olhá-la nos olhos. Analisou com atenção a barba por fazer e fez um pequeno movimento de dar de ombros.

— Nada. Eu não falei nada.

— É, mas esse olhar disse alguma coisa. O que foi?

Ele largou o barbeador e virou-se para olhar para ela.

— Andy, sei que você acha que eu não entendo o quanto foi difícil para você trabalhar para Miranda, e, verdade seja dita, provavelmente não entendo mesmo. Ninguém entende. Mas você não acha que pode deixar isso para trás e tomar a decisão certa agora?

De repente constrangida por estar com os seios à mostra, ela esticou a mão para pegar um roupão.

— Só estou dizendo que não acho que o objetivo de Miranda seja destruir as vidas de vocês, sabe?

Andy olhou fixamente para ele.

— Eu sei disso. Não é assim que Miranda age. A destruição de vidas é uma consequência não intencional, mas não sei se isso faz alguma diferença.

— Você sabe se defender de gente como ela, Andy. E, no fim das contas, Miranda na verdade não passa de uma metida a valentona, só isso.

— Só quem nunca trabalhou para ela poderia defini-la assim — retrucou ela, da forma mais leve que pôde, apesar da irritação que sentia.

Uma parte sua queria encerrar aquela conversa, mas só então ela percebeu que, em seu esforço para apagar Miranda de sua vida nos últimos anos, nunca a descrevera para Max da forma apropriada. Ele a via como uma mulher rude, inflexível, de "personalidade difícil". Tinha consciência de sua reputação como uma chefe dura e exigente. Ao longo dos anos, já a havia encontrado algumas vezes, o suficiente para testemunhar suas grosserias e sua personalidade indiferente. Mais do que indiferente, na verdade — "desagradável" fora como ele a descrevera depois que Barbara os apresentara. Mas, por algum motivo — ou apenas porque Andy nunca suportara falar sobre isso —, Max parecia não entender a verdadeira Miranda. A Miranda perversa, cruel e até mesmo sádica que até hoje assombrava a esposa dele.

Andy respirou fundo e se empoleirou na beirada da banheira.

— Ela não é só uma metida a valentona, Max. Você tem razão, eu provavelmente poderia lidar com isso agora. Mas é muito pior. É quase impossível de se lidar com Miranda. Ela é totalmente focada no que é melhor para si mesma, excluindo tudo o mais e todos os outros. Suas assistentes, seus editores, seus ditos amigos... porque, afinal, eu não acredito que ela tenha algum amigo de verdade, só conhecidos de quem precisa ou de quem quer alguma coisa... são todos apenas jogadores no video game em tempo real de Miranda, um jogo cujo único objetivo é garantir que ela ganhe. A qualquer custo. Não faz a menor diferença se você é um estilista, Irv Ravitz ou o editor da *Runway* italiana, se estiver atrasado para um almoço com Miranda Priestly. Ela não vai gritar e berrar e lhe passar um sermão sobre cortesia e consideração. Vai simplesmente pedir o prato dela no exato momento em que estiver com fome, quer você tenha chegado ou não, e aí vai comer e ir embora. Importa para ela se o seu filho estava doente ou o seu táxi sofreu um acidente? Nem um pouco. Faz diferença para ela que você ainda esteja na sobremesa enquanto ela está chamando o motorista para ir buscá-la? Nenhuma, nem por um segundo. Porque ela não se importa nem um pouco com você; ela não vê você como outra pessoa com sentimentos ou necessidades. Ela não funciona segundo as mesmas regras sociais que nós dois. Descobriu há muito tempo que os meios mais rápidos para seus fins normalmente incluem humilhar, criticar, depreciar ou intimidar outras pessoas para fazerem o que ela quer. Nas raras ocasiões em que isso não funciona, como com a nossa recusa em vender a *Plunge*, ela se joga imediatamente em uma avassaladora ofensiva de charme: presentes extravagantes, telefonemas solícitos, convites cobiçados. O que, é claro, é só mais uma forma de manipular os participantes de seu jogo gigantesco.

Max largou o barbeador e deu tapinhas no rosto com uma toalha de mão.

— Pela sua descrição, ela parece uma sociopata — disse ele.

Andy deu de ombros.

— Não sou psicóloga. Mas ela é realmente horrível.

Max a envolveu em um abraço, deu-lhe um beijo no rosto e falou:

— Eu ouvi tudo o que você disse. Ela realmente parece horrível, de verdade. E eu odeio pensar em qualquer um deixando você infeliz. Mas só pediria que considerasse a situação como um todo, Andy. Há muita...

Os berros de Clementine o interromperam no meio da frase.

— Eu vou pegá-la — disse Andy, largando o roupão no chão e vestindo o sutiã e o suéter.

Max não parecia estar nem um pouco mais perto de entendê-la aquela manhã. Era um alívio ter uma desculpa para fugir do assunto.

Meia hora depois, eles haviam miraculosamente conseguido chegar ao apartamento de Stacy na rua 12 com a Quinta Avenida, e, somando Miranda na noite anterior à aparente incapacidade de Max de compreendê-la, Andy tinha a sensação de que sua cabeça iria explodir. Como iria sobreviver a duas horas tentando ser agradável com todos?

— Quem são essas pessoas mesmo? — sussurrou Max enquanto eles esperavam que o porteiro os liberasse.

— Stacy é uma das mães do grupo, casada com Mark. Não lembro em que ele trabalha. Os dois têm uma filha chamada Sylvie, que é algumas semanas mais nova que Clementine. É mais ou menos tudo o que sei.

O porteiro uniformizado fez um gesto indicando o elevador. Subiram até a cobertura, onde uma empregada obesa de tamancos ortopédicos e avental os recebeu à porta, deixou o carrinho de Clementine no gigantesco hall e os guiou até a sala. Max e Andy trocaram um olhar enquanto seguiam a mulher. Foram parar em uma sala de jantar formal, em que pessoas perambulavam — Andy não notou nada, absolutamente nada além das janelas de 6 metros de altura que tomavam três paredes do aposento e ofereciam a vista para o sul mais espetacular de Lower Manhattan que ela já tinha visto. Suas novas amigas estavam se cumprimentando, apresentando seus maridos e instalando seus bebês em várias cadeirinhas de balanço, mas Andy não conseguia se concentrar em nada a não ser na cobertura. Uma olhada de esguelha para Max confirmou que ele também estava embasbacado.

Claraboias pontilhavam o teto de pé-direito duplo, o que, combinado às escandalosas janelas, fazia o aposento inteiro parecer flutuar. Uma lareira de pedra polida do tamanho de uma pequena vitrine ficava à sua esquerda; acima da lustrosa lareira a gás havia uma enorme tela plana espelhada pendurada em uma gigantesca extensão de pedra cinza, que captava o reflexo tanto do fogo quanto do sol de outono e dava ao ambiente inteiro uma aura de luz branca espectral, quase divina. Os sofás baixos e modernos eram de uma mistura elegante de cinza e marfim, assim como o cantinho de leitura com as estantes embutidas. Uma mesinha de centro de madeira reciclada, talhada rusticamente, combinava com a mesa de jantar ao lado, que comportava facilmente 16 pessoas e era complementada por lindas cadeiras de couro cor de marfim e cromo com encosto alto. A única cor no aposento vinha de um tapete grosso escandalosamente exuberante com espirais em cobalto, vermelho e roxo e o que parecia ser um candelabro artesanal que descia quase um andar inteiro do teto, seus pingentes de vidro — ovais, sinuosos, espirais e cilíndricos — parecendo explodir em um emaranhado de loucura azul. Até o cachorro, um cavalier king charles spaniel cuja coleira de couro tinha "Harley" gravado, estava reclinado em uma chaise longue em miniatura de meados do século com pés cromados e uma almofada de couro estofada.

— Uau — murmurou Andy, tentando não arregalar os olhos. — Isso não era o que eu esperava.

— Bem extravagante — disse Max, passando um braço em volta do ombro dela. Sussurrou em seu ouvido: — Muito diferente do velho apartamento dos Harrison. Mas incrível. O tipo de apartamento que teremos um dia quando minha esposa virar uma magnata da mídia.

Isso foi dito de brincadeira, mas fez Andy se contorcer.

— Andy! O que posso trazer para vocês? Ah, você deve ser Max. É um grande prazer conhecê-lo — disse Stacy, aproximando-se deles.

Ela parecia quase uma funcionária da *Runway*, em um glamoroso poncho de caxemira e sapatos de salto alto, o cabelo elegantemente escovado e a maquiagem impecável. A combinação calça legging mais moletom de capuz, pele ruim e cabelo seboso que Andy se acostumara a ver nas reuniões todas as semanas havia sumido. Era uma transformação épica.

— Olá — falou Andy, tentando não ficar de queixo caído. — O seu apartamento é deslumbrante. E você está fantástica.

Stacy fez um gesto de modéstia.

— É gentileza sua. O que querem beber? Uma mimosa, talvez? Max, aposto que você prefere um Bloody Mary. Nossa empregada faz um Bloody Mary incrível.

Stacy deu um beijo na testa de Clem e foi providenciar os drinques. Inspirando-se nas outras mães, Andy colocou Clem no círculo de bebês deitados no tapete de grife.

— Isso é uma péssima ideia — murmurou enquanto colocava uma fralda de pano sob a cabeça do bebê.

— Nem me fale — disse Bethany. — Micah já regurgitou em cima do tapete todo. Nada menos que purê de espinafre. E eu soube que Tucker teve um vazamento de fralda no meio daquela tira de cor sobreposta bem ali.

— Será que ela não quer colocar um cobertor por cima, sei lá?

Bethany deu de ombros.

— Acho que não tem importância. Quando acontece um acidente desses, vem logo alguém de uniforme para limpar ou trazer mais comida ou bebida. Sem exagero, tem uma *tropa* de empregados aqui.

— Você desconfiava disso tudo? — perguntou Andy, falando o mais baixo possível.

Theo se virou de bruços e Andy deu tapinhas em suas costas. Pelo canto do olho ela viu outra mulher, também de uniforme, mas diferente da empregada que os recebera, entregar a Max um Bloody Mary tão alto, tão intensamente vermelho e tão apetitoso que parecia saído de uma foto de revista. Ele o aceitou educadamente, mas Andy sabia que encontraria um lugar para abandoná-lo, intocado. Assim que pudesse, ela conseguiria um suco de laranja para ele.

— Nunca. Stacy parece mais uma sem-teto que uma milionária. Mas também, quem de nós não parece?

Em poucos minutos o grupo inteiro havia se reunido e conversava amigavelmente enquanto os bebês brincavam no chão. A maioria dos maridos era exatamente o que Andy esperava — quer dizer, bem parecidos com o dela: entre os 30 e os 35 anos; de camisa social para fora da calça ou moletom de capuz por cima de uma camiseta, com calça jeans de grife comprada pela esposa apesar dos protestos deles de que suas Levi's da faculdade estavam ótimas; cabelo cortado rente, relógios caros e expressões que deixavam claro que eles prefeririam estar lendo jornal, vendo futebol, malhando, deitados no sofá, em qualquer lugar, fazendo qualquer coisa que não perambular por uma sala cheia de estranhos enquanto seus filhos urram e suas esposas debatem entusiasticamente sobre o momento certo de introduzir purês.

Só alguns eram realmente surpreendentes. O marido de Stacy, Mark, era uns bons 15 anos mais velho que todo mundo; seu cabelo grisalho e seus óculos de aro fino o faziam parecer distinto e mais adulto que o restante das pessoas ali, mas a maneira alegre com que ele jogava a pequena Sylvie para lá e para cá e a forma calorosa com que cumprimentou cada convidado cativaram Andy instantaneamente. Os pais da pequena Lola, os dois pediatras, se apresentaram pela primeira vez, ambos parecendo extremamente desconfortáveis para duas pessoas que passavam 12 horas, ou mais, por dia com crianças. Usavam calça preta e camisa azul engomada, os dois, como se a qualquer momento fossem vestir um jaleco branco e assumir o plantão. Lola se contorcia toda vez que a mãe ia pegá-la, e o pai parecia ansioso, desinteressado e ainda mais obcecado pelo próprio telefone do que a maioria dos outros pais. Ambos pareciam desesperados para ir embora daquela estranha reunião em que nenhum deles conhecia uma única alma mas todo mundo conhecia sua filha.

Também surpreendente era o marido de Anita, Dean, um tipo roqueiro de 20 e poucos anos com uma corrente saindo do bolso, tênis de cano alto estilo skatista e bigode. Era um cara alegre e extrovertido e não parecia estar nem um pouco constrangido, o que servia como um inesperado contrapeso para sua esposa sem graça, perpetuamente tímida e quase muda. Andy ficou surpresa quando Dean puxou um violão de uma caixa, plantou-se no meio dos bebês e começou a tocar versões rock and roll de "Brilha brilha, estrelinha" e "A dona aranha", e quase desmaiou quando Anita se ofereceu para fazer o backing vocal e um acompanhamento musical que alternava tamborim, címbalos e um par de maracas profissionais. Os bebês que sabiam bater palmas o fizeram, extasiados, e os outros guincharam ou deram gritinhos. Pelo menos uma dúzia de pais sacou seu respectivo iPhone para filmar a performance improvisada, e algumas mães começaram a dançar.

— Viu? — disse Andy, dando uma cutucadinha no ombro de Max. — Eu só trago você para os melhores lugares.

Max olhava intensamente para seu celular, tentando dar zoom no vídeo que fazia de Clementine sacudindo uma maraca.

— Não tenho dúvida. Deviam vender ingressos para isso.

A campainha soou, e uma empregada apareceu para avisar Stacy que mais convidados haviam chegado.

Rachel olhou em volta e fez uma cena para contar as cabeças presentes.

— Mas estamos todos aqui. Quem mais vem?

— Talvez alguns dos outros amigos deles? — sugeriu Sandrine.

— Ah, meu Deus, você não convidou Lori, convidou? — guinchou Bethany. — Ela vai dar uma olhada no violão e começar imediatamente uma atividade terapêutica de grupo. Eu não aguento coaching de vida em pleno sábado.

Stacy riu ao ver todos os maridos parecerem primeiro confusos e depois apenas desinteressados.

— Não, são Sophie e Xander. — Ela se virou para os pediatras para confirmar: — Vocês disseram que eles iam dar uma passadinha, certo?

A mãe assentiu.

— Ela se sente tão amiga de todo mundo, vendo vocês todas as semanas, então... disse que queria dar um oi. Espero que não tenha problema.

Algo no modo como a mulher falou fez Andy se sentir mal por ela. Não devia ser fácil ter um bebê pequeno e trabalhar com a exigente carga horária de um médico. Por mais que a carreira fosse importante para ela, certamente não era divertido ver sua cunhada criar laços afetivos com sua filha, levá-la para brincar com outras crianças, aconchegá-la antes de dormir e vê-la se divertir com todos os brinquedos novos. Andy prometeu a si mesma que faria um esforço para interagir com a mulher, que se apresentaria a ela e a convidaria para um café.

Sophie estava, como sempre, linda. Seu cabelo comprido e farto brilhava e, ao acenar olá a todas, seu sorriso iluminava as faces adoravelmente coradas pelo vento.

— Eu tinha esperanças de que fôssemos conhecer o namorado — sussurrou Rachel, baixinho.

— Eu também — disse Andy. — Estou tão curiosa. Se bem que seria ainda melhor se ela trouxesse o cara novo. Como é o nome dele?

— Tomás — sussurrou alguém, exagerando no sotaque. — O sexy e artístico *Tomás*.

— Cadê o seu namorado? — gritou a nem um pouco tímida Bethany, de seu poleiro no braço do sofá.

— Ah, ele está falando ao celular. Já vai subir. Está muito entusiasmado para conhecer todos vocês — respondeu Sophie, com uma risada que soou forçada.

Sophie parecia preocupada — o namorado devia ter insistido para vir junto e ela estava claramente desconfortável com tudo que havia revelado durante os últimos meses. Seu caso com Tomás tinha avançado para uns amassos apaixonados, apesar de eles ainda não terem ficado nus um com o outro nem chegado a "consumar propriamente nada", nas palavras de Sophie. No momento, ela estava tentando convencer a si mesma e a todas as outras de que, tecnicamente, não fizera nada errado. Mas era fácil ver, pelo olhar distante e pelos dedos que se retorciam nervosamente, que Sophie estava se apaixonando por seu jovem e atraente aluno de fotografia e que parecia devastada de culpa, medo e incerteza sobre o que fazer com o namorado. O grupo de mães de primeira viagem havia se tornado um lugar seguro, uma sala cheia de confidentes tão inteiramente distantes de sua vida real que Sophie se sentia livre para divulgar detalhes que não teria contado nem a suas amigas de verdade, e Andy sabia que ela devia estar quase histérica com a ideia de seus dois mundos colidirem. Queria se aproximar e tranquilizá-la. *Não se preocupe, seu segredo está a salvo conosco. Ninguém vai falar uma palavra para o seu namorado...*

A energia na sala de repente mudou, mas a atenção de Andy foi desviada momentaneamente para Clementine, que havia começado a chorar com uma urgência e histeria que fez o coração de Andy dar um pulo. Ela pegou a filha no colo e verificou seu corpo, seu rosto, suas mãozinhas gorduchas e sua cabeça coberta de penugem, procurando um machucado ou uma potencial causa de dor. Sem encontrar nada, enterrou o rosto no pescoço da menina e ficou cantando baixinho, balançando-a de leve no ombro. O choro de Clem diminuiu lentamente enquanto Andy repassava sua lista mental: fome, cansaço, xixi, calor, frio, dor de barriga, dentes nascendo, excesso de estímulos, ambiente assustador ou carência. Ela estava prestes a perguntar a Stacy se podia levar Clem para algum lugar mais tranquilo a fim de acalmá-la quando sentiu o hálito de Max em sua orelha.

— Aquele não é o seu Alex? — perguntou ele, pousando a mão com força em seu ombro.

Andy levou vinte ou trinta longos segundos para processar a pergunta. O "seu Alex" só podia ser Alex Fineman, e, apesar de ela entender essa parte, não podia imaginar por que Max estava falando dele agora.

— O meu Alex? — indagou ela, confusa.

Max a girou na direção do hall, onde um homem de costas para ela estava tirando o casaco e o cachecol. Uma avaliação instantânea do cabelo escuro do estranho, do tênis New Balance cinza e dos seus maneirismos ao fazer alguma brincadeira com a empregada e Andy soube acima de qualquer dúvida que era, com certeza, o seu Alex.

Em um instante, Clementine, Max, Stacy, todo o grupo de bebês barulhentos e pais falantes evaporaram: o campo de visão de Andy se estreitou para incluir Alex e apenas Alex, e ainda assim ela foi completamente incapaz de pensar em um único motivo plausível para ele comparecer ao brunch das mães de primeira viagem.

— Xander! — guinchou Sophie, de uma forma surpreendentemente não Sophie. — Venha cá, amor, quero que você conheça todos os meus novos amigos.

Xander. A palavra a atingiu como um soco. Durante a década em que ela convivera com Alex, ninguém — nem ela, nem os amigos de faculdade dele, sua mãe, seu irmão, *ninguém* — o chamara de nada além de Alex. Nem mesmo de Alexander. Xander? Era ridículo só de ouvir.

E agora ali estava ele, de pé na frente dela, beijando sua linda namorada mais nova e dando aquele sorriso dolorosamente travesso para os anfitriões. Ele ainda não a vira, não vira ninguém além de Sophie, Stacy e Mark; ela agradeceu aos deuses pelos poucos segundos que teve para se recompor.

— É Alex, não é? — perguntou Max, pegando uma Clementine inquieta dos braços de Andy. — Você parece que viu um fantasma.

— Só não me toquei que quando Sophie estava nos falando do namorado, ela estava falando dele — sussurrou Andy, esperando que mais ninguém pudesse ouvi-los. — Ah, meu Deus.

— O que foi?

— Ah. Meu. Deus.

— Qual é o problema? Você está bem?

Xander. Namorado há anos. Eu o amo mas... As coisas estão diferentes. Parece entediado comigo. Acha que eu sou mobília. Acabamos de ir morar juntos. Novo em Nova York. Tomás. Meu aluno. Muito mais jovem. Só uma paquera inocente. Amassos apaixonados. Muita mão-boba. Acho que estou me apaixonando por ele...

Como ela havia demorado tanto para juntar as peças? Mas agora que tudo fazia sentido, Andy mal conseguia respirar. Não teve tempo para processar aquilo, levar em conta todas as ramificações, fazer uma chamada em conferência com Emily e Lily e lhes contar cada detalhe sórdido — pois no segundo seguinte, Alex estava ao seu lado.

— E esta é minha amiga Andy! — A voz de Sophie saía aguda, muito empolgada. — E este é o marido dela... sinto muito, acho que esqueci...

— Este é meu marido, Max.

Para alívio de Andy, sua voz soava firme e reconfortantemente normal, muito embora ela quisesse vomitar. Ocorreu-lhe rapidamente que aquela era apenas a segunda vez que Max e Alex se viam; a primeira fora anos antes, quando os três tiveram aquela conversa constrangedora no Whole Foods — mas essa não contava muito.

— Este é Xander, meu namorado. Eu avisei que seria chato para quem não é do grupo, mas ele não quis ficar sentado em casa sozinho.

— Sério, cara? Porque eu estava louco para fazer exatamente isso. — E Max deu um tapinha nas costas dele. — É um prazer vê-lo de novo.

— Você também — disse Alex, aparentemente tão chocado quanto Andy.

— Vocês se conhecem? — perguntou Sophie, sua testa franzida de preocupação.

Se você soubesse, pensou Andy, *ia precisar de um contêiner de Botox para eliminar essas rugas na testa.*

Confiante de que Max saberia que devia mentir e inventar alguma história sobre trabalho ou uma festa de anos antes, Andy quase desmaiou quando, em vez disso, ele falou:

— É. Alex é ex-namorado da minha esposa.

O queixo de Sophie caiu, e Andy sabia exatamente o que a jovem estava pensando e como se sentia. Sem dúvida estava repassando a lista de confissões repletas de detalhes sórdidos que havia compartilhado com todas na última reunião do grupo, nenhum dos tais detalhes nem um pouco apropriado para alguém que na verdade conhecia o namorado que ela traía. Andy ficou vendo seu choque se transformar em pânico.

Sophie girava a cabeça de Alex para Andy.

— Vocês eram *namorados*?

Os dois apenas assentiram, mas Max estava claramente se divertindo com a situação.

Ele riu e ergueu Clementine no alto, depois abaixando-a para depositar um beijo em seu nariz e então levantando-a de novo enquanto ela ria.

— Bem, acho que *namorar* não é a palavra certa. Eles ficaram juntos por seis anos. Passaram a faculdade juntos. Dá para acreditar? Sorte minha que não se casaram...

— Você é a Andy? Andy-Andy? Andy, da Brown? Andy das ex-namoradas? Ah, meu Deus...

Sophie cobriu a boca com a mão.

— Eu uso Andrea hoje em dia, para ficar um pouco mais profissional.

E parou por aí. O que mais havia para dizer? Ela não sabia se era preocupante ou lisonjeador que Alex tivesse contado tanto a seu respeito para Sophie. O que será que ele lhe contara? E com quantos detalhes? Ela repassou o rompimento deles, que fora inteiramente decisão de Alex; seu anúncio de que ia se mudar para o Mississippi sozinho; como ele temia que ela fosse sempre priorizar o trabalho em detrimento dele; as brigas que passaram a ter quase no instante em que ela começara a trabalhar na *Runway*. As discussões, as mágoas, o ressentimento, o descaso, a resultante falta de sexo e carinho. Será que ele tinha contado tudo isso?

— Acho que vocês ainda não haviam sacado que tinham um, hum... uma pessoa em comum nas suas vidas, não é? — falou Alex, parecendo tão desconfortável quanto Andy.

— Não, não mesmo — respondeu Sophie, todo o entusiasmo anterior completamente desaparecido.

— Como poderíamos? — falou Andy, da forma mais despreocupada que conseguiu. — Eu só o conheço como Alex, e, apesar de saber que ele tinha uma namorada, não sabia o nome dela.

— E *eu* não sabia que a famosa Andy tinha um filho — rebateu Sophie, apesar de não ter sido intenção de Andy fazer seu comentário soar como escárnio. Sophie virou-se para o namorado e o olhou com raiva. — Você não me contou nem que Andy tinha se casado, muito menos que tinha uma filha.

— Por falar no dito bebê — Alex afrouxou o colarinho da camisa, que não parecia nem um pouco apertado, e fez um gesto na direção de Clementine —, ainda não tive a chance de conhecer sua filha.

Max virou Clem nos braços, e, como se entendesse seu papel ali, ela abriu um largo sorriso banguela.

— Esta é Clementine Rose Harrison. Clem, estes são nossos amigos Sophie e... Xander.

— Ela é linda — murmurou Alex, sua sinceridade tornando uma situação impossível ainda mais desconfortável.

— Ela é uma fofa — disse Sophie, olhando em volta em uma clara tentativa de encontrar uma fuga. — Ainda não falei com meu irmão nem com Lola. Vocês me dão licença?

E se afastou antes que qualquer um dos três pudesse responder.

— Puxa, isso foi constrangedor — falou Max, um brilho de travessura faiscando em seus olhos. — Espero que não tenha dito nada errado.

— É claro que não — falou Andy, sabendo exatamente o que ele pretendia.

— Acho que ela só ficou surpresa ao ligar os pontos — tentou Alex.

Anita e seu marido roqueiro retomaram o concerto para bebês no tapete, e uma empregada veio anunciar que o brunch estava sendo servido na sala de jantar.

— Vou deixar vocês dois botarem o papo em dia — falou Max, içando Clem para seus ombros. — Esta aqui quer voltar para a música, não quer, meu amor?

Houve um momento de silêncio depois que Max saiu. Alex ficou olhando para os pés; Andy torcia nervosamente o cabelo. As únicas palavras passando por sua cabeça eram *conte a ele, conte a ele, conte a ele.*

— Ela é linda, Andy.

Por uma horrível fração de segundo, Andy achou que ele estava falando de Sophie.

— Ah, Clem? Obrigada. É, vamos ficar com ela.

Alex riu, e Andy não pôde deixar de sorrir de volta. Era uma risada tão natural, tão relaxada.

— Estranho que você e Soph se conheçam, não é? Ela sempre me contava sobre esse grupo de bebês que levava a Lola, que acho que não é exatamente o que ela esperava. Mas, bem, eu nunca fiz a ligação.

— Nem eu. Nem tinha como. São milhares e milhares de novas mães em Manhattan. Não tinha por que pensar que estaríamos no mesmo grupo. Ainda mais que Sophie nem é mãe...

Ela percebeu que essa última parte soou agressiva ou acusatória ou inquisitiva ou possivelmente todos os três.

— Não diga isso a ela — disse Alex, rindo. — Sophie esquece que é só tia da Lola. E agora ela só sabe falar sobre bebês... Se fosse por ela, não demoraria muito a ser mãe também.

Foi a vez de Andy olhar para o chão. De repente ela precisava desesperadamente estar em qualquer outro lugar que não ali.

— Desculpe — disse Alex, colocando a mão no ombro dela.

— Isso foi esquisito? Informação demais? É só que é tudo tão novo para mim...

Andy fez um gesto tranquilizador.

— Somos adultos agora. Faz anos que nos separamos. É natural que a gente tenha seguido em frente com as nossas vidas.

A música parou subitamente, fazendo com que as palavras de Andy ecoassem pelo salão. Mas só Sophie e Max se viraram para olhar.

— Acho que vou pegar um pouco de comida — falou Andy.

— É uma boa ideia. Vou me despedir logo, então. Só passei para conhecer todo mundo, mas tenho, hã, umas coisas para fazer.

Os dois assentiram, fingindo aceitar a desculpa, e trocaram beijos formais no rosto. Andy conseguiu ficar de boca fechada: se eles mal conseguiam conversar, sem extremo constrangimento, sobre o fato de ela ter uma filha, como ela poderia anunciar casualmente que a namorada dele o estava traindo com o aluno dela de fotografia?

Andy foi direto para a sala de jantar, e por um momento a incrível mesa de comida à sua frente conseguiu distraí-la daquilo tudo. O "brunch" de sua anfitriã disputava de igual para igual com uma festa de casamento no Ritz-Carlton, contando até com uma escultura de gelo no formato de um sapo. Bandejas de prata em cima de réchauds a gás ofereciam montanhas de ovos mexidos, bacon, panquecas e waffles. Havia uma meia dúzia de tipos de cereal, assim como jarras de leite desnatado, integral ou de soja, e um bar de frutas com fatias de melancia, cachos de uvas, bananas, kiwis, abacaxis, toranjas cortadas ao meio, cerejas, melão em cubos, morangos e framboesas. Ao lado fora instalado um bufê especial para bebês, com minipratos de frutas cortadas em pedacinhos minúsculos, toneladas de iogurte vitaminado de todos os sabores com colherinhas para bebês, pacotes de bolachas e tigelas e mais tigelas de cereal orgânico especial para crianças pequenas. À direita, em uma mesa separada, um barman fazia mimosas, Bloody Marys e Bellinis com polpa de pêssego fresco. Uma mulher uniformizada entregou a Andy um prato e um conjunto de talheres; um homem também de uniforme perguntou se a convidada gostaria que o chef lhe fizesse uma omelete ou uma fritada. Só então

Andy percebeu que o brunch casual tragam-seus-maridos era na verdade um megaevento.

— Uau, isso é fantástico — disse Max, aproximando-se dela e olhando a comida. — Acho que podemos nos acostumar a viver assim, não acha?

Andy optou por ignorar a segunda parte do comentário.

— Valeu a pena perder o começo do jogo dos Jets? — perguntou ela.

— Quase.

Não houve mais menção a Alex ou Sophie. Andy não sabia se Max não queria falar a respeito ou se realmente não se importava, mas não era ela que ia tocar no assunto. Revezaram-se em segurar Clementine e comer, empanturrando-se descaradamente enquanto faziam tentativas desanimadas de conversar com os outros pais. Quando Max lhe lançou o olhar de "Vamos?", meia hora depois, Andy não discutiu.

Ao chegarem em casa, Max gentilmente se ofereceu para colocar Clementine para tirar sua segunda soneca e ficar em casa para assistir ao jogo se Andy quisesse correr para a manicure que vinha tentando encaixar em sua agenda fazia uma semana. Não importava que na verdade ela tivesse feito isso no dia anterior (os homens nunca reparavam nessas coisas); sim, ela queria sair. Em menos de dez minutos, estava instalada a uma mesa no Café Grumpy e ao telefone com Lily.

— Foi errado não contar para ele, não foi? Eu devia ter dito alguma coisa.

— É claro que você não devia ter contado! — A voz de Lily tinha subido várias oitavas. — De onde você tirou essa ideia?

— Eu conheço Alex desde a faculdade. Ele foi meu primeiro amor. Acho que vou amá-lo para sempre. Vejo Sophie uma vez por semana, e a conheço faz só alguns meses. Não acho que ela seja uma pessoa terrível, acredite você ou não, mas simplesmente não sinto que devo lealdade alguma para com ela.

— Nada disso vem ao caso. Este assunto não é da sua conta, só isso.

— Como assim, não é da minha conta?

O pequeno Skye urrou ao fundo. Lily pediu para ela esperar, botou o telefone no mudo e voltou um minuto depois.

— Seja lá o que está ou não acontecendo com Alex e a namorada dele, isso não diz respeito a você. Você é uma mulher casada com uma filha para criar, e quem está traindo quem não é problema seu.

Andy suspirou.

— Você não ia querer saber se Bodhi estivesse tendo um caso? Você é minha amiga, e eu não hesitaria em contar.

— É, mas a diferença é que eu sou sua *amiga*. Alex *não* é seu amigo. Ele é seu ex. E o que acontece ou não no quarto dele não é da sua conta.

— Você é muito engraçada, sabia disso, Lil?

— Sinto muito. Só estou lhe dizendo a verdade.

Andy perguntou por Bodhi, Bear e Skye e desligou o mais rápido possível. Emily não atendeu o celular, então ela ligou para o número de Miles, pois sabia que ele havia acompanhado a esposa a Chicago para uma reunião com um potencial anunciante e que iria para Los Angeles depois que Emily pegasse o voo de volta para casa.

Miles atendeu no primeiro toque.

— Ei, Miles. Desculpe incomodá-lo, mas é que não estou conseguindo encontrar Emily. Sabe onde ela está?

— Está bem aqui ao meu lado. Falou que está ignorando você. Estamos pegando um carro alugado neste instante.

— O voo foi tão ruim assim?

— Só estou repassando o que ela falou.

— Bem, diga a ela que a namorada de Alex está no meu grupo de mães e que ela está dormindo com o próprio aluno que mal saiu da faculdade.

Andy ouviu Miles dando o recado. Como ela já imaginava, Emily pegou o telefone. Independentemente das tensões a respeito do Elias-Clark, a amiga ia devorar aquela fofoca.

— Explique, por favor. Eu nunca soube que Alex tinha um filho. O que, considerando que você ainda está obviamente obcecada por ele, é uma informação e tanto para se omitir.

Andy não sabia se devia ficar mais irritada com a acusação de Emily ou com o fato de Miles estar ali ouvindo.

— Miles pode escutar você?

— Não, eu me afastei. Agora comece a falar.

— Ele não tem um filho. O nome da namorada dele é Sophie, e, aliás, ela é linda. O bebê é a filha do irmão dela, uma menininha muito fofa chamada Lola. Como a cunhada de Sophie tem um horário de trabalho péssimo, Sophie leva Lola ao grupo de mães de primeira viagem. Acho que ela pensou que era mais um grupo para os bebês brincarem entre si do que um grupo de apoio para as mães, mas mesmo assim...

— Entendi. E como você sabe que ela está transando com o aluno dela?

— Ela me contou. Contou para todas nós, quero dizer. Tecnicamente, ela alega que eles não estão realmente dormindo juntos, mas com certeza fizeram algumas coisas inapropriadas...

— Então você está me dizendo que sabe isso *de fato*, diretamente da boca de Sophie, e não disse uma palavra a ele?

— É.

— E por que não?

— Como assim, por que não?

— Não acha que é uma informação relevante?

— Acho. Só não sabia se era da minha conta.

Emily ganiu.

— Não é da sua conta? Ah, pelo amor de Deus, Andy, pare de ser tão boazinha e pegue o telefone. Ele vai ser eternamente grato a você, eu garanto.

— Não sei, não. Você acha mesmo...

— Sim, acho. Vou desligar agora porque tenho duas horas de estrada pela frente depois do meu terceiro voo em uma semana e estou a ponto de matar alguém.

— Me mantenha informada — falou Andy, mas Emily já havia desligado.

Ela pediu um copo de água gelada e ficou olhando para o vazio. Será que deveria telefonar e contar a ele? Como exatamente ele ia enxergar esse gesto dela? Ficaria chocado, magoado, humilhado. Por que deveria ser ela a dar uma notícia tão devastadora? Ou, ainda pior: e se na verdade não fosse novidade para ele? Quem podia dizer que ele já não sabia, não havia descoberto o caso sórdido sozinho ou recebera uma confissão chorosa de Sophie? E se, muito pior, eles estivessem em alguma espécie de relacionamento aberto e, apesar de Sophie se sentir culpada por tê-lo levado a cabo, ela não estivesse tecnicamente fazendo nada de errado? Aí Andy sem dúvida estaria sendo a ex-namorada intrometida, e qualquer avanço que ela e Alex tivessem feito nos últimos tempos no sentido de se reaproximarem e possivelmente até aprenderem a ser amigos de novo estaria sólida e perpetuamente anulado.

Parecia um erro terrível em todos os níveis, mas ela ia ficar de boca fechada. Estava ficando boa nisso.

Foi por você

21

Max colocou uma xícara de café na frente de Andy e voltou à máquina para fazer um para si mesmo.

Andy empurrou a xícara para longe e gemeu.

— Prefere um chá?

— Não, não quero nada. Minha garganta parece cheia de giletes.

— Achei que fosse passar em 24 horas. Não foi o que o médico disse?

Andy assentiu.

— É. Mas o da Clem durou três dias inteiros e eu estou entrando no quarto. Então não sei se acredito nele.

Max beijou o topo de sua cabeça, como se beijasse um cãozinho, e falou, com solidariedade:

— Pobrezinha, você está ardendo em febre. Não está na hora do Tylenol?

Ela enxugou uma gota de suor do lábio superior.

— Só daqui a uma hora. Eu devia aproveitar para mudar a mensagem da secretária eletrônica. Essa voz é sexy, não é?

— Você parece que vai espalhar a peste negra — comentou ele enquanto enfiava alguns papéis na pasta. — Posso fazer mais alguma coisa por você antes de sair?

Andy apertou o roupão de banho em volta do corpo, mas imediatamente voltou a afrouxá-lo.

— Acho que não. Isla já deve estar chegando. — Ela engoliu em seco com dor, fazendo uma careta. — Eu realmente devia tentar ir ao escritório hoje. Emily ligou três vezes ontem, sempre sob o pretexto de perguntar como estou, mas eu sei que ela só quer conversar sobre o Elias-Clark. Vamos almoçar amanhã para tomarmos uma decisão de uma vez por todas.

Nos quatro dias que haviam se passado desde o jantar de Miranda, tanto Emily quanto Andy pareciam sentir que nunca iriam concordar em relação à venda. Estavam se fazendo de duronas agora, tentando ver qual das duas fincava o pé com mais força...

E Andy sabia de que lado seu marido estava.

Max parou o que estava fazendo e virou-se para ela.

— Bem, sem dúvida você não está em condições de ir ao escritório, mas eu posso entender por que ela quer conversar...

Algo na voz dele fez Andy erguer o olhar. Ele vinha perguntando sutilmente fazia semanas, demonstrando mais interesse do que jamais demonstrara em seu trabalho, e nos últimos tempos vinha deixando de lado a sutileza, fazendo perguntas a todo momento, e, desde o jantar com Miranda, insinuando que Andy estava sendo uma idiota. Ele nunca dissera isso, é claro, porém sua mais nova palavra favorita era *míope*.

Andy permaneceu calada. Queria lhe perguntar até que ponto o apoio dele à ideia de vender estava relacionado com os interesses da Harrison Media, mas sabia que aquela não seria uma conversa produtiva.

— É uma honra e tanto uma oferta como essa. Sem mencionar que é um preço muito justo também.

— Você já disse isso.

Umas mil vezes.

— Só acho que é uma oportunidade única na vida — insistiu Max, sem desviar o olhar.

Ela desembrulhou uma bala de gengibre e a jogou dentro da boca.

— Hum, onde foi que eu ouvi isso antes?

Seu tom deve ter deixado claro que a conversa havia acabado, porque Max beijou Clementine, disse a Andy que a amava e saiu. Outra onda de calor a percorreu, e, sem querer deixar o bebê sozinho na cadeira alta mas sentindo-se muito tonta para mudá-la de lugar, se jogou no chão ao lado da filha. Alguns minutos depois, Isla chegou e Andy quase a abraçou. Ela pôde, finalmente, voltar para o quarto, vestir um pijama limpo e mergulhar em um sono febril e ainda assim profundo e sem sonhos. Acordou com o barulho de Stanley latindo para a porta do apartamento.

Foi tropegamente até a cozinha, esfregando o sono dos olhos. O cochilo havia ajudado; ela se sentia melhor.

— Quem era? — perguntou a Isla, que estava esquentando uma mamadeira.

— Um mensageiro, eu acho. Aqui, ele deixou isto. — E lhe entregou um envelope pardo em que estava escrito *Fotografias: Não Dobre!* dos dois lados.

— Ah, é. Eu tinha esquecido que isso ia ficar pronto hoje.

Ela puxou de dentro do envelope um maço de fotos acetinadas de vinte por vinte do casamento de Olive. O bilhete de Daniel dizia: *Espero que goste tanto quanto gostamos. Eu ia mandar para E., mas ela vai passar o dia em Chicago. Pode por favor repassá-las para ela? Depois me digam o que acharam.*

Andy sentou-se à mesa da cozinha com uma xícara de chá de camomila e espalhou a dúzia de fotos à sua frente. Seu sorriso aumentava à medida que ela passava as imagens: eram, em uma só palavra, espetaculares.

Mandou uma mensagem de texto para Emily. *Recebi agorinha as fotos da Olive. Fantásticas. Vão ser um sucesso. Bjs.*

A resposta veio instantaneamente. *Perfeito! C/ o pessoal da Rolex agora. Pode mandar pelo boy p/ minha casa? Preciso para a reunião amanhã cedo. Bjs.*

Andy escreveu de volta, *pode deixar*, e abriu seu laptop para começar a escrever sobre as núpcias de Olive. Era mais fácil fazer isso quando ela havia de fato comparecido ao casamento, mas as anotações de Emily eram bem abrangentes. Andy lhe mandara por e-mail uma lista de três páginas de elementos a observar — ou, ainda melhor, se tivesse oportunidade, perguntar a alguém —, e Emily se saíra mais do que razoavelmente bem.

Isla trouxe Clem para dar um beijo na mãe antes de irem ao parquinho brincar, e depois disso o apartamento foi abençoado com um delicioso silêncio — perfeito para uma sessão de três horas inteiras de trabalho, depois dos dois dias que ela passara doente. Quando Isla finalmente voltou com Clem, Andy sentia-se quase curada, e, o que era ainda melhor, havia escrito mais da metade da matéria. Pegou a filha no carrinho e a cobriu de beijos.

— Estou me sentindo bem melhor — disse ela a Isla, que a olhou meio desconfiada.

— Tem certeza? Porque eu posso ficar até mais tarde hoje, se precisar.

— Não, sério, estou quase boa. Vou colocá-la para dormir agora, e depois vai estar na hora do jantar antes que eu me dê conta. Obrigada por tudo.

Clementine dormiu por uma hora e meia, acordando pouco depois das três, com suas deliciosas bochechinhas rosadas e seu enorme sorriso banguela. Era um alívio enorme vê-la saudável de novo; ver a pobre criança vomitando ou chorando fazia Andy sentir as próprias entranhas se retorcendo de dor também. Ela estava prestes a telefonar para Agatha para pedir um portador, mas, ao olhar para fora e ver o dia esplendidamente ensolarado de outubro, decidiu que seria gostoso fazer uma caminhada até a casa de Emily.

— Quer vir comigo? Mamãe vai sair de casa pela primeira vez em 36 horas! É claro que você quer vir também.

Vestiu uma calça jeans e um suéter e acomodou a filha sob o mosquiteiro do carrinho. O ar estava fresco e revigorante, quase revitalizante, e foi ótimo fazer Clem rir com caretas bobas enquanto andavam. Ela ficou olhando para o sorriso da filha e soube, com mais certeza do que tivera nos vários meses desde que haviam recebido a oferta pela primeira vez, que não podia, sob circunstância alguma, passar outro ano de sua vida trabalhando para Miranda Priestly. Já era horrível o suficiente quando ela era jovem e solteira, mas de jeito nenhum poderia tolerar o telefone tocando sem parar, as exigências implacáveis, os pedidos contínuos que inevitavelmente a afastariam de casa, de Max e de Clementine em especial. Ela e Max estavam começando a se ajustar à vida com um filho, e as coisas entre eles dois estavam boas — não perfeitas, mas que casamento era perfeito? Ela estava feliz. Eles eram pais excelentes e parceiros de verdade e ele era um pai tão atencioso e amoroso para sua filha quanto ela jamais poderia ter esperado. Até mesmo em relação à carreira as coisas iam bem: em nenhum outro lugar ela podia imaginar ter a sorte de um horário tão flexível, em que trabalhava mais quando estavam fechando uma edição e diminuía o ritmo quando o cronograma de produção ficava mais devagar. E Emily ainda era sua melhor amiga, apesar de tudo. Elas haviam trabalhado muito para apenas fazerem as malas e voltarem correndo para o Elias-Clark — não quando tinha certeza de que poderiam vender a revista para uma outra pessoa, uma menos insana. Seria doloroso, mas Andy sabia o que dizer a Emily. Estava na hora. Assim que se sentassem para o almoço no dia seguinte, ela diria de cara: o acordo não vai ser fechado.

Era difícil manobrar o carrinho pelos cinco degraus da calçada até a porta do prédio de Emily. Como ela nunca percebera aqueles degraus antes? Era uma loucura quanto tempo fazia desde a última vez que Andy fora ali — dois meses? Três? Houve uma época, antes de Clementine e até mesmo de Max, em que ela praticamente acampara no sofá

de Emily. Ficavam as duas devorando sushi e quilos de eda-
mame, discutindo e rediscutindo suas vidas nos mínimos
detalhes.

Apesar de Emily ainda estar em Chicago, ou talvez a caminho de casa, e Miles estar em Los Angeles gravando seu
novo programa de TV, Andy não conseguia simplesmente pegar a cópia da chave que Emily lhe dera e entrar sem bater.
Ela bateu na porta vermelha, que dava quase direto na sala,
e estava prestes a girar a maçaneta quando ouviu sons vindos
lá de dentro. Risos? Conversa? Não sabia dizer quem ou por
que, mas com certeza havia gente lá dentro. Bateu de novo.
Nenhuma resposta.

onde você está?, escreveu ela para Emily.

A resposta foi imediata: *prestes a decolar do o'hare. Ainda
adora as fotos?*

e Miles?

em LA até amanhã. por quê? tá tudo bem?

sim, tudo bem.

Seria a televisão? Será que a faxineira vinha dormindo ali
enquanto os donos estavam fora? Seriam amigos, hospedados
durante a ausência deles? Andy colou a orelha na porta. Não
conseguia distinguir nada com clareza, mas ainda assim sabia — simplesmente *sabia* — que havia alguma coisa errada.
E, se tivesse que apostar, apostaria que Miles tinha mentido
para Emily e estava dormindo com uma garota. Nem Max
nem Emily jamais haviam confirmado de fato que Miles a
traía, mas todo mundo sabia.

Sem pensar nas ramificações da sua decisão — mais importante, sem levar em conta o que diria a Emily quando suas
suspeitas fossem confirmadas —, Andy girou a maçaneta e
empurrou a porta. Assim que tirou a cadeirinha do carrinho,
Clem soltou um pequeno grito de prazer e começou a chutar.
Andy seguiu o olhar da filha até a sala e não ficou surpresa ao
ver Miles deitado no sofá, parecendo amarrotado e possivelmente de ressaca em uma camisa xadrez e uma calça de veludo

cotelê puída. Só quando avançou mais alguns passos foi que viu quem estava sentado na frente dele: Max.

Eles todos falaram ao mesmo tempo.

— Desculpem! Entrei com a minha chave, estava batendo e ninguém...

— E aí, Andy! Quanto tempo, hein? Traga Clem até aqui para dizer oi para o tio dela...

— Andy? O que está fazendo aqui? Está tudo bem com Clem? Você sabe que...

E então todos pararam ao mesmo tempo. Andy foi a primeira a voltar a falar:

— Acho que vocês não me ouviram bater. Só passei aqui para deixar essas fotos para Emily. Ela vai precisar para uma reunião amanhã cedo.

Ela pegou Clementine do carrinho e entrou na sala. Max correu para ficar de pé e beijar as duas. Andy examinou o terno dele, sua pasta e a expressão tensa em seu rosto, e teve que se conter para não perguntar a ele na frente de Miles por que saíra tão cedo do escritório. Seu marido vinha enfrentando um período particularmente pesado no trabalho, ela sabia disso, e fazia semanas que ele não chegava em casa antes das oito ou nove. Perder a hora de Clem dormir era uma tortura para Max, mas ainda assim ali estava ele, relaxado, na sala de Miles em pleno fim de tarde, tomando um suco com cara de quem acabara de ser pego de calças na mão.

Clem guinchou de novo quando o pai esticou-se para pegá-la, mas algo fez Andy abraçar a filha com mais força. Ela voltou-se para Miles.

— Bom, e aí, o que me conta? — perguntou ela, tentando parecer casual.

Ninguém estava oferecendo explicações para o fato de Max não estar no trabalho e Miles não estar em Los Angeles. Por que os dois tinham no rosto uma expressão de inegável culpa?

— Nada de mais — disse Miles, apesar de seu tom sugerir que era exatamente o contrário. — Aqui, me dê isso. Vou entregar para Em assim que...

— Vai me entregar o quê?

A voz de Emily chegou à sala uma fração de segundos antes de a própria aparecer, trazendo uma pilha de pastas de arquivo, blocos pautados e uma garrafa d'água. Estava de moletom, meias grossas e óculos, um cabelo seboso amarrado sem glamour no alto da cabeça e sem um pingo de maquiagem no rosto. Um lixo, basicamente.

Tão surpresa ficou Andy ao vê-la ali que quase se esqueceu da mensagem que Emily lhe enviara apenas minutos antes alegando estar prestes a decolar de Chicago. E então ela viu a própria presença se refletir no rosto da amiga, primeiro em forma de choque e, depois, de pânico.

— Andy! O que está fazendo aqui? — perguntou Emily, parecendo tão estupefata quanto Andy.

— O que *eu* estou fazendo aqui? Vim trazer as fotos. O que *você* está fazendo aqui?

Silêncio absoluto. Ela notou, horrorizada, que os três trocavam olhares.

— O que está acontecendo? Tem alguma coisa errada. — Ela se virou para Max. — Você está doente? Aconteceu alguma coisa no trabalho?

Mais silêncio.

Por fim, Max falou:

— Não, Andy, não, hã... não é nada disso.

— Bom, vocês com certeza não estão planejando uma festa surpresa para mim. Então por que todo o segredo?

Uma nova troca de olhares.

— É melhor alguém começar a falar, porque isso está ficando muito estranho.

— Bem, então acho que devemos dar os parabéns — falou Miles, correndo a mão pelo cabelo. — Porque parece que você e Emily são oficialmente empresárias bem-sucedidas. Sem falar que ganharam uma bela grana...

— Miles! — exclamou Emily, de forma cortante, lançando um olhar mortal para o marido.

— Como disse?

Andy deu tapinhas nas costas de Clem enquanto examinava a sala. Max começou a olhar em volta procurando seu casaco.

— Querida, por que não levamos Clem para casa? Deve estar na hora do jantar dela. Eu explico tudo depois, está bem?

Mas Andy balançou a cabeça.

— Ela não está com fome. Quero que me digam o que está acontecendo. Emily? O que ele quis dizer com "oficialmente empresárias bem-sucedidas"?

Ninguém falou nada.

— Emily? — insistiu Andy, sua voz cada vez mais histérica. — *O que ele quis dizer com isso?*

Emily fez um gesto para Andy se sentar, e ela própria fez o mesmo.

— Nós assinamos o contrato.

— Vocês *o quê*? Quem é "nós"? Que contrato? — E então ela entendeu. — Com o Elias-Clark? *Você nos vendeu?*

Mais uma vez Max estava ao seu lado, primeiro tentando pegar Clem e, quando Andy se recusou a largá-la, empurrando a esposa na direção da porta.

— Venha, querida. Eu explico tudo no caminho para casa. Vamos pegar o bebê...

Ela se virou para ele com olhos fulminantes.

— Pare de tentar me fazer calar a boca e me diga que diabos está acontecendo. Você sabia sobre isso? Você sabia que ela simplesmente ia assinar o meu nome **e** *deixou*?

Emily sorriu de forma doce e paternal, de um jeito que sugeria, sem dizer uma palavra, que Andy estava exagerando absurdamente.

— Andy, querida, você não pode ficar zangada comigo por eu lhe permitir ganhar uma pequena fortuna. Não se lembra de tudo que falamos? Você vai ter novamente o tempo e a liberdade para escrever o que quiser e quando quiser, vai poder ver Clementine mais vezes...

— Não foi isso o que falamos. — Andy estava cada vez mais incrédula. — Isso foi o que *você* falou, e eu discordei. Mais tempo? Em que planeta você vive? Eu vou ser refém! Nós duas!

Emily bateu nas costas do sofá com a mão.

— Andy, você está sendo tão tacanha a respeito desta situação toda. Tão míope. — *De novo aquela palavra.* — Todo mundo concordou que era sem dúvida o certo a se fazer, e eu tomei a decisão. Não vou pedir desculpas por proteger os nossos interesses.

Andy não podia acreditar no que estava ouvindo. Era impossível. Nada batia, não fazia o menor sentido. Lágrimas de raiva apertavam sua garganta.

— Eu não vou fazer isso, Em. Você vai ter que ligar para eles agora mesmo e dizer que forjou a minha assinatura e que o acordo está desfeito. Neste exato segundo.

Andy viu Emily lançar para Max um olhar que parecia dizer: *Você vai contar a ela ou conto eu?*

Clementine começou a chorar. Andy teve que se segurar para não chorar junto.

Emily revirou os olhos.

— Eu não *forjei* a sua assinatura, Andy. Max assinou.

Andy virou a cabeça de repente para Max, que parecia em pânico, bem no momento em que Clementine urrou, as mãozinhas minúsculas fechadas, a boca escancarada, a língua enrolada.

— Andy, me dê o bebê — disse Max, com sua voz mais tranquilizadora.

— Tire suas malditas mãos de cima dela — sibilou Andy, afastando-se dele.

Ela enfiou a mão no bolso da calça e ficou aliviada ao encontrar uma chupeta, com alguns fios do jeans, mas razoavelmente limpa. Clem fechou a boca com voracidade ao redor do bico e se acalmou.

— Andy — cantarolou Max, suplicante —, me deixe explicar.

O nojo a atingiu como um choque elétrico. As palavras, o tom suplicante, o olhar de contrição... era tudo demais para suportar.

— Como pode existir uma explicação para você ter *forjado a minha assinatura* em um contrato que você sabia que eu não apoiava?

— Andy, meu amor, não vamos perder a cabeça. Eu não *forjei* a sua assinatura. Eu nunca faria isso.

Emily assentiu.

— É claro que não.

— Então o que exatamente você fez? Porque eu tenho plena certeza de que não assinei nada.

— Não é nada tão terrível, Andy. O meu investimento inicial me dava direito a 18 por cento da *Plunge*, como tenho certeza de que você se lembra. Então, na verdade...

— Ah, meu Deus, você não fez isso.

E, de súbito, ela compreendeu. O termo de acordo quando elas haviam incorporado e aceitado o capital inicial de seus investidores fora claro como água: Andy tinha um terço; Emily, um terço; e seus investidores, juntos como um grupo, um terço. Do terço dos investidores, mais da metade estava nas mãos de Max, que possuía 18 por cento do total da empresa. Nem Emily nem Andy haviam se preocupado com isso na época, já que tinham o controle completo da empresa — juntas, suas partes podiam ganhar de qualquer um —, mas Andy nunca, jamais considerara a possibilidade de Max ficar do lado de Emily. Concordar com ela, sim. Tentar influenciar Andy, sim. Mas chegar a ponto de eliminar a esposa inteiramente da decisão e assinar o contrato de venda sem lhe comunicar nada? Nem em um milhão de anos. Bastava um cálculo rápido para ver que, de fato, a soma das partes de Max e Emily lhes davam pouco mais que 51 por cento.

— Fiz isso por você — disse Max, com o rosto sério. — Essa é uma oportunidade incrível para vocês duas, ainda mais depois do tanto de trabalho que investiram neste projeto. Chances como esta não aparecem todo dia. Eu não queria que depois você se arrependesse de não ter aceitado.

Mais uma vez ele tentou tocá-la, e novamente ela se afastou.

— Você me enganou — falou ela, a verdade atropelando-a como uma avalanche. — Você sabia muito bem qual era a minha posição nesta história e simplesmente ignorou o que eu queria. Você ficou *contra* mim! Agiu pelas minhas costas!

Max teve a audácia de parecer ofendido.

— Você acha que eu a enganei? — disse ele, com ar chocado. — Eu só estava defendendo os seus interesses.

— Os *meus* interesses? — Andy percebeu que estava berrando, mas era incapaz de baixar a voz ou fazê-la soar menos histérica. A ira que ela sentia a assustava; mais que o choque ou a tristeza, o tsunami de raiva ameaçava afogá-la. — Você não pensou nem por um segundo no *meu* interesse, ou nunca teria feito isso. Nada disso. Estava pensando em si mesmo e na empresa do seu pai e no nome da sua família. Nada mais, nada menos.

Max olhou para os próprios pés, depois nos olhos dela.

— A empresa da *nossa* família — corrigiu, baixinho. — E o nome da *nossa* família. Eu fiz isso por todos nós. Por Clementine também.

Se Andy não estivesse segurando a filha, poderia ter batido nele. Não sendo possível fazer isso, ela apenas apertou Clem contra o corpo e disse:

— Você é doente por sequer pensar isso.

Emily suspirou, como se aquilo tudo fosse apenas exaustivo demais.

— Andy, você está exagerando. Nada vai mudar no próximo ano, ou talvez um pouco mais. Você ainda é a editora-chefe, eu ainda sou a editora-executiva, e tenho certeza de que toda a nossa equipe vai ficar feliz em vir conosco. Ainda podemos ditar as regras. E talvez nunca nem precisemos ver Miranda pessoalmente. Nossa revista vai ser apenas mais uma das muitas do grupo.

Andy virou-se para ela — com a raiva que sentia de Max, quase se esquecera da presença de Emily.

— Você estava lá, Emily. Você viu como ela agiu. Acha mesmo que vai ser fácil assim? Que ela vai aparecer no nosso escritório para uma aula de ioga na hora do almoço ou fazer as unhas no fim da tarde? Acha que vamos tomar champanhe e rir e falar sobre homens?

Emily certamente entendeu o sarcasmo, mas sorriu mesmo assim.

— Vai ser ainda melhor que isso. Prometo.

— Não me interessa o que você promete ou não, porque eu estou fora. Ia lhe comunicar isto amanhã no nosso almoço, mas parece que você não podia esperar.

— Andy... — começou Max, mas ela o interrompeu:

— Não quero ouvir nem mais uma palavra. — Falava com uma voz grave e zangada, seus olhos se estreitando ao máximo. — É a *minha* revista, a *minha* carreira, e você me vem com essa cascata de marido altruísta, gabando-se de que vai me salvar de mim mesma... me enganando para tentar consertar a empresa que a sua família levou para o fundo do poço. Pois sabe de uma coisa? Isso não vai acontecer, não enquanto eu estiver de olho. Vocês podem ir para o inferno.

Emily tossiu. Pela primeira vez durante toda a conversa, ela parecia preocupada.

Andy virou-se para ela.

— Você pode dizer a eles que eu estou fora, ou então digo eu. Pelo visto não posso desfazer esse negócio, mas com certeza posso entregar minha carta de demissão.

Emily a olhou nos olhos, e a energia na sala pareceu mudar. A raiva das duas era palpável, mas Emily parecia prestes a falar algo realmente hediondo. Chegou a abrir a boca, mas então pensou melhor e a fechou novamente. Esquecendo o carrinho, seu celular e tudo o mais, exceto a própria filha, agasalhada em seus braços, Andy virou-se e saiu a passos largos pela porta.

Detalhes, detalhes

22 Sem fôlego por ter corrido quase o caminho inteiro até em casa e à beira de um colapso nervoso, Andy mal conseguiu cumprir a rotina noturna de Clementine: deu um banho superficial na pia da cozinha, botou uma fralda noturna, vestiu-a com um pijama com pezinhos e lhe deu uma mamadeira, tudo sem chorar. Só quando Clem estava tranquilamente instalada no berço, com as luzes apagadas e a babá eletrônica ligada, foi que Andy se permitiu perder o controle. Apesar de estar em casa fazia apenas uma hora, parecia uma década, e ela ficou imaginando como enfrentaria a longa noite que tinha pela frente. Como não queria que Max a visse chorar, trancou a porta do banheiro e ficou debaixo do chuveiro por uns vinte minutos, talvez meia hora, as lágrimas se misturando à água quente enquanto seu corpo se sacudia com os soluços.

Max ainda não tinha chegado quando ela por fim saiu do chuveiro e se vestiu de flanela dos pés à cabeça. Uma olhada rápida no espelho confirmou que seu rosto estava um horror, vermelho, as bochechas inchadas e os olhos injetados. Seu nariz escorria sem parar. A palavra em que ela não se permitira pensar conscientemente nenhuma vez durante aquele período de um ano desde que haviam se casado não parava de se colocar à força no primeiro plano de sua mente: divórcio.

Dessa vez não havia saída. Ela se recusava a dar um único passo a mais.

Lembrando-se de que tinha deixado seu celular na casa de Emily, Andy pegou o telefone fixo e ligou para a irmã.

— Andy? Posso ligar para você amanhã? Estamos no meio do banho aqui. Jared acabou de fazer cocô dentro da banheira, Jake está com febre, Jonah acha que é hilário ver se consegue jogar a água de cocô da banheira para dentro da privada, e Kyle está fora esta noite, em um jantar de negócios.

Andy fez um esforço para soar normal:

— Claro, por que eu não ligo para você...

— Ótimo, valeu. Amo você! — E a linha ficou muda.

Tentou a mãe em seguida, mas a ligação chamou e chamou, e só então Andy se lembrou de que terça-feira era a noite do clube do livro, ou seja, sua mãe só chegaria em casa muito, muito mais tarde, bêbada de vinho e rindo de como mais uma reunião de três horas havia se passado sem nem um só minuto de discussão literária.

Lily foi sua terceira opção. Não queria sujeitar a amiga ao que certamente seria uma conversa longa e lacrimosa, pois sabia que ela sem dúvida estaria ocupada com Bear e Skye, mas não teve jeito. Lily atendeu ao primeiro toque, dizendo "Oi, e aí?" daquele seu jeito animado de sempre, e Andy mais uma vez começou a chorar.

— Andy? Você está bem? Querida? Fale comigo!

— Eu nunca devia ter subido ao altar! — lamuriou-se Andy, vagamente consciente de que Lily não estava entendendo nada, mas incapaz de se conter. Stanley pulou em cima da cama e começou a lamber suas lágrimas.

— Que altar? Andy, o que está acontecendo?

Ela lhe contou tudo.

Lily ficou pasma. Finalmente, falou:

— Sinto muito, Andy. Isso é muita traição.

— Ele ficou contra mim — disse ela, ainda sem conseguir acreditar. — Ele usou um aspecto *tecnicamente* legal e vendeu minha própria empresa sem a minha permissão. Quem faz isso? Sério, que tipo de pessoa?

Suas bochechas estavam molhadas de lágrimas, mas sua garganta estava seca. Ela se serviu de água, bebeu o copo todo e o encheu novamente, dessa vez com vinho branco.

— Ah, Andy, nem sei o que dizer.

— Ainda nem me permiti pensar no fato de que Emily, supostamente uma das minhas melhores amigas, conspirou com meu próprio marido contra mim. Ainda nem consegui processar *isso*.

Da cama, ela ouviu a porta do apartamento se abrir. Sentiu o estômago revirar. Como ia conseguia atravessar os 15 minutos seguintes?

— Ele chegou — sussurrou ela para Lily.

— Estou aqui, querida. A noite toda, a qualquer hora. Está bem? Pegue esse telefone e me ligue a qualquer momento que precisar.

Andy agradeceu e desligou no momento em que Max apareceu à porta. Só de vê-lo ali, posando de contrito, com um monte de tulipas cor de laranja em uma das mãos e uma sacola da Pinkberry na outra, ela caiu no choro de novo. Só que desta vez as lágrimas vieram acompanhadas da atordoante percepção de que ele não era mais seu marido. Andy puxou Stanley ainda mais para perto da perna e enterrou os dedos em seu pelo.

— Juro pela vida da nossa filha que eu nunca tive a intenção de magoar você — falou ele, ainda à porta. — Pela vida dela, Andy. Juro para você. Se não quiser ouvir mais nada que eu disser na vida, por favor ouça isto.

Ela acreditava. Não tinha nenhuma dúvida quanto a isso; por mais difícil que fosse confiar em qualquer coisa que ele dissesse, ela sabia que Max jamais juraria em vão pela vida da filha.

— É bom ouvir isso — disse ela, enxugando as lágrimas. — Mas não muda nada.

Max colocou as flores em cima da cômoda e sentou-se aos pés da cama. Ainda estava de casaco e sapato, como se soubesse que não ia ficar. Ele puxou da sacola da Pinkberry um frozen yogurt tamanho grande, de manteiga de amendoim e chocolate, com pedacinhos de Oreo por cima. Entregou a ela, mas Andy só ficou encarando o marido.

— É o seu preferido.

— Lamento por não estar com muita fome no momento.

Ele enfiou a mão no bolso do casaco e entregou a Andy o celular dela.

— Também trouxe o carrinho para casa.

— Ótimo.

— Andy, eu não saberia nem como começar a dizer o quanto...

— Então não comece. Poupe a nós dois de mais essa infelicidade. — Ela tossiu; sentia a garganta dolorida e inflamada. — Você vai embora agora mesmo — falou, sem perceber a seriedade dessa decisão até ter proferido as palavras.

— Andy, vamos conversar. Temos que fazer um esforço para superar isto. Temos que pensar em Clem. Vamos, me diga o que...

Andy ergueu a cabeça no mesmo segundo. Um surto de raiva a transpassou quando seus olhos encontraram os dele.

— É exatamente em Clem que estou pensando neste instante. Só por cima do meu cadáver ela vai crescer vendo o traiçoeiro do pai dela apunhalando pelas costas a própria esposa. Não a minha filha. Então acredite quando eu digo que é do interesse *de Clementine* que você suma daqui.

Max a olhou com lágrimas nos olhos. E Andy ficou surpresa por não sentir nada. Em todos os anos de relacionamento, ela o tinha visto chorar apenas uma vez, talvez duas, e ainda assim as lágrimas dele hoje lhe provocavam zero emoção. Max abriu a boca para dizer alguma coisa, mas desistiu.

— Eu vou embora — sussurrou ele por fim. — Vou voltar amanhã, e aí poderemos conversar.

Andy o viu sair do quarto e encostar silenciosamente a porta. Alguns momentos depois, ouviu a porta do apartamento se fechar também. *Ele não levou nenhuma roupa*, pensou. *Nem uma escova de dentes ou um par extra de lentes de contato. Para onde será que ele vai? Onde vai dormir?* Sua mente repassou essas dúvidas automaticamente; ficou preocupada, da mesma forma que ficaria com a mãe ou uma amiga ou qualquer pessoa querida com cujo bem-estar ela se importava. Mas assim que se lembrou do que ele havia feito, forçou-se a parar.

Mais fácil falar do que fazer. Apesar de ter conseguido pegar no sono por volta da meia-noite, ela acordou à uma hora imaginando onde Max estaria dormindo; às duas, pensando em como contar a seus pais e a Jill; às três, tentando prever o que Barbara diria; às quatro, remoendo a traição de Emily; às cinco, se perguntando como conseguiria ser mãe solteira; e às seis, finalmente despertando de vez, as lágrimas já secas mas com a cabeça latejando pela falta de sono e a mente imaginando sem parar as piores consequências possíveis. Seu crânio inteiro doía, da nuca até o entorno das órbitas oculares, e seu maxilar estava quase travado depois de ter rangido os dentes a noite inteira. Ela não precisava se olhar no espelho para saber que o rosto estaria vermelho e os olhos, injetados e inchados, a ponto de fazê-la parecer doente ou clinicamente deprimida — nenhum dos dois muito distante da realidade. Só quando pegou Clem do berço e encostou o nariz na penugem de pêssego que era o cabelo dela é que se acalmou um pouco; ver a filha tomando vorazmente a mamadeira, senti-la aninhada nos braços, envolta em lã, e inspirar o cheiro de sua pele sedosa eram as únicas coisas na Terra capazes de fazê-la sorrir naquele momento. Ela beijou a bebê, sentiu o delicioso cheiro de seu pescoço e a beijou novamente.

Quando o telefone tocou, às seis e meia, ela o ignorou com a maior satisfação, mas quase deu um pulo de susto quando a campainha tocou também. A princípio pensou em Max, mas descartou a ideia de imediato: por mais intensa que fosse a crise que estavam vivendo, aquela ainda era a casa dele e Clem era a filha dele e Max nunca, jamais, iria tocar a campainha. Não conseguiu pensar em mais ninguém que sequer estaria acordado àquela hora, que dirá aparecendo em seu apartamento, e, mesmo que aparecesse, o porteiro teria interfonado. Sua pulsação se acelerou um pouco. Será que havia algo errado? Estava correndo perigo?

Ela colocou Clementine em seu tapetinho e espiou pelo olho mágico. Emily, vestida dos pés à cabeça com roupas de grife para ginástica — tênis, legging, moletom rosa-shocking, colete com olho de gato e faixa de cabelo combinando —, estava alongando as panturrilhas. Andy a viu dar uma olhada no celular e revirar os olhos, e então Emily a mandou abrir a porta.

— Eu sei que você está aí. Max foi dormir lá em casa. Precisamos conversar.

Andy queria desesperadamente ignorá-la, ou gritar para que fosse embora, ou dizer para ir se ferrar, mas sabia que nada disso adiantaria. Sem energia ou disposição para resistir, ela abriu a porta.

— O que você quer?

Emily lhe deu dois beijinhos, como sempre fazia, e foi logo entrando, como se aquele fosse um dia normal e a amizade delas não tivesse sido enterrada no dia anterior.

— Por favor, me diga que você tem café pronto — falou Emily, indo direto até a cozinha. — Meu Deus, é brutal acordar tão cedo assim. Como você faz isso todos os dias? Acredita que eu já corri 6 quilômetros? Oi, Clemmie! Oi, querida, você está tão fofa de pijama!

Ao ouvir o próprio nome, Clem parou de olhar para seu móbile por um momento, mas não se virou para presentear Emily com um de seus sorrisos de arrasar corações. Andy telepaticamente enviou um agradecimento à filha.

— Hum, não tem café. Quer que eu faça um para você também?

Emily não esperou pela resposta; pegou uma caneca limpa na máquina de lavar louça, jogou fora a cápsula de café velha, selecionou e colocou uma nova, fechou a tampa e apertou o botão para começar, o tempo inteiro tagarelando sem parar sobre um anunciante que havia lhe telefonado às dez da noite para fazer uma pergunta idiota.

— Você realmente veio aqui para me contar sobre o pessoal da De Beers? Às seis e meia da manhã?

Emily fingiu surpresa.

— É realmente *tão* cedo assim? Que falta de civilidade.

Ela tirou outra caneca da máquina, acrescentou leite às duas e empurrou uma na direção de Andy. Depois de tomar um longo gole, sentou-se à mesa de jantar e fez um gesto para a sócia sentar-se com ela. Embora irritada consigo mesma por obedecer a suas ordens, Andy sentou-se do outro lado da mesa e esperou.

— Só quero que você saiba que eu me sinto muito mal pela forma como tudo isso aconteceu.

Mais uma vez Emily fez uma pausa, examinando o rosto de Andy, que apenas olhava fixo para a frente; tinha medo de acabar matando Emily se permitisse a si mesma pronunciar uma única palavra que fosse.

Emily aparentemente não percebeu nada disso, e continuou:

— Quanto a esse fiasco do contrato... admito que provavelmente não agi da melhor maneira possível, posso me colocar no seu lugar, mas é que eu apenas sabia, no fundo do coração, que depois que você avaliasse direito essa oportunidade incrível, chegaria à mesma conclusão: que não tínhamos como recusar. Eu *sabia* disso, e não queria que perdêssemos a chance por termos demorado um pouco demais para perceber isso. É claro que, quando descobrimos que a edição da Olive estava em perigo, eu soube que precisava agir na mesma hora.

Andy não falou nada. Emily a olhou de soslaio, depois ficou absorta com as cutículas da mão esquerda por um tempo, antes de continuar:

— Ao menos pense nisto: com o que ganhamos com a venda, você pode tirar um tempo do trabalho para ficar com a Clem, viajar, fazer alguns outros projetos pessoais, escrever um livro... o que quiser! Os advogados não conseguiram se livrar daquela cláusula de um ano, mas ofereceram aumentar *significativamente* o preço de compra. E esse um ano vai passar voando, Andy! Não preciso nem dizer como os últimos anos passaram rápido, preciso? Nós duas ainda vamos ter nosso emprego, fazendo o que amamos pela revista que construímos juntas. A única diferença é que vamos fazer isso em um lugar muito mais bonito. Será assim tão horrível?

— Não, não vamos — sussurrou Andy, sua voz quase inaudível.

— Hã?

Emily olhou para ela pela primeira vez em minutos, como se tivesse acabado de se lembrar de sua presença.

— Eu disse que não vamos fazer nada em um escritório muito mais bonito. Nem em escritório algum, na verdade. Eu estou fora. Acabou. Foi o que eu falei ontem, e era sério Vou anunciar minha demissão formal hoje à tarde.

As palavras saíram antes que Andy pudesse pensar direito, mas depois que as pronunciou, não sentiu arrependimento algum.

— Ah, mas você não pode fazer isso! — disse Emily, as primeiras notas de pânico se infiltrando em seus modos até então estranhamente calmos e controlados.

— É claro que posso. Acabei de fazer. De novo.

— Mas está no acordo de venda que nossa equipe editorial sênior deve permanecer por um ano. Se não cumprirmos essa parte, eles têm o direito de anular o contrato.

— Isso realmente não é problema meu agora, é?

— Mas nós assinamos e nos comprometemos com os termos. Se faltarmos à palavra nesse quesito, todo aquele dinheiro pode desaparecer!

— *Nós* assinamos? Você realmente acabou de dizer isto? Você tem uma capacidade incrível de distorcer os fatos, Emily.

É simplesmente inacreditável. Vou dizer uma coisa para nunca mais ter que repetir: nada disso é problema meu, já que não trabalho mais na *Plunge*. Vou pegar a minha porcentagem do preço de venda se você conseguir descobrir um jeito de driblar a cláusula editorial. Senão, pode comprar a minha parte de acordo com os termos do nosso contrato empregatício conjunto. Não me importo muito com o que vai acontecer, desde que eu nunca mais volte a ver você. — Sua voz tremia, e ela tentava não chorar, mas forçou-se a ir em frente. — Você pode ir embora agora. Já terminamos nossa conversa.

— Andy, ao menos me escute. Se você...

— Chega de escutar. Esta é a minha decisão. Estes são os meus termos, e, sinceramente, acho que são bastante generosos. Agora vá embora.

— Mas eu... — Emily parecia arrasada.

Pela primeira vez em quase 15 horas, Andy sentiu algo parecido com calma. Tomar aquela atitude não era fácil nem agradável, mas ela sabia que era o certo a fazer.

— Agora — completou Andy, a palavra soando quase como um rosnado.

Clem ergueu os olhos para a mãe, e Andy sorriu, para que ela soubesse que estava tudo bem.

Emily continuou sentada; parecia que não conseguia compreender o que havia acabado de acontecer, então Andy se levantou, pegou a filha no colo e foi para o quarto.

— Vamos tomar um banho e nos vestir agora. Espero que você tenha ido embora quando acabarmos — gritou ela por cima do ombro, e só parou de andar depois de se trancar com Clem no banheiro.

Um momento depois ela ouviu o ruído de Emily terminando seu café, pegando suas coisas e então a porta da frente sendo aberta e fechada. Ficou atenta a qualquer outro som, e, quando não ouviu mais nada, soltou o ar com força.

Estava acabado. Acabado de vez.

Coroa enxuta de um gato bronzeado

23

Um ano depois...

Da sala de estar, Andy observava sua mãe perambulando pela cozinha, desembrulhando bandejas de frutas e frios, biscoitos e minissanduíches, tirando alguns instantes para rearrumar tudo lindamente em cada bandeja. Nos últimos dois dias, pessoas e bandejas haviam passado pela casa da infância de Andy em um fluxo quase constante, e, apesar de haver tantas outras pessoas dispostas a fazê-lo — amigos, primos, Jill e, é claro, a própria Andy —, a Sra. Sachs insistira em fazer ela mesma toda a preparação para a *shivá*. Alegou que isso a distraía, evitando que pensasse o tempo todo na mãe, nos últimos meses de tanto sofrimento, de camas hospitalares em casa e tanques de oxigênio e quantidades cada vez maiores de morfina. Estavam todos aliviados que o sofrimento da velha senhora houvesse acabado, mas Andy mal podia acreditar que sua nervosinha e atrevida avó tivesse ido embora para sempre.

Ela estava prestes a se juntar à mãe na cozinha quando viu Charles entrar, olhar em volta para ter certeza de que estavam sozinhos e envolver a Sra. Sachs em um abraço por trás. Sua mãe tinha razão: Charles era um homem adorável — gentil, de fala mansa, sensível e carinhoso —, e Andy estava felicíssima por eles terem se encontrado. Namoravam fazia cerca de seis meses apenas, mas, de acordo com sua mãe, quando se está na terceira idade não é preciso anos para conhecer alguém: ou dava certo ou não, e o relacionamento deles fora fácil e tranquilo desde o primeiro dia. Já estavam falando em vender a casa de Connecticut e comprar um apartamento juntos na cidade, e, agora que a avó de Andy não precisava mais de cuidados 24 horas por dia, era de se imaginar que eles logo concretizassem esses planos.

— Ele parece ótimo — falou Jill ao entrar na sala, seguindo o olhar de Andy. Ela pegou um palito de cenoura e começou a mastigar. — Estou muito feliz por ela.

— Eu também. Mamãe está sozinha há muito tempo. Ela merece.

Houve um momento de silêncio enquanto Jill pesava se deveria ou não dizer o que estava pensando e Andy pedia mentalmente que ela não o fizesse. Não teve essa sorte.

— Você também merece alguém, sabe.

— Mamãe e papai se divorciaram há quase uma década. Eu estou... — Andy ainda não conseguia se definir como *divorciada*; parecia estranho demais, esquisito demais. — Max e eu estamos separados faz só um ano. Eu tenho Clem e o meu trabalho e todos vocês. Não estou com a menor pressa.

Jill encheu dois copos plásticos de Coca Diet e lhe entregou um.

— Não estou dizendo que devia se jogar em cima de qualquer um. Só que não iria matá-la ter um encontro. Um pouco de diversão, só isso.

Andy riu.

— Um encontro? — A palavra soava tão exótica; um retorno a uma outra vida. — O meu mundo são parquinhos infantis e infecções de ouvido e inscrições em creches e provas de sapatilhas de balé e esconder legumes em vitaminas. Não sei como seria ter um encontro, mas acho que não incluiria nenhuma dessas coisas.

— Não, é claro que não. Talvez até você tenha que usar outra roupa que não legging, e definitivamente precisaria conversar sobre algo além das vantagens da papinha sobre a mamadeira, mas, novidade: você consegue. Sua filha passa duas noites por semana na casa do pai, você perdeu todos os quilos extras que tinha ganhado na gravidez e, com algumas horas investidas em um corte de cabelo decente e talvez um ou dois vestidos, pode voltar ao mercado. Pelo amor de Deus, Andy, você tem só 34 anos. Sua vida está longe de ter acabado.

— É claro que a minha vida não acabou. É só que eu me sinto perfeitamente feliz com as coisas como estão. Por que é tão difícil entender isso?

Jill suspirou.

— Você está falando igual à mamãe durante todos aqueles anos em que ela ainda não conhecia Charles.

Lily entrou na sala, segurando o braço de sua frágil avó e ajudando-a a se sentar. Jill entregou a Ruth um copo de Coca Diet, mas a velhinha perguntou se não teria uma xícara de café descafeinado. A neta concordou, mas Jill fez um gesto para que ela se sentasse.

— Eu estava mesmo indo fazer um bule fresco. Fique aí e tente colocar um pouco de juízo na cabeça da minha irmã. Andy e eu estávamos discutindo que já está mais do que na hora de ela acabar com essa vida de freira.

— Uau — exclamou Lily, erguendo as sobrancelhas para Jill. — Você conseguiu tocar nesse assunto?

— Pois é. Se a gente não falar, quem vai fazer isso?

Andy sacudiu as mãos como se estivesse tentando chamar um táxi.

— Oi? Alguém percebeu que eu estou sentada bem aqui?

Jill saiu para a cozinha.

— Clem está na casa do Max este fim de semana? — indagou Lily.

Andy assentiu.

— Eu a deixei lá antes de vir. Ela começou a gritar "*Papai! Papai! Papai!*" no segundo em que o táxi encostou no meio-fio. Saiu literalmente correndo e voou para os braços dele sem nem olhar para trás. — Andy balançou a cabeça e sorriu pesarosamente. — Filhos sabem como fazer você se sentir ótima.

— Nem me fale. Ontem, quando levamos os meninos à cidade, Bear perguntou por que tinha um homem dormindo na rua. Tentamos explicar que é por isso que é importante ir à escola e estudar muito, para você poder crescer e arrumar um bom emprego. Já estávamos fazendo uma lavagem cerebral na criança, certo? Aí Bear perguntou qual era o trabalho do pai e explicamos que ele é dono da academia de ioga, dá aulas e ensina outros professores. E o que o Bear disse? "Ah, quando eu crescer, quero ficar em casa de pijama o dia inteiro, igual à mamãe."

Andy riu.

— Mentira.

— Juro por Deus. Sou formada pela Brown, fiz mestrado na Columbia e estou fazendo doutorado, e meu filho acha que eu passo o dia inteiro vendo TV.

— Você vai conseguir fazê-lo entender. Um dia.

— É, durante todo o meu tempo livre.

Andy olhou para a amiga.

— Como assim?

Lily desviou o olhar.

— Lily! Fale logo.

— Bem, tem duas coisas que eu acho que você devia saber.

— Estou esperando.

— Uma é que estou grávida. A segunda é que Alex...

— Mamãe! Skye está puxando meu cabelo e está doendo! Ele me mordeu! E está com uma meleca nojenta no nariz!

Bear se materializou do nada, gritando uma infinidade de queixas em relação ao irmão caçula, e Andy só faltou estrangulá-lo para obrigá-lo a ficar quieto. Lily estava grávida? Só isso já era quase inimaginável, mas Alex *o quê*? Ia passar por ali para dar seus pêsames a Andy? Fora diagnosticado com alguma doença horrível e terminal? Havia se mudado definitivamente para a África ou para o Oriente Médio e planejava não voltar nunca mais? E então ela soube. A única e óbvia resposta.

— Ele finalmente se casou, não foi? — falou Andy, balançando a cabeça. — Claro, é isso.

Lily olhou para ela, mas os gritos de Bear estavam agora mais altos e Skye havia entrado, também em prantos.

— Não que eu não fosse ficar feliz por ele em circunstâncias normais, claro que ficaria, mas não aguento a ideia de ele estar casado com aquela vaca mentirosa e traidora. O que há com nós dois? Alguma atração esquisita e inexplicável que faz a gente se apaixonar por pessoas que nos magoam e nos traem. Por que isso? Alex e eu tínhamos nossos problemas, sem dúvida, mas confiança não era um deles. Ou então não tem nada a ver com a gente: é só que todo mundo trai todo mundo hoje em dia, é o que a galera descolada faz, e esperar outra coisa seria antiquado e absurdo? — Andy respirou fundo e balançou a cabeça. — Não estou parecendo uma velha?

— Andy... — começou Lily, mas Bear se jogou em seu colo com tanto ímpeto que quase a derrubou da cadeira.

— Mamãe! *Eu quero ir para casa!*

Andy olhou discretamente para a barriga pequena mas inegável de Lily. Tinha tantas perguntas a fazer, mas ainda assim sua mente insistia em voltar para Alex.

Bodhi apareceu na sala de jantar, e Lily praticamente jogou os dois meninos em cima dele. Lançou o Olhar para ele, aquele com lasers e as sobrancelhas um pouco arqueadas, a boca franzida que dizia: *Você está encarregado das crianças e ainda assim aqui estão elas, gritando e cobertas de meleca e berrando por mim. Por que não posso ter uma conversa com a minha amiga por dez minutos ininterruptos? É realmente pedir demais?* Aquele olhar que toda mãe aperfeiçoava na primeira semana de vida de seu primogênito.

Ele os atraiu com promessas de chocolates e canecas de leite, e só por um instante Andy sentiu falta de Clementine. Ficar sozinha com uma criança pequena a semana inteira era difícil, por isso ela costumava adorar as noites de terça e sexta-feira, quando Clem estava com o pai, mas ver os meninos de Lily e de Jill lhe deu vontade de abraçar a filha bem apertado. A ideia original era ficar em Connecticut aquela noite e a maior parte do dia seguinte, mas agora estava pensando em antecipar sua volta para bem cedo na manhã seguinte...

— Mal posso acreditar que você está grávida de novo! Quando isso aconteceu? Foi planejado?

Lily riu.

— Não estávamos tentando, mas deixamos de *não tentar*.

— Ah, essa é a melhor. — Andy não pôde deixar de se lembrar de Olive. — Deixar de não tentar já é tentar.

— Bem, de qualquer forma, ficamos bastante chocados. Skye e a irmã vão ter um ano e meio de diferença. Já estou com quase 15 semanas, mas estava esperando para te contar depois que soubesse o sexo. Uma menina! Dá para acreditar?

— Tenho certeza de que meninos também são ótimos, afinal, as pessoas juram que são, mas não tem nada no mundo tão maravilhoso quanto uma filha. Nada.

Lily sorriu.

Andy esticou o braço por cima da mesa e apertou a mão da amiga.

— Estou muito feliz por vocês. Se alguém tivesse consultado uma bola de cristal naquele ano em que moramos juntas em Nova York e dito que um dia você estaria casada com um instrutor de ioga, morando no Colorado e com três filhos que já sabem esquiar antes mesmo de andar, você teria acreditado?

Andy não disse o que mais estava pensando: algum dia ela teria acreditado que criaria, desenvolveria e venderia uma revista de sucesso, que se casaria, e se divorciaria, e aprenderia a ser mãe solteira de uma criança de 2 anos reconhecidamente doce e fácil, tudo antes dos 35 anos? Isso estava a anos-luz do que ela teria esperado.

— Alex. Ele não está casado, Andy. É exatamente o contrário. Ele terminou com Sophie. — Lily balançou a cabeça. — Ou ela terminou com ele, não sei direito como aconteceu, mas com certeza não estão juntos.

Andy inclinou-se para a frente, ávida.

— Como você sabe?

— Ele me ligou quando esteve perto lá de casa, na semana passada.

— Ele *ligou* para você?

— Isso é tão esquisito assim? Ele teve uma semana de folga e estava em Denver a caminho de Vail, ia esquiar com uns amigos, então nos encontramos para um café em um lugar perto do aeroporto.

— Esquiar com *amigos*?

— Andy! Eu não pedi o endereço ou o número de CPF dos amigos dele, mas ele deixou bem claro que não havia ninguém na viagem com quem estivesse romanticamente envolvido. Era isso que você queria saber?

Andy acenou com a mão, fingindo desdém.

— É claro que não. Só fico feliz em saber, feliz por ele, que Alex não está mais com *ela*. Como você sabe que eles terminaram?

— Ele fez questão de me contar. Falou que se mudou há seis meses e mora em Park Slope agora. Diz ele que tem um casinho ou outro, mas que não está interessado em nada sério. Ele foi só muito Alex, sabe?

— Como ele estava?

Lily riu.

— Igual. Um fofo. Mais doce impossível. Ele trouxe livros para os meninos. Falou que devíamos ficar mais em contato e pediu para eu telefonar para ele da próxima vez que fôssemos a Nova York. O de sempre.

— Bem, estou aliviada por ele — falou Andy. — Tenho certeza de que não foi fácil, mas aposto que foi muito mais fácil do que se casar...

— Eu não contei a ele nada sobre você — disse Lily, parecendo culpada. — Você queria que eu contasse? Eu não sabia se devia.

Andy estivera se perguntando se a amiga havia mencionado algo a ele, mas não quisera questionar isso diretamente. Pensou sobre a questão por um momento e decidiu que era melhor Alex achar que ela ainda estava bem-casada e satisfeita com sua nova vida. Não que ela fosse se permitir imaginar por um único segundo que ainda pudesse haver algo entre eles — que mesmo tantos anos depois ele ainda pudesse sentir aquele mesmo sobressalto quando se esbarravam ou quando ouvia o nome dela —, porque dificilmente era verdade.

Mas ainda assim ela não pôde deixar de perguntar:

— Ele chegou a falar em mim? Perguntou alguma coisa sobre mim?

Lily olhou para as mãos.

— Não. Mas tenho certeza de que queria perguntar. Você é sempre o grande elefante branco na sala.

— Valeu, Lil. Você sempre sabe exatamente o que dizer. — Andy se forçou a sorrir.

Ao erguer os olhos, viu que Lily estava olhando fixamente para ela.

— O que foi? Por que está me olhando assim?

— Você ainda o ama, não é? — perguntou Lily em um sussurro, como se sua avó, a única outra pessoa no aposento, estivesse desesperada para ouvir aquela conversa picante.

— Acho que vou amá-lo para sempre — falou Andy, com sinceridade. — É o Alex, sabe? Mas isso tudo faz parte do passado.

Lily ficou em silêncio. Andy esperou que ela dissesse alguma coisa, mas a amiga permaneceu calada.

— E, tirando Alex, não consigo me imaginar próxima de ninguém. Não no momento. Sei que já faz um ano, mas o...

aquilo tudo que aconteceu ainda parece muito recente. Fico feliz por Max e eu finalmente estarmos em paz um com o outro, pelo menos pelo bem de Clem. Barbara parece tão feliz por seu filho estar livre para namorar mulheres "mais apropriadas" que quase virou outra pessoa. Nunca achei que fosse dizer isso, mas ela é louca por Clementine e está a caminho de se tornar uma avó quase razoável. Todo o caos do último ano finalmente diminuiu. Acalmou. Eu não quero namorar ninguém. Talvez algum dia, mas não agora.

Mais uma vez Lily a olhou daquele jeito; Andy sabia que estava mentindo — ou pelo menos não contando toda a verdade —, e Lily também sabia. É claro que ela havia começado a imaginar se algum dia encontraria alguém, se iria se vestir para um encontro ou se esperaria ansiosamente por um fim de semana prolongado com um homem. Ficava se perguntando se algum dia compartilharia as alegrias e dores da maternidade, se teria um confidente, alguém com quem cozinhar o jantar, e, acima de tudo, imaginava se algum dia daria um irmão ou uma irmã a Clem. Sabia que havia boas chances de tudo isso se tornar real, se ao menos quisesse, embora a visão que tinha agora fosse diferente: um futuro namorado possivelmente também seria divorciado e muito provavelmente pai. Que cara solteiro na faixa dos 30 anos escolheria uma mãe de uma criança de 2 anos quando podia começar sua própria família com uma garota muito mais jovem? Mas isso também não era problema. Quando estivesse pronta, Andy entraria em um grupo de pais solteiros, ou se cadastraria em algum site de relacionamentos, ou aceitaria um dos poucos convites para um café que havia recebido de pais solteiros que conhecera no Writer's Space — o espaço de coworking em que vinha trabalhando — ou no parquinho. E, se Deus quisesse, um dia ela se daria bem com um deles e, em vez de planejar um grande casamento de vestido branco, ou uma elaborada lua de mel no Havaí, ou decorar seu primeiro apartamento juntos, eles se concentrariam na apresentação de seus filhos e seus horários na escola e seus ex-cônjuges, em unir duas vidas completamente separadas. Seria diferente, mas podia ser maravilhoso, do seu próprio jeito. Andy sorriu com a ideia.

— Por que esse sorriso? — perguntou Lily.

— Por nada. Só estou me imaginando, algum dia, casada com um homem de 40 anos e pai de dois filhos, com entradas na testa e uma ex-mulher que me odeia quase tanto quanto Max o odeia. Palavras como *custódia* e *visitas de fim de semana* vão fazer parte do nosso vocabulário. Vamos descobrir juntos como ser padrasto e madrasta. Vai ser lindo.

— Você vai ser fabulosa como madrasta malvada — opinou Lily, levantando-se para abraçar a amiga. — Além do mais, vai que você arranja um gato de 22 anos com uma queda por coroas...

— E por crianças de 2 anos...

— Ele vai adorar essa mamãe coroa aqui, e você vai achar o máximo que a maior preocupação na vida dele seja como manter o bronzeado durante os longos e gelados invernos de Nova York.

Andy riu.

— Estou superdisposta a ser a coroa enxuta de um gato bronzeado. Ouça o que eu digo, vovó, esteja onde você estiver.

— Viu? — disse Lily, ajudando a própria avó a se levantar e fazendo um gesto para que Andy as acompanhasse até a sala. — A vida está só começando.

Isso é tudo

24

O contador de palavras do processador de texto emitiu um silencioso alarme piscante: *500 PALAVRAS!*, retumbou a ferramenta em maiúsculas, uma mensagem festiva em roxo e verde dançando pelo monitor inteiro. Sorrindo para si mesma, Andy clicou em "salvar", tirou os headphones antirruído e se dirigiu para a minúscula área de descanso do Writer's Space para fazer um pouco de café. Encurvado em uma das cadeiras dali e entretido com um Kindle estava Nick, um roteirista recém-chegado de Los Angeles que escrevera um piloto escandalosamente bem-sucedido para uma comédia de meia hora e que no momento estava trabalhando em seu primeiro e muito aguardado roteiro de cinema. Ele e Andy haviam se tornado amigos casuais da sala do café alguns meses antes, quando ela passou a trabalhar naquele espaço, mas tinha ficado chocada quando ele a convidara para assistir a um filme independente, duas semanas antes — tão surpresa que até aceitara.

Não de uma forma muito charmosa.

— Você sabe que eu tenho uma filha, não sabe? — tinha soltado Andy no instante em que ele terminara de descrever o filme iraniano que pretendia ver.

Nick inclinara a cabeça cheia de um cabelo louro-escuro liso e a olhara por um breve momento, para então cair na gargalhada. Uma gargalhada alegre, de som doce.

— É claro que eu sei. Clementine, certo? Você esqueceu que me mostrou aquela foto dela na aula de música? E aquela outra que a sua babá mandou para você, com o rosto dela todo sujo de molho de tomate? Sim, Andy, eu sei que você tem uma filha. Pode levá-la se quiser, mas não sei se é o tipo de filme que agradaria a ela.

Andy ficara mortificada. Ela havia perguntado a Lily e Jill mil vezes sobre como um dia contaria a respeito de Clementine para um cara — quando seria a hora certa, a circunstância certa e com quais palavras —, e as duas haviam insistido que, quando fosse a hora, ela saberia. Provavelmente não era isso o que elas tinham em mente.

— Desculpe — balbuciou ela, sentindo o rosto ficar quente. — Eu sou meio nova nisso.

O eufemismo do ano, pensou. Fazia um ano e meio desde o divórcio, e, apesar de os convites não estarem exatamente chovendo em sua horta, ela havia recusado alguns por pura ansiedade e medo. Mas algo nos olhos gentis e nos modos suaves de Nick a fizeram sentir que não havia problema em dizer sim.

Havia sido uma noite perfeitamente agradável. Ela conseguira banhar e vestir Clementine antes de explicar que ia sair para ver um filme com um amigo. Não que Clem entendesse o suficiente para ficar chateada, mas Andy sempre tentava explicar tudo.

— Papai? — perguntou a menina, como fazia pelo menos uma dúzia de vezes por dia.

— Não, não com o papai, querida. Outro amigo.

— Papai?

— Não. Alguém que você não conhece. Mas Isla vai ler histórias para você e botá-la na cama, e eu vou estar bem aqui quando você acordar de manhã, está bem?

Clem descansara sua cabecinha úmida e cheirosa no peito da mãe, abraçara seu cobertorzinho junto ao rosto e soltara um longo e relaxado suspiro. Andy tivera literalmente que se empurrar porta afora.

O encontro foi perfeitamente... bom. Nick se oferecera para pegá-la de táxi, mas Andy sentia-se mais à vontade encontrando-o no cinema. Ele já havia comprado as entradas e conseguido lugares no corredor, então Andy se encarregou da pipoca e manteve um fluxo constante de papo-furado perfeitamente aceitável durante os 15 minutos de espera até o filme começar. Depois eles foram comer sobremesa em uma cafeteria na Houston e conversaram sobre os anos de Nick em Los Angeles, o novo cargo de Andy como editora colaboradora na revista *New York* e, apesar de ela ter jurado não fazê-lo, Clementine. Quando ele a deixou em casa, deu-lhe um selinho de leve na boca e disse que havia se divertido muito. Até parecia ser sincero. Andy rapidamente concordou — havia sido divertido e muito mais relaxado do que tinha esperado —, mas se esqueceu do encontro, e de Nick, no instante em que entrou em casa. Mas na manhã seguinte, lembrou-se a tempo de lhe mandar uma mensagem de texto agradecendo, mas parou de responder depois de algumas mensagens trocadas e ficou tão consumida com Clementine e seu trabalho mais recente e o planejamento de uma futura visita de fim de semana à sua mãe e Jill que quase nem percebeu que Nick não aparecera no Writer's Space a semana seguinte inteira.

E agora ali estava ele, ainda totalmente absorvido em sua leitura — ela bem poderia voltar para sua mesa sem ser notada —, e Andy sentiu-se instantaneamente culpada. Pelo que, ela não sabia. Mas por alguma coisa.

Limpando a garganta, ela se sentou em frente a Nick e disse:

— E aí? Quanto tempo.

Nick ergueu os olhos, mas não pareceu surpreso ao vê-la. Em vez disso, seu rosto se abriu em um largo sorriso e ele desligou seu Kindle.

— Andy! Que bom ver você. O que conta de novo?

— Nada de mais. Só estou fazendo meu intervalo de quinhentas palavras. Eu ia fazer um café. Quer um pouco?

Ela se dirigiu à cafeteira sobre a bancada da cozinha, aliviada por ter o que fazer com as mãos.

— Acabei de fazer. Aquele ali é fresco.

— Ah.

Andy tirou da prateleira sua caneca — que tinha uma foto de Clementine soprando as velas de seu bolo do Elmo, em seu primeiro aniversário — e a encheu de café. Brincou com o leite e o adoçante o máximo que pôde, sem saber o que dizer depois que se virasse, mas Nick não parecia nervoso.

— Vai estar por aí este fim de semana?

Ele a olhava bem nos olhos quando ela voltou para a mesa.

Era uma droga quando as pessoas perguntavam isso sem declarar o que queriam. Ela estava disponível para assistir da primeira fila a Bruce Springsteen tocando no Garden? Sim, provavelmente daria um jeito. Tinha horas sobrando para ajudá-lo a se mudar para um apartamento no sexto andar de um prédio sem elevador? Não, estava cheia de compromissos no fim de semana. Paralisada e sem saber o que responder, Andy ficou apenas olhando para ele.

— Vai ter a inauguração da exposição de um ilustrador amigo meu, no National Arts Club. Uma exposição solo. Vamos sair para jantar depois, para comemorar, e eu adoraria se você fosse.

— À exposição? Ou ao jantar? — perguntou Andy, para ganhar tempo.

— Qualquer um. De preferência os dois — respondeu ele, com um sorriso travesso inegavelmente fofo.

Um milhão de desculpas passaram pela sua cabeça, mas, incapaz de formular qualquer uma delas em palavras, Andy sorriu e assentiu.

— Parece uma boa ideia — disse, sem o menor entusiasmo.

Nick a olhou estranhamente por um segundo, mas deve ter decidido ignorar o desânimo em sua resposta.

— Legal. Eu passo na sua casa para buscar você por volta das seis, pode ser?

Andy já sabia que nada daquilo iria acontecer — nem ele passar na casa dela, a inevitável apresentação a Clem, nem o encontro como um todo —, mas sentia-se totalmente incapaz de explicar por quê. Nick era um amor, bonito e inteligente. Parecia estar a fim dela por algum motivo e dava em cima dela de uma forma adorável, tranquila e não ameaçadora. Só porque ela não havia sentido nada quando ele a beijara e o esquecera quase imediatamente depois do primeiro encontro não significava que não formavam um bom par. Ela podia quase ouvir sua irmã e Lily: *Você não está se casando com ele, Andy! É só um segundo encontro. Ninguém precisa estar loucamente apaixonado para sair uma segunda vez com alguém. No mínimo, isso vai acordar você, ajudar a lembrar como é estar na pista de novo. Vá, relaxe, curta. Pare de tentar planejar cada detalhe. Quem se importa se vai dar certo ou não? Ao menos tente.*

Como se fosse fácil.

— Andy? Pode ser às seis? — A voz de Nick a tirou de seu devaneio.

— Às seis? Sim, está ótimo. É um bom horário. — Ela abriu um sorriso amarelo e no mesmo momento se sentiu ridícula. — É melhor eu voltar ao trabalho!

— Você acabou de se sentar.

— Sim, mas essa matéria é para sexta-feira e eu ainda nem comecei a revisá-la!

A desculpa pareceu ridícula e forçada até para seus próprios ouvidos. O quão horrível devia ter parecido para ele?

— E sobre o que é?

— No sábado eu explico — falou ela, já saindo da sala. — Pode deixar que vou encher você de detalhes.

Foi um alívio quando ela finalmente voltou à sua mesa. Tentou se convencer de que Nick era um cara bem bacana e que, no mínimo, seria uma companhia divertida. Por que ela precisava pensar em algo além disso? Era simples: não precisava.

Conseguiu se concentrar durante a hora seguinte, escrevendo mais cem palavras, e começou a se sentir melhor quanto a cumprir seu prazo na sexta-feira. Seu novo editor na revista *New York*, um oriundo da *Vogue* chamado Sawyer, tornava um prazer trabalhar para ele: calmo, sensato, completamente profissional em todos os sentidos. Ele aprovava — e algumas vezes sugeria — ideias para as matérias, discutia em detalhes no que gostaria que ela focasse e então a deixava em paz para pesquisar e escrever, voltando a se envolver só depois que ela submetia o texto pronto, e apenas para oferecer linhas de edição sensacionais e fazer perguntas profundas e substanciais. O artigo em que ela estava trabalhando agora era, coincidentemente, uma matéria aprofundada sobre como casais do mesmo sexo tentavam diferenciar seus casamentos dos casamentos convencionais sem indispor membros conservadores de suas famílias. Seria sua maior matéria para eles até agora, e ela estava satisfeita com o rumo que estava tomando. O que ela ganhava era razoavelmente decente — pelo menos quando somado aos juros sobre sua parte na venda da *Plunge*, já que ela havia investido o capital em aplicações mais conservadoras —, e ela ainda tinha tempo para se dedicar a outros projetos. Isto é, um livro. Apesar de ter apenas umas cento e poucas páginas e ainda não tê-las mostrado a nenhum outro ser humano, Andy estava otimista com o que vinha produzindo. Como saber se ela algum dia conseguiria de fato publicar um *roman à clef* sobre Miranda Priestly? Andy sabia apenas que adorava estar de volta no controle da própria vida.

Um aviso de e-mail apareceu em seu celular. Andy automaticamente clicou para abrir.

Saudações da Cidade dos Anjos!, berrava a linha de assunto. Ela soube imediatamente que era de Emily.

Caros amigos, parentes e fãs ardorosos,
Fico felicíssima em anunciar que Miles e eu finalmente encontramos uma casa e estamos nos instalando. Ele já começou a filmar sua nova série, *Lovers and Lo-*

sers, e todo mundo que viu o programa piloto jura que vai ser SUCESSO ABSOLUTO (imaginem uma combinação de *Khloe & Lamar* com *The Real Housewives of Beverly Hills*!!!). Meu novo trabalho como personal stylist das estrelas vai de vento em popa. Já assinei com Sofia Vergara, Stacy Keibler e Kristen Wiig e, sem querer citar nomes nem nada, mas vou tomar uns drinques com Carey Mulligan hoje à noite e espero que ao fim do happy hour possa intitulá-la a mais nova cliente de Emily Charlton. Nós dois sentimos saudades de Nova York e, é claro, de todos vocês, mas nossa vida está uma delícia por aqui. Sabiam que hoje fez 26 graus e fomos à praia? Nada mau. Então por favor por favor por favor venham nos visitar em breve... Já falei que temos uma piscina E uma jacuzzi?
Venham. Sério. Não vão se arrepender.
Muitos beijos,
Em

Se Andy havia tentando mandar a Emily alguma espécie de mensagem dizendo que elas não eram mais amigas, Emily não recebera. Apesar de tê-la expulsado de seu apartamento naquela manhã que se seguira à descoberta da assinatura do contrato, apesar de se recusar a retornar todas as ligações ou e-mails de Emily, a não ser que fossem diretamente relacionados à venda da *Plunge*, e apesar de ignorá-la quando se esbarravam socialmente, Emily se recusava a aceitar o silêncio de Andy. Continuava a mandar mensagens e e-mails e a ligar para contar coisas aleatórias ou fofoquinhas e sempre a cumprimentava com um grande abraço e um olá entusiasmado quando se viam. Motivo pelo qual fora um alívio tão grande quando Andy recebera o e-mail de Emily, alguns meses antes, anunciando que ela e Miles estavam indo morar em Los Angeles. A distância certamente conseguiria fazer o que Andy não conseguira, e ela gostava da ideia de cortar os laços.

A demissão de Emily da *Plunge* depois de apenas dez semanas não deveria ter sido uma surpresa — era Miranda, afinal de contas —, mas quando Max lhe contou, ela não pôde deixar de dizer *Eu avisei*. Uma única edição. Foi esse o tempo que Miranda deu a Emily e a seu novo editor-chefe para se provarem no Elias-Clark antes de demitir toda a equipe editorial que ela insistira tão inflexivelmente em manter. Apesar de só acrescentar aos seus sintomas de transtorno de estresse pós-traumático, Andy não conseguia parar de ler todos os diferentes relatos da demissão. Um blog de fofocas tinha a cobertura mais abrangente, provavelmente fornecida por Agatha ou por um dos outros assistentes que realmente haviam testemunhado a história toda, e Andy a lera com voracidade. Aparentemente tinha sido um dia como outro qualquer, na semana após a publicação da primeira edição da *Plunge* sob o nome do Elias-Clark. Na capa estavam Nigel e seu novo marido, Neil, que era — pelo menos segundo as fotos — surpreendentemente acanhado, cafona e pelo menos duas décadas mais velho que o noivo. Nigel engordara um pouco, sem dúvida graças à felicidade pré-casamento, o que, somado à aparência já pouco privilegiada de Neil, tornou impossível, mesmo a St. Germain, conseguir fazer com que parecessem totalmente fabulosos. Pouco importava que o primeiríssimo número, entre todas as revistas de casamento, dedicado à união homoafetiva tivesse recebido críticas tremendamente positivas em todo o país por sua cobertura sensível e perspicaz a respeito de um grupo há muito ignorado — a capa não era glamorosa o bastante, e isso era imperdoável. Nada disso era culpa de Emily, mas detalhes assim não interessavam a Miranda.

Andy não sabia quem deixara vazar a informação — Emily, Nigel, Charla 3.0 —, mas todos os blogs de fofoca concordavam quanto à declaração que oficialmente encerrara o reinado muito curto de Emily no Elias-Clark.

— Está demitida. E leve sua equipe com você. — Nesse momento, Miranda tinha olhado Emily bem nos olhos e acrescentado: — Vamos optar por uma equipe com mais *frescor*.

A nota terminara descrevendo, um tanto alegremente, como toda a equipe da *Plunge* voltara do almoço apenas para descobrir que seus crachás não lhes davam mais acesso ao prédio. Emily tinha sido mais uma vez demitida sem cerimônia por Miranda Priestly, apesar de haver, desta vez, um generoso preço de venda para consolá-la. Ela mandara um e-mail a Andy dizendo que todos os outros funcionários haviam se recuperado: alguns tinham ido para outras revistas, uns poucos haviam aproveitado a oportunidade para voltar a estudar, Daniel seguira seu namorado para Miami Beach, e Agatha — a merecedora e ambiciosa Agatha — era a mais nova assistente júnior de Miranda. As duas se mereciam.

O cursor do navegador de Andy se moveu para deletar o e-mail de Emily, como ela havia feito com dezenas de outros, mas algo a fez parar e clicar em "responder".

Ei, Em,
Parabéns pelo novo trabalho — parece perfeito para você. Parabéns também pela casa com piscina e tal. Bem diferente de NY, imagino. Boa sorte com tudo,
— Andy

Estava prestes a voltar a se concentrar em seu artigo quando Nick apareceu ao lado de sua mesa. Todo o seu ser fez força mental para que ele fosse embora, que não a interrompesse, e ela se arrependeu na hora de ter aceitado ir a um segundo encontro. Não havia nada errado com Nick e nada errado em namorar, mas ela já devia saber que não era legal misturar aquele mundo com seu novo, maravilhosamente silencioso e tranquilo espaço de trabalho. Era seu refúgio de todas as coisas barulhentas e avassaladoras relacionadas a crianças, o único lugar no qual ela podia ficar totalmente sozinha e ainda assim cercada de pessoas, todas as quais estavam lenta e firmemente cuidando da própria vida. Ela quase implorou a ele para deixá-la em paz.

— Andy? — sussurrou ele, quebrando todas as regras.

Era proibido falar na área de trabalho silenciosa, onde Andy havia escolhido uma das mesas mais distantes e isoladas.

Ela se virou e ergueu as sobrancelhas, mas não falou nada.

— Tem um cara esperando por você na cozinha.

— Eu não pedi nenhuma comida — sussurrou ela de volta, sem entender.

— Ele não parece ser entregador de restaurante. Alguém o deixou subir porque ele disse que era importante.

Era a última coisa que Andy queria ouvir. "Importante" só podia significar que era Max e que ele estava ali por causa de Clem. Andy puxou o celular da bolsa e o examinou rapidamente: nenhuma ligação ou mensagem de Isla, o que era reconfortante, mas talvez a emergência fosse tão grave que a babá tivesse achado que Max era mais acessível e tivesse ligado para ele primeiro. Sem mais nenhuma palavra sussurrada para Nick, Andy voou rumo à cozinha. Nada poderia tê-la preparado para quem estava sentado à mesma mesa que Nick e ela haviam dividido mais cedo naquela mesma tarde.

— Oi — falou Alex, como se fosse a coisa mais normal do mundo.

— Oi — respondeu Andy, incapaz de dizer qualquer outra coisa.

Ele passou a mão pelo cabelo, e Andy se pegou tremendo. Não importava — ele estava uma graça de calça jeans, moletom azul-marinho com zíper na gola e, é claro, seus tênis New Balance de praxe. Quando ele abriu os braços e foi na direção dela para envolvê-la em um abraço, Andy quase não conseguiu evitar o choro; a sensação do moletom familiar contra seu rosto, o peso das mãos dele em suas costas, o cheiro avassalador de Alexidade que literalmente lhe tirava o fôlego. Quanto tempo fazia desde que ela fora abraçada assim por alguém que não sua mãe? Um ano? Mais? Era emocionante e calmante e tranquilizante, tudo ao mesmo tempo. Era como voltar para casa.

— O que está fazendo aqui? — indagou ela, ainda convencida de que aquilo era uma assombração, ou pior, uma mera coincidência.

— Estou perseguindo você — falou ele, com uma risada.

— Não, sério.

— É sério. Encontrei sua babá com Clementine hoje naquela loja de cupcakes perto da sua casa e...

— Você encontrou a minha babá? E Clementine? O que estava fazendo a três quarteirões da minha casa? Não está morando em Park Slope agora?

Alex sorriu.

— Sim, mas, como eu disse, estou perseguindo você. Eu estava sentado lá, comendo um cupcake, tentando reunir coragem para aparecer na sua casa, quando entrou Clementine. Ela cresceu tanto desde a última vez que a vi. Ela é linda, Andy, e tão doce. Eu a teria reconhecido em qualquer lugar.

Andy tentou não ficar muito empolgada com a confissão de Alex de que estava planejando aparecer na casa dela, mas não conseguia fazer muito além de olhar para ele.

— Então perguntei à sua babá se você estava em casa. Disse que era um velho amigo, mas acho que ela ficou nervosa por um estranho perguntar por você, então falou que você estava "fora, escrevendo" em algum lugar. Acho que foram essas as palavras que ela usou.

— E você decidiu arriscar e ver se eu estava aqui, entre os cinquenta espaços de coworking da cidade? Sem falar em escritórios particulares, cafeterias, cafés, casas de amigos...

Alex a cutucou de brincadeira. Ela quis agarrar seu dedo e beijá-lo.

— É, ou talvez eu simplesmente tenha visto o seu post de alguns meses atrás no perfil da Lily no Facebook, dizendo que estava trabalhando em um lugar chamado Writer's Space.

Andy ergueu as sobrancelhas.

— Eu sei, eu sei, eu falei que nunca entraria no Facebook, mas me rendi. Agora posso perseguir minhas ex-namoradas com muito mais eficiência. Mas enfim: um cara chamado Nick me deixou subir e disse que conhecia você...

— É.

Alex lhe lançou um olhar interrogativo, mas não insistiu quando ela não ofereceu nenhuma informação adicional.

Uma mulher de cerca de 45 anos entrou na cozinha e começou a vasculhar a geladeira. Andy e Alex caíram em silêncio e ficaram vendo-a puxar um Tupperware de salada de uma das gavetas, sacudir uma garrafa de molho, abrir uma Pepsi e, percebendo de repente que estava interrompendo alguma coisa, levar seu almoço para o lado mais distante do lounge, onde imediatamente colocou tampões de ouvido e começou a comer.

— Então...

Andy olhou para Alex e desejou que ele falasse primeiro. Havia tanta coisa a dizer, mas ela não sabia por onde começar. O que ele estava fazendo ali? O que queria?

— Então... — Alex tossiu nervosamente e esfregou o olho. — Minha lente de contato está me deixando louco a manhã inteira.

— Hum. Odeio quando isso acontece.

— Eu também. Não paro de pensar em fazer a cirurgia a laser e simplesmente me livrar das lentes de uma vez, mas quando você ouve essas histórias de pessoas que têm todo tipo de problemas com olho seco e...

— Alex... é Alex, certo? Não Xander? O que está acontecendo?

Ele pareceu encabulado. Ansioso.

— É Alex — respondeu. Ele retorceu os dedos e puxou a gola do moletom. — Como assim, o que está acontecendo? Porque eu quis vir aqui dar um oi? Isso é tão estranho assim?

Andy riu.

— Sim, é muito estranho. É bem legal, mas é estranho. Quando foi a última vez que nos vimos? Há um ano? Naquele brunch, que deve ter sido a coisa mais constrangedora da história...

Ela ficou tentada, muito tentada a perguntar sobre Sophie, ver o que Alex sabia depois do fato consumado, mas não conseguiu dizer nada.

— Eu e Sophie terminamos — falou ele, baixando os olhos para a mesa. — Já faz um tempo.

— Sinto muito em saber.

— Sente mesmo? — perguntou Alex, com um sorriso.

— Não. Nem um pouco.

Ele sorriu.

— Eu sei de tudo, Andy. Tudo sobre o aluno dela e o caso e a história toda. Ela estava tão convencida de que você havia me contado depois daquele *brunch* que não conseguiu se conter e admitiu tudo. Ainda acho que ela não acredita que você não me disse nada.

— Sinto muito, por tudo.

Ela sabia que Alex entendia que ela estava pedindo desculpas por tudo: por saber e não contar a ele, pela dor que ele devia ter sentido ao descobrir, pelo fato de tudo aquilo ter acontecido.

Ele assentiu, compreendendo.

— Acabou que não era só um casinho passageiro. Eles se casaram quase imediatamente, e ela está prestes a ter um bebê.

Andy queria se esticar para o outro lado da mesa e abraçá-lo.

— Também sei sobre você e Max... — E mais uma vez ele desviou o olhar.

— Max?

Ela sabia exatamente o que ele queria dizer, mas era tão estranho ouvi-lo dizer o nome de seu ex-marido.

— O div... todo aquele lance que aconteceu entre vocês dois.

Andy ficou olhando fixamente para ele, até fazê-lo olhar em seus olhos.

— Como você sabe disso? Lily me falou umas vinte vezes que nunca contou nada para você, que nas poucas vezes em que vocês se falaram nenhum dos dois tocou no meu nome...

— Não foi Lily. Foi Emily.

— Emily? Desde quando vocês mantêm contato?

Alex sorriu, mas com uma ponta de tristeza.

— Desde nunca. Mas ela me ligou do nada alguns meses atrás, falando sem parar, tudo de uma vez, quase histérica. Praticamente igual ao que eu me lembrava dela dos tempos da *Runway*.

— *Ela ligou para você?*

— É. Parece que tinha sido demitida por Miranda de novo e estava planejando ir morar em Los Angeles com o marido.

— É, eles acabaram de se mudar.

— Então ela não parava de falar que tinha estragado tudo, com o Elias-Clark e Miranda e a *Plunge* e principalmente com você. Ela queria que eu soubesse sobre o, hum, o seu... divórcio.

Apesar de não a chocar mais como antes, a palavra *divórcio* ainda fazia Andy se contorcer.

— Ah, meu Deus. Ela não fez isso.

— Ela disse que finalmente ia fazer alguma coisa certa depois de ter metido os pés pelas mãos e feito tanta besteira, e que a única coisa claramente certa... que sempre tinha sido certa... — Ele tossiu.

Andy era incapaz de falar. Aquilo estava mesmo acontecendo? Alex estava realmente sentado ao seu lado, naquela cozinha lúgubre, insinuando — ou melhor, declarando abertamente — que pensava nela? Que eles deviam tentar de novo? Por mais que aquela cena se repetisse muitas vezes em seus devaneios, por algum motivo ainda parecia muito surreal.

Andy não disse nada. Ele ficou olhando primeiro para os pés, depois para o teto. O silêncio deve ter durado apenas vinte ou trinta segundos, mas pareceu uma eternidade.

— O que me diz de irmos jantar no domingo? Cedo, com Clementine, talvez lá pelas cinco? Podemos levá-la pelo seu bairro mesmo, talvez para comer pizza ou hambúrguer. Só uma coisa bem casual.

Andy riu.

— Ela ama pizza. Como você adivinhou?

— Que criança não gosta de pizza?

Andy olhou para Alex e sorriu. Teve aquela sensação familiar, mas há muito esquecida, de reviravolta no estômago quando ele sorriu de volta.

— Parece ótimo. Fechado.

— Excelente! Então está marcado. — O celular dele apitou, e ele olhou para a tela. — Meu irmão está na cidade este fim de semana. Veio visitar uns amigos na pós, na NYU, e eu estou indo encontrá-lo. Ele vai me arrastar para um bar. Deus me ajude.

— Oliver? Não acredito que ele ainda existe. Não o vejo faz... o quê? Dez anos? Como ele está?

— Está ótimo. Mora em São Francisco, trabalha no Google, tem uma namorada absurdamente gata que liga para ele dia e noite. É tipo o sonho de vida de qualquer um. Muito estranho.

— Ele podia ir com a gente no domingo, eu adoraria vê-lo. Faz tantos anos...

— Não sei se ele se empolgaria muito em ir comer uma pizza às cinco da tarde com o irmão e uma criança, mas vou convidá-lo, pode deixar.

— Diga a ele que eu quero vê-lo!

— Eu digo. Prometo. Tenho certeza de que ele também adoraria ver você. Ele sempre... — Alex corou.

— O quê?

— Nada.

— Alex! Ele sempre o quê?

— Ele sempre achou que acabaríamos juntos. Nunca parou de perguntar sobre você.

— Provavelmente só porque nunca foi um grande fã de Sophie.

— Não, na verdade ele era. Achava ela muito gostosa e...

Andy ergueu a mão.

— Já entendi.

Alex sorriu.

— Desculpe.

Andy riu. Alex se levantou e passou sua bolsa carteiro pelo peito. Ela desejava tanto abraçá-lo, mas não queria ser muito atrevida.

Parecendo um pouco tímido, talvez até encabulado, Alex segurou apertado a alça da bolsa. Mas olhou para ela e falou:

— Andy? Vamos devagar, eu prometo. Não quero apressar nada, e sei que você também não quer. Vamos tomar cuidado.

— É. Cuidado.

— Você tem que pensar na sua filha, e eu entendo e respeito isso totalmente. E nós dois nos machucamos em nossos relacionamentos anteriores e tenho certeza de que...

Andy não pensou duas vezes: com sua mente beatificamente livre de preocupações — se estava bonita, como ele iria reagir, o que cada um dos dois diria depois —, ficou na ponta dos pés, jogou os braços em volta do pescoço dele e lhe tascou um beijo na boca. Durou apenas alguns segundos, mas foi a sensação mais natural e maravilhosa do mundo, e, quando ela se afastou, eles sorriram um para o outro.

— *Você* pode ir o mais devagar que quiser — disse ela, com uma expressão séria. — *Eu* pretendo me jogar de cabeça, com tudo.

— Ah, é mesmo? Defina *com tudo*— disse Alex, abrindo um largo sorriso.

E ela o beijou de novo.

Agradecimentos

Nem tenho como expressar minha gratidão a Sloan Harris, meu agente, amigo e, quando necessário, psicólogo ocasional. Não há pânico que você não possa acalmar, nenhum problema que não possa resolver. Obrigada por sua sabedoria, sua orientação infalível e sua infinita calma sob pressão. Você nunca vai saber o quanto aprecio isso.

O mesmo vale para Marysue Rucci, que há quase dez anos (!) tem sido muito mais que uma editora; MSR, você tem sido uma líder de torcida, uma confidente e uma conselheira tão sábia e confiável que mal me lembro de como era minha vida de escritora sem você. Das primeiras sessões de brainstorm à edição final, você tornou este livro melhor de todas as maneiras imagináveis.

A toda a minha família na Simon & Schuster, obrigada por todo o brilhante trabalho e a criatividade. Jon Karp, Jackie Seow, Richard Rhorer, Andrea DeWerd, Tracey Guest, Jennifer Garza, Jessica Zimmerman e Felice Javitz: vocês são a melhor equipe que um autor poderia desejar. Um agradecimento especial a Aja Pollock, por ter melhorado o manuscrito de inúmeras formas, e a Emily Graff, por tudo. Literalmente tudo.

Obrigada também à sensacional equipe da ICM: Maarten Kooij, Kristyn Keene, Josie Freedman, Heather Karpas e Shira Schindel. Agradeço por seus conselhos experientes e suas ideias geniais (e, é claro, por seus votos em grupo). Obrigada por me aconselharem habilmente em todas as situações concebíveis.

A toda a incrível equipe de Londres: um agradecimento enorme por seu entusiasmo infinito e suas ideias fantásticas desde o início deste livro até a publicação. Estamos trabalhando juntos há mais de uma década e eu me sinto muito em dívida com (e apaixonada por) minha família britânica inteira. Na Harper Collins, obrigada a Kate Elton, Lynne Drew, Claire Bord e Louise Swannell. Na Curtis Brown, um milhão de agradecimentos a Vivienne Schuster, Betsy Robbins, Sophie Baker e Claire Nozieres.

Aos amigos que foram tão generosos com seu tempo e experiência: Wendy Finerman, Hillary Irwin, Matthew Hiltzik, Josh Wolfe, Kyle White, Ludmilla Suvorova e todas as minhas amigas, seja aqui em Nova York ou em outros lugares — a todas vocês, um abraço enorme e um pedido para nos encontrarmos para beber em breve. Tipo, amanhã.

Não poderia expressar em palavras a gratidão que sinto por Mallory Stehle e Tracy Larry, sem os quais este livro literalmente nunca teria acontecido. Vocês serão sempre parte da nossa família.

Mamãe, papai e Dana: amo muito vocês. Obrigada por me manterem (parcialmente) sã e com os pés no chão e por me oferecerem ajuda, encorajamento e, mais importante, uma boa risada — sempre. Obrigada a toda a minha família, pela torcida e compreensão constantes e por sempre saberem quando *não* perguntar sobre trabalho: Bernie, Judy, Seth, Sadie, vovó, vovô, Jackie, Mel, Allison, Dave, Sydney e Emma. Os últimos anos foram loucos, e nunca teríamos sobrevivido (ou curtido a loucura dessa aventura) sem cada um de vocês.

E, acima de tudo, obrigada ao meu marido, Mike, que torna *tudo* possível. Este livro não seria mais que uma fantasia fugaz sem seu apoio, sem suas sugestões, ideias e leituras atentas em cada etapa. Obrigada não é suficiente por todas as maneiras, grandes e pequenas, pelas quais você torna a minha vida — a vida de todos nós — completa. A R. e S., obrigada por me trazerem mais alegrias do que eu jamais poderia ter imaginado. É impossível não sorrir quando vocês estão perto de mim. Amo vocês três de todo o coração.

Este livro foi composto na tipologia Minion Pro Regular,
em corpo 12/14,3, e impresso em papel offwhite
no Sistema Cameron da Divisão Gráfica
da Distribuidora Record.